LE FEU ET LA FUREUR

MICHAEL WOLFF

LE FEU ET LA FUREUR

Trump à la Maison Blanche

*Traduit de l'anglais (États-Unis) par
Isabelle Chelley, Nikki Copper, Michel Faure
et Valérie Le Plouhinec*

**Robert
Laffont**

Titre original : FIRE AND FURY. INSIDE THE TRUMP WHITE HOUSE
© Michael Wolff, 2018
Traduction française : Éditions Robert Laffont, S.A.S., Paris, 2018

ISBN : 978-2-221-21836-5
(édition originale : ISBN 978-1-250-15806-2 Henry Holt and Company, New York)

Dépôt légal : février 2018

Pour Victoria et Louise, mère et fille

Prologue

Ailes et Bannon

La soirée doit commencer à 18h30, mais Steve Bannon, de moins en moins soucieux des contraintes horaires depuis qu'il est devenu l'un des hommes les plus puissants du monde, est en retard.

Bannon a promis de venir à ce dîner organisé par des amis dans une maison de Greenwich Village afin d'y rencontrer son ancien mentor, Roger Ailes, ex-patron de Fox News et grande figure de l'aile droite du monde médiatique américain. Le lendemain, 4 janvier 2017 – moins de deux semaines avant l'investiture de son ami Donald Trump comme quarante-cinquième président des États-Unis –, Ailes doit partir à Palm Beach pour une retraite imposée qu'il espère temporaire.

La neige est annoncée et le dîner un instant compromis. Ailes, âgé de 76 ans, a depuis longtemps des problèmes de jambes et de hanches, et marche avec difficulté. Il est venu à Manhattan avec sa femme Beth depuis leur maison des rives de l'Hudson, dans le nord de l'État de New York, et il s'inquiète des chaussées glissantes. Mais il a très envie de voir Bannon. L'assistante de ce dernier, Alexandra Preate, envoie régulièrement aux hôtes de Greenwich Village des tweets pour les informer de la lente progression de Bannon vers la porte de sortie de la Trump Tower.

Alors que le petit groupe d'invités attend le conseiller du Président, Ailes prend la parole. Il est aussi ébahi que les autres par la victoire de son vieil ami Donald Trump et s'engage dans une courte réflexion sur les hasards et les absurdités de la vie politique.

Avant de lancer Fox News en 1996, Ailes fut, pendant cinquante ans, l'une des principales figures du Parti républicain. Même s'il est surpris par cette élection, il plaide la cause d'une filiation en ligne directe de Nixon à Trump. Mais il n'est pas sûr que Trump lui-même – qui fut tour à tour républicain, démocrate, indépendant – puisse défendre cette cause. Il connaît très bien Trump, et se dit prêt à lui offrir son aide. Ailes, qui aimerait aussi rejouer dans la cour des médias de droite, décrit avec verve les possibilités de lever le milliard de dollars qu'il juge nécessaire pour lancer un nouveau réseau de chaînes de télévision.

Ailes et Bannon se considèrent tous deux comme des amateurs d'histoire, des autodidactes qui comprennent le sens caché du monde. Pour eux, cette relation privilégiée qu'ils entretiennent avec l'histoire est tout à fait comparable à celle qu'ils ont avec Trump : ils n'ont qu'à laisser leur charisme agir.

Ailes, cependant, comprend à contrecœur qu'il doit passer le flambeau de la droite à Bannon, du moins pour le moment. Un flambeau qui carbure à l'ironie. Fox News, qui génère 1,5 milliard de profit annuel, a dominé le champ de la politique républicaine pendant deux décennies. Maintenant, c'est Bannon, avec son site Breitbart News et son 1,5 million de bénéfice, qui revendique ce rôle. Pendant trente ans, Ailes – jusqu'à récemment la figure la plus puissante des conservateurs – a supporté les caprices de Donald Trump, mais au final, ce sont Bannon et Breitbart qui ont fait élire le nouveau Président.

Six mois plus tôt, quand la victoire de Trump semblait hors de portée, Ailes, accusé de harcèlement sexuel, était exfiltré avec un gros chèque de Fox News par les fils de Rupert Murdoch, 85 ans, le principal actionnaire de la chaîne et le plus puissant baron de la presse. La chute d'Ailes a été célébrée par la gauche. Le plus détesté des grands conservateurs est tombé sous le joug de nouvelles normes sociales. À peine trois mois plus tard, accusé de comportements bien plus louches, Trump était élu Président.

Ailes apprécie Trump pour beaucoup de raisons : c'est un bon vendeur, un bon showman, un baratineur. Il admire aussi son sixième sens auprès de l'opinion publique, ou du moins ses tentatives constantes de la séduire. Il aime ses manigances, son influence et son effronterie. « Il ne s'arrête jamais, lance-t-il, émerveillé, après le premier débat de Trump avec Hillary Clinton. Vous lui tapez sur la tête, et Donald continue, il ne sait même pas que vous l'avez cogné. » Mais Ailes est certain que Trump n'a aucune conviction politique et pas davantage de colonne vertébrale. Le fait même que Trump soit devenu le dernier avatar du petit homme blanc en colère de Fox News constitue une nouvelle preuve que le monde marche sur la tête. Tout cela est une mauvaise blague, et Ailes se doute qu'il pourrait en être la victime.

Pourtant, il a observé les politiciens de près pendant des décennies et, au cours de sa longue carrière, il en a vu de tous les genres, des bizarres, des affamés, des maniaques. Les opérationnels comme lui – et maintenant comme Bannon – ont travaillé avec tous ces types dans une relation de symbiose et de dépendance mutuelle. Les politiciens sont les hommes de pailles d'une organisation complexe. Les opérationnels connaissent les règles du jeu, les candidats et les élus aussi. Mais pas Trump, Ailes en est certain. Trump est sans discipline. Il ne sait pas jouer le jeu. Il ne peut intégrer le moindre système, ni adhérer à un programme ou à des principes. Pour Ailes, Trump est « un rebelle sans cause ». Il est Donald, voilà tout.

Début août, moins d'un mois après le limogeage d'Ailes de Fox News, Trump a demandé à son vieil ami de prendre la direction de sa calamiteuse campagne électorale. Ailes, connaissant l'incapacité de Trump à accepter les conseils des autres, et même de simplement les écouter, a refusé l'offre. Une semaine plus tard, Bannon occupait le poste.

Après la victoire de Trump, Ailes se demande s'il faut plutôt regretter de ne pas avoir saisi la chance de diriger la campagne de son ami, ou d'avoir cru que cette offre ne serait pas la dernière. Il comprend que l'incroyable victoire de Trump signe le triomphe de ce qu'incarne Fox News. Au fond, c'est Ailes qui a le plus contribué à soulever cette vague de colère en faveur de Trump. C'est lui qui a inventé le média de droite qui a fait ses choux gras du personnage de Trump.

Ailes, membre du cercle fermé des amis et des conseillers de Trump, se met à espérer qu'il pourra passer du temps avec le nouveau Président une fois que Beth et lui s'installeront à Palm Beach. Il sait que Trump compte se rendre souvent dans sa propriété de Mar-a-Lago, proche de sa nouvelle résidence. Cependant, il est aussi conscient qu'en politique, la victoire change tout. Le vainqueur est le vainqueur, et Ailes a du mal à considérer l'étrange et improbable réalité : son ami Donald est maintenant le président des États-Unis d'Amérique.

À 21h30, alors que le dîner est déjà bien entamé, voici enfin Bannon qui arrive avec trois heures de retard. Il porte un blazer froissé, deux chemises l'une sur l'autre comme à son habitude, et un treillis. Mal rasé et en surpoids, l'homme de 63 ans s'assied à la table de ses hôtes et prend immédiatement le contrôle de la conversation. Écartant d'un geste un verre de vin qui lui est proposé – « Je ne bois pas » –, il entre dans une sorte de commentaire en direct, balançant un flot d'informations sur l'état du monde qu'il est sur le point de conquérir. « On va inonder la zone pour que tous les membres du cabinet soient confirmés par le Congrès dans les sept prochains jours, déclare-t-il sur un ton martial. Tillerson, ça prendra deux jours, Session deux jours, Mattis deux jours... »

Il enchaîne sur Mattis – « Mad Dog » Mattis, le chien fou, un général quatre étoiles à la retraite que Trump a nommé secrétaire[1] à la Défense – et s'engage dans une longue dissertation sur la torture, l'étrange gauchisme des généraux, la stupidité des bureaucrates civils et militaires. Puis il aborde l'hypothèse nébuleuse d'une nomination de Michael Flynn – un favori du Président, un général qui a souvent chauffé les salles de réunions électorales avant l'entrée en scène de Trump – au poste de conseiller à la Sécurité nationale.

---

1. Ce titre correspond en France à celui de ministre. *(Toutes les notes sont des traducteurs.)*

« Il est bien. Ce n'est ni Jim Mattis ni John Kelly... mais il est bien. Il a juste besoin d'un bon staff autour de lui... Et si on retire tous les anti-Trump et tous les néoconservateurs qui nous ont fait la guerre, on n'en a pas beaucoup en réserve. »

Bannon ajoute qu'il a essayé de faire nommer à ce poste John Bolton[1], le plus célèbre faucon de la diplomatie américaine. Bolton est aussi le favori d'Ailes, qui affirme :

« C'est un lanceur de bombes et un petit emmerdeur, mais on a besoin de lui. Qui d'autre est bon sur Israël ? Flynn est un peu dingo sur l'Iran. Tillerson – le secrétaire d'État[2] – ne connaît que le pétrole.

— La moustache de Bolton est un obstacle, répond Bannon avec un sourire en coin. Trump pense qu'il n'a pas la tête de l'emploi. Comme vous le savez, il faut apprendre à l'aimer.

— Il paraît qu'il eu un problème, il s'est battu dans un hôtel, une nuit, il courait après une femme.

— Si je raconte ça à Trump, il pourrait avoir le job. »

Curieusement, Bannon est capable de soutenir Trump tout en suggérant qu'il ne le prend pas tout à fait au sérieux. Il l'a rencontré pour la première fois en 2010, alors que le milliardaire hésitait à devenir candidat à la présidence. Lors d'une réunion dans la Trump Tower, Bannon lui a suggéré de dépenser un demi-million de dollars en faveur des candidats du Tea Party[3] afin de consolider ses ambitions présidentielles. Il est sorti de cet entretien persuadé que Trump ne cracherait jamais une pareille somme, que ce type n'était pas un joueur sérieux. Entre cette première rencontre et la mi-août 2016, quand Bannon a pris les rênes de la campagne présidentielle, il n'a pas passé plus de dix minutes en tête à tête avec Trump, à l'exception de quelques interviews pour son émission de radio sur Breitbart.

---

1. John Bolton a été notamment le représentant des États-Unis à l'Onu sous la présidence de George W. Bush.

2. L'équivalent du ministre des Affaires étrangères.

3. Le Tea Party est un mouvement né au lendemain de la première présidence de Barack Obama et souvent qualifié de libertarien et réactionnaire. Il est en partie lié à la branche la plus à droite du Parti républicain.

Maintenant, l'heure de Bannon est arrivée. Partout dans le monde règne le doute. Le Brexit au Royaume-Uni, les vagues de migrants débarquant sur les rives d'une Europe en colère, le désenchantement des travailleurs, le spectre d'un nouvel effondrement financier, Bernie Sanders et son gauchisme revanchard, partout, c'est le retour de bâton. Même « les mondialistes[1] » les plus enthousiastes avouent leurs hésitations. Bannon est persuadé qu'un grand nombre de gens attendent un nouveau message : le monde a besoin de frontières – ou devrait revenir à un temps où les frontières existaient encore. Un temps où l'Amérique était une grande nation. Trump est devenu le porte-voix de ce message.

En ce soir de janvier, Bannon est depuis près de cinq mois immergé dans le monde de Donald Trump. Même s'il a dressé une longue liste des bizarreries de ce dernier, même s'il peut s'alarmer des opinions et du caractère imprévisible de son patron, rien ne semble effriter l'extraordinaire charisme de Trump dans les rangs de la droite américaine, du Tea Party, des réseaux sociaux. D'autant qu'avec la victoire, Trump offre une nouvelle vie à Steve Bannon.

« Il a compris ? » demande soudain Ailes en regardant Bannon avec intensité.

Il veut dire : Trump a-t-il compris ? Il aimerait probablement en savoir un peu plus sur le programme de la droite : ce playboy milliardaire a-t-il compris la cause du petit peuple travailleur ? À moins qu'il ne s'agisse d'une question à froid sur la nature même du pouvoir : Trump comprend-il le rôle que lui offre l'histoire ?

Bannon boit une gorgée d'eau. « Oui, il a compris. » Puis, après une hésitation un peu trop longue, il ajoute : « Enfin, il comprend ce qu'il comprend. »

Ailes continue à regarder Bannon, espérant qu'il mette de nouvelles cartes sur la table.

« Franchement, il suit le programme. C'est son programme », et Bannon enchaîne sur l'agenda de Trump : « Le premier jour, on

---

1. Néologisme utilisé par les nationalistes pour dénoncer les partisans d'un État mondial.

met l'ambassade américaine à Jérusalem. Netanyahou est dans la boucle. Sheldon – Sheldon Adelson, le milliardaire dont la fortune vient des casinos, grand défenseur d'Israël et soutien de Trump – est dans la boucle aussi. Sur ce sujet, on sait où on va.

— Et Donald le sait ? » demande Ailes, toujours sceptique.

Bannon sourit, esquisse un clin d'œil et continue :

« Laissons la Cisjordanie à la Jordanie. Laissons Gaza à l'Égypte. Laissons-les gérer ça. Ou sombrer en s'y essayant. Les Saoudiens sont sur la brèche, les Égyptiens sont sur la brèche, ils ont tous une trouille mortelle de la Perse… Yémen, Sinaï, Libye… Tout ça va mal… C'est pourquoi la Russie est la clé… La Russie est-elle si dangereuse que ça ? Ce sont des sales types, mais le monde est plein de sales types. »

Bannon pérore avec exubérance – il refait le monde.

« C'est bien de savoir que les sales types sont des sales types, dit Ailes, mais Donald l'ignore peut-être. »

Le véritable ennemi, répond Bannon, soucieux de ne pas trop défendre Trump sans toutefois le mettre sur la touche, c'est la Chine. La Chine est le premier front d'une nouvelle guerre froide, et cela n'a pas été intégré durant toutes les années Obama – ce que nous avions cru comprendre, nous ne l'avions pas du tout compris. C'est l'échec des services secrets américains. « Je pense que Comey est un mec de troisième zone et Brennan un mec de seconde zone », ajoute Bannon à propos des directeurs respectifs du FBI et de la CIA.

« La Maison Blanche ressemble aujourd'hui à celle de Johnson en 1968. Susan Rice – conseillère à la sécurité nationale d'Obama – mène la campagne contre Daech à la manière d'une conseillère à la sécurité nationale. Ils choisissent les cibles, elle décide où frapperont les drones. Franchement, ils mènent cette guerre aussi efficacement que Johnson au Vietnam en 1968. Le Pentagone est totalement désengagé, les services de renseignements sont désengagés. Les médias ont été très indulgents avec Obama. Enlevez l'idéologie, et tout cela est une affaire d'amateurs. Je ne sais pas ce qu'Obama fait. Personne ne le connaît au Congrès. Aucun homme d'affaires ne le connaît. Qu'a-t-il accompli ? Que fait-il ? »

« Où en est Donald là-dessus ? demande Ailes, qui comprend que Bannon va bien plus loin que son patron.

— Il est totalement avec nous.

— Concentré ?

— Il est d'accord avec nous.

— Il ne faut peut-être pas que Donald ait trop de choses à quoi penser », répond Ailes, amusé.

Bannon hausse les épaules.

« Un peu trop, pas assez, ça ne change rien. »

« Dans quoi il s'est embarqué avec les Russes ? demande Ailes.

— En gros, répond Bannon, il a été en Russie parce qu'il pensait rencontrer Poutine. Mais Poutine n'en avait rien à foutre de lui. Alors il a continué à essayer.

— C'est Donald, ça !

— C'est magnifique… » répond Bannon qui semble considérer Trump comme une merveille de la nature au-delà de toute explication.

De nouveau, Bannon laisse de côté le problème Trump – cette présence singulière et imposante à laquelle il convient d'exprimer reconnaissance et fidélité. Tenant le rôle qu'il s'est créé, celui de concepteur de la présidence Trump, il revient à la charge :

« La Chine est le point central. Le reste ne compte pas. Si on n'est pas bons sur la Chine, nous n'irons nulle part. Tout cela est très simple. La Chine aujourd'hui est là où en était l'Allemagne en 1929-1930. Les Chinois, comme les Allemands, sont les gens les plus rationnels du monde, jusqu'au moment où ils ne le sont plus. Et alors ils vont basculer comme l'Allemagne dans les années 1930. Nous allons avoir un État hypernationaliste et, après ça, vous ne pourrez plus rentrer le génie dans sa bouteille.

— Donald ne sera pas Nixon en Chine », admet Ailes qui suggère que ce serait toucher aux limites de la crédibilité de voir le Président américain endosser sa cape de grand réformateur du monde.

Bannon sourit.

« Bannon en Chine, dit-il avec un remarquable mélange d'emphase et d'autodérision.

— Et le gamin ? demande Ailes à propos du gendre et grand conseiller politique de Trump, Jared Kushner, âgé de 36 ans.

— C'est mon coéquipier, répond Bannon, d'un ton suggérant que même s'il ne le pense pas réellement, telle est désormais sa version officielle.

— Vraiment ? doute Aisle.

— Il fait partie de l'équipe.

— Il a souvent déjeuné avec Rupert.

— À propos, répond Bannon, vous pourriez m'aider à ce sujet. »

Il entreprend pendant plusieurs minutes de recruter Ailes pour l'aider à neutraliser Murdoch. Ce dernier, qui a suscité beaucoup d'amertume chez Ailes après son éviction de Fox News, encourage le Président élu à s'aligner sur la modération de l'establishment (l'élite constituée des républicains les plus modérés, du monde des affaires et des riches New-Yorkais). Encore un étrange retournement des valeurs dans les tumultueux courants du conservatisme américain. Bannon voudrait qu'Ailes suggère à Trump, un homme qui, entre autres névroses, est terrifié par les pertes de mémoire et la sénilité, que Murdoch pourrait bien être en perte de vitesse.

« Je vais l'appeler, mais Trump est prêt à tout pour plaire à Rupert. C'est comme avec Poutine. Tu lui lèches les bottes et il te chie dessus. Je me demande qui tire les ficelles. »

Le vieux magicien des médias de droite et son cadet (plus tout à fait jeune) continuent leurs échanges, à la grande satisfaction des invités, jusqu'à minuit et demi. L'ancien veut percer la nouvelle énigme nationale qu'est Trump – même si Ailes prétend que l'attitude de ce dernier est tout à fait prévisible –, le plus jeune semble déterminé à ne pas bouder sa nouvelle destinée.

« Donald Trump a gagné. C'est Trump, mais il a gagné, lance Bannon. Trump est Trump.

— Ouais, c'est tout Trump », répond Ailes sur un ton d'incrédulité.

1

Le jour de l'élection

Dans l'après-midi du 8 novembre 2016, Kellyanne Conway
– directrice de campagne et personnalité centrale, voire star, du
monde de Trump – s'installe dans son bureau vitré de la Trump
Tower. Jusqu'à ces dernières semaines, le QG du candidat est resté
un lieu tranquille. Seuls quelques posters avec des slogans de droite
le distinguent d'un bureau d'entreprise.

L'humeur de Conway, ce jour-là, est au beau fixe, ce qui est
remarquable pour quelqu'un qui s'apprête à vivre une défaite retentissante, voire cataclysmique. Donald Trump va perdre l'élection
– elle en est tout à fait certaine – mais pourrait terminer à moins
de six points d'Hillary. Et cela, ce serait une réelle victoire. Quant
à la défaite imminente, elle s'en lave les mains. Ce sera la faute
de Reince Priebus[1], pas la sienne.

Elle a passé une bonne partie de la journée à téléphoner à
ses amis et alliés du monde politique pour leur dire tout le mal
qu'elle pense de Priebus. Maintenant, elle propose des éléments
de langage aux producteurs et présentateurs de télévision avec
lesquels elle a noué des liens de confiance et auprès desquels,
après plusieurs entretiens au cours des semaines passées, elle
espère décrocher un job de présentatrice après l'élection. Elle
a pris soin de traiter avec égards un certain nombre d'entre eux

---

1. Alors président du Comité national républicain, c'est-à-dire de la direction
nationale du Parti républicain. Ce comité est souvent désigné par son sigle anglais,
RNC, pour Republican National Committee.

qu'elle a rejoint la campagne de Trump à la mi-août et qu'elle est devenue la voix combative et convaincante de son camp – sourire mécanique à la fois blessé et imperturbable et visage particulièrement télégénique.

Au-delà de toutes les terribles gaffes de la campagne, le vrai problème, explique-t-elle, c'est l'incontrôlable RNC, le Comité national républicain, que dirigent Priebus, son acolyte de 32 ans Katie Walsh, et leur directeur de la communication Sean Spicer. Au lieu de les soutenir, le RNC, devenu l'instrument de l'establishment républicain, s'est carapaté depuis la nomination de Trump au début de l'été. Et quand Trump a eu besoin de leur soutien, il n'y a plus eu personne.

Après ce préambule, dans la deuxième partie de son discours, Conway soutient que malgré tout, la campagne de Trump a su remonter la pente. Une équipe sous-financée derrière le pire candidat de l'histoire moderne – elle lève les yeux au ciel à la seule mention du nom de Trump, ou présente le visage fermé d'un joueur de poker menteur – a finalement accompli un travail formidable. Conway, qui n'avait jamais intégré de campagne nationale et qui gérait, avant Trump, une petite boîte de sondages, réalise parfaitement qu'après l'élection elle deviendra l'une des grandes voix conservatrices de la télévision.

Pourtant, un sondeur de l'équipe Trump, John McLaughlin, suggère depuis une semaine que dans un certain nombre d'États clés, des estimations à l'origine désastreuses sont peut-être en train d'évoluer en faveur de leur champion. Mais ni Conway ni Trump ni son gendre Jared Kushner – le véritable chef de campagne, le représentant de la famille au sein de l'équipe dirigeante – ne veulent en démordre : cette aventure inattendue arrive à sa fin.

Seul Steve Bannon, faisant bande à part, continue à prétendre que les chiffres vont tourner en leur faveur. Mais les opinions de *crazy Steve* (« Steve le dingue ») sont loin d'être rassurantes.

Presque tout le monde dans cette équipe de campagne – encore toute petite organisation – se considère clairvoyant et réaliste. Le consensus général, mais non dit, est que non seulement Trump ne sera pas Président, mais que probablement il ne faut pas qu'il le soit. Cette conviction a un avantage. Personne n'aura à gérer les conséquences d'une victoire.

Alors que la campagne se termine, Trump est confiant. Il a survécu au Pussygate[1] et au RNC qui avait osé lui demander de se retirer de la course. En outre, le directeur du FBI, James Comey, vient bizarrement de rouvrir l'enquête sur les e-mails d'Hillary Clinton[2] à onze jours du scrutin, épargnant à Trump un raz de marée démocrate.

« Je peux devenir l'homme le plus célèbre du monde, a proclamé Trump au début de la campagne à l'un de ses conseillers intermittents, Sam Nunberg.

— Mais voulez-vous devenir Président ? » a rétorqué Nunberg (une question d'une nature différente de celle habituellement posée aux candidats : « Pourquoi voulez-vous devenir Président ? »).

Trump n'a pas répondu.

Ce n'était peut-être pas nécessaire, puisqu'il n'allait pas devenir Président.

Roger Ailes dit toujours que si on veut faire carrière à la télévision, il faut d'abord devenir candidat à la présidence. Et Trump, encouragé par son vieil ami, commence à lancer la rumeur d'un futur réseau de chaînes de télévision Trump. Un bel avenir l'attend.

Il assure à Ailes qu'il va sortir de cette campagne avec une marque Trump plus puissante encore, et riche de nombreuses opportunités. « C'est encore plus fort que je ne l'imaginais, lui dit-il une semaine avant le scrutin. Je ne pense pas à la défaite parce que je ne vais rien perdre, j'ai déjà tout gagné. » Son discours de défaite est prêt : « On a volé ma victoire ! »

Donald Trump et ses petits soldats sont résolus à perdre dans le feu et la fureur. Ils ne sont pas prêts pour la victoire.

---

1. Scandale autour d'une vidéo contenant des propos sexistes de Donald Trump.

2. Dès mars 2015, une controverse éclate concernant l'usage d'une messagerie personnelle par Hillary Clinton alors qu'elle était secrétaire d'État du président Obama.

En politique, quelqu'un doit perdre, mais tout le monde, toujours, pense pouvoir gagner. Et pour gagner, il faut croire en la victoire. Trump échappe à la règle.

Son leitmotiv est de dire combien sa propre campagne est nulle et ses collaborateurs des losers. Il est également convaincu que l'équipe de Clinton est composée de brillants vainqueurs en puissance. « Ils ont les meilleurs, nous les pires. » Il suffit de voyager dans son avion pour faire l'expérience éprouvante du mépris de Trump à l'égard de ses collaborateurs. Il prétend être entouré d'imbéciles.

Corey Lewandowski, son premier directeur de campagne, se fait régulièrement houspiller. Pendant des mois, Trump le surnomme « le Pire » avant de finalement le virer en juin 2016. Après cela, le candidat ne cesse de répéter que sa campagne est foutue sans Lewandowski. « On est tous des losers, dit-il, et vous, les gars, vous êtes catastrophiques, personne ne sait quoi faire… Si seulement Corey pouvait revenir. » Peu de temps après, Trump se fâche avec son deuxième directeur de campagne, Paul Manafort.

En août 2016, il enregistre un retard de 12 à 17 points derrière Clinton et affronte chaque jour la tempête d'une presse déchaînée contre lui. Il n'est plus question d'envisager une victoire, et fidèle à ce qu'il est, il vend au plus offrant sa campagne qui part en vrille. Bob Mercer, un milliardaire de droite, abandonne le candidat républicain Ted Cruz et injecte 5 millions de dollars dans la campagne de Trump. Pensant celle-ci sur le point de s'effondrer, Mercer et sa fille Rebekah décollent en hélicoptère de leur propriété de Long Island pour un dîner de levée de fonds rassemblant un grand nombre de potentiels donateurs prêts à dégainer leur chéquier, dans la maison d'été des Hamptons de Woody Johnson, héritier de la multinationale Johnson & Johnson et propriétaire de l'équipe de football américain des New York Jets.

Trump connaît à peine Mercer et sa fille. Il a eu quelques conversations avec Bob, qui généralement ne s'exprime que par monosyllabes. Ses liens avec Rebekah se résument à un selfie dans la Trump Tower. Mais quand les Mercer lui présentent un plan de sauvetage de sa campagne en proposant d'y introduire deux de leurs lieutenants, Steve Bannon et Kellyanne Conway, Trump n'oppose aucune résistance. Il leur dit simplement qu'il ne comprend pas pourquoi ils font ça. « Ce truc, leur dit-il, est complètement foutu. »

Si l'on en croit tous les indicateurs pertinents, ce n'est pas seulement l'ombre d'une destinée funeste qui plane sur ce que Bannon appelle « cette campagne de merde », mais aussi le sentiment d'une impossibilité structurelle.

Le candidat, qui se prétend milliardaire – et le répète à satiété –, refuse de mettre un dollar dans sa propre campagne. Bannon signale à Jared Kushner – lequel, quand Bannon a été embauché, était en vacances en Croatie avec sa femme et un ennemi de son beau-père, David Geffen – qu'après le premier débat de septembre, il faudra encore 50 millions de dollars pour tenir jusqu'au jour du scrutin.

« Impossible de lui demander 50 millions si l'on n'est pas certains de la victoire, a répondu Kushner.

— 25 millions, alors ?

— On peut lui dire que la victoire est plus que probable. »

Finalement, tout ce que Trump accepte de faire est de prêter 10 millions de dollars pour sa propre campagne, à condition qu'ils lui soient remboursés dès que de nouveaux fonds auront été levés (Steve Mnuchin, à l'époque trésorier de la campagne, prend la précaution d'aller chercher l'argent muni de l'ordre de virement de Trump afin d'éviter que celui-ci ne trouve plus judicieux d'oublier toute cette affaire).

En fait, il n'y a pas vraiment de campagne parce qu'il n'y a pas vraiment d'organisation, sinon un embryon d'équipe dysfonctionnelle. Le 8 août 2015 Roger Stone, le premier conseiller de la campagne, démissionne ou est renvoyé par Trump – chacun des deux hommes a prétendu publiquement avoir laissé tomber l'autre. Le même mois, Sam Nunberg, un conseiller de Trump qui avait travaillé pour Stone, est bruyamment viré par Lewandowski, puis le candidat décide de laver son linge sale en public en poursuivant Nunberg en justice. Lewandowski et Hope Hicks, l'attachée de presse qui a rejoint la campagne à la demande d'Ivanka Trump, ont une relation sentimentale qui se termine par une bagarre en

23

pleine rue – un incident mentionné par Nunberg dans sa réponse aux poursuites judiciaires engagées par Trump. Cette campagne, en réalité, n'est pas conçue pour gagner quoi que ce soit.

Même si Trump réussit à éliminer les seize autres candidats républicains, aussi improbable que cela puisse paraître, l'objectif final – remporter la présidentielle – semble toujours aussi absurde.

À l'automne, pourtant, cette hypothèse devient légèrement plus plausible, et c'est alors qu'éclate le Pussygate. « Je suis automatiquement attiré vers les belles femmes, je commence toujours par les embrasser, déclare Trump à Billy Bush, présentateur sur NBC, alors qu'un micro est ouvert, en plein débat national sur le harcèlement sexuel. C'est comme un aimant, je les embrasse, je n'attends même pas. Et quand tu es une star, elles te laissent faire, tu peux faire n'importe quoi… les attraper par la chatte. Tu peux faire ce que tu veux. »

L'effondrement qui suit a quelque chose de théâtral. Les républicains sont mortifiés et quand Reince Priebus, le chef du parti, prend le train à Washington pour se rendre à une réunion d'urgence à la Trump Tower, il n'a pas le courage de quitter la gare new-yorkaise de Penn Station. Il faut deux heures pour le convaincre de traverser la ville jusqu'au QG du candidat. « Mon pote, peut-être que je ne vais jamais te revoir, lui dit au téléphone Bannon sur un ton désespéré, mais tu dois venir jusqu'ici, et franchir la porte d'entrée de la tour. »

Cette ignominie que Melania Trump doit endurer présente tout de même un avantage : après la diffusion de cette vidéo, son mari ne sera jamais Président.

Le couple que forment Donald et Melania constitue une énigme pour son entourage – en tout cas pour ceux qui n'ont ni d'avions privés ni de nombreuses résidences. Ils passent relativement peu de temps ensemble. Ils peuvent vivre des jours sans se croiser, même lorsqu'ils sont tous les deux dans la Trump Tower. Souvent, Melania ne sait pas où se trouve son mari, et ne s'en préoccupe pas. Il passe d'une de ses propriétés à une autre aussi facilement que s'il changeait de pièce dans un appartement. Elle en sait peu sur ses déplacements, peu aussi sur ses affaires, et ne s'y intéresse guère. Trump a été un père absent pour ses quatre premiers enfants, il l'est encore davantage pour le cinquième d'entre eux, Barron, qu'il a eu avec Melania. C'est maintenant son troisième mariage, et il annonce à ses amis qu'il a finalement compris la règle d'or de la vie conjugale : « Chacun gère sa vie. »

Son attirance pour les femmes est notoire et durant la campagne il est sans doute devenu le plus célèbre goujat du monde. Si personne ne dira jamais qu'il est un homme délicat avec les femmes, il cultive un certain nombre de théories à leur sujet. Celle-ci, par exemple, qu'il développe auprès de ses amis : plus la différence d'âge est grande entre un homme mûr et une jeune femme, plus celle-ci se montre indulgente à l'égard des infidélités de son mari.

Pourtant, ce mariage est une union véritable. Trump parle souvent au téléphone avec Melania quand elle n'est pas auprès de lui. Il admire sa beauté, et le proclame publiquement – souvent en sa présence, ce qui est embarrassant pour elle. Il a affirmé à plusieurs personnes, avec fierté et sans aucune ironie, qu'elle était une « femme trophée ». Et même s'il ne partage pas toujours sa vie avec elle, il la fait profiter de ses largesses. « Une femme heureuse, c'est une vie heureuse », dit-il souvent, reprenant un poncif apprécié des hommes riches.

Trump cherche souvent l'approbation de sa femme (et de toutes les femmes de son entourage). En 2014, quand il commence sérieusement à envisager une candidature à la présidence, Melania est l'une des rares personnes à penser qu'il pourrait gagner. Ivanka, la fille de Trump, qui prend ses distances avec la campagne de son père et ne cache guère son aversion pour sa belle-mère, répète ce bon mot à ses amis : « Tout ce qu'il faut savoir sur Melania, c'est qu'elle pense que si Donald est candidat, il gagnera l'élection ! »

En réalité, une telle perspective est un cauchemar pour Melania. Elle estime qu'une victoire détruirait les protections qu'elle a érigées autour de sa vie personnelle centrée sur son fils, protections opportunes contre les intrusions du tentaculaire clan Trump.

« Ne mets pas la charrue avant les bœufs », lui dit souvent Trump, amusé, alors qu'il est tous les jours sur les estrades et omniprésent à la une des journaux. La peur et les tourments de Melania n'ont fait qu'augmenter au fil du temps.

Une rumeur court sur elle à Manhattan, à la fois cruelle et comique dans ses insinuations, qui lui est rapportée par ses amies. Son ancienne vie de mannequin est passée au peigne fin en Slovénie, son pays natal. Un magazine local, *Suzy*, évoque cette rumeur après la désignation officielle de Trump comme candidat républicain à la Maison Blanche, le 21 juillet 2016. L'histoire se répand à travers le monde avec le *Daily Mail* et le *New York Post* met la main sur la source de la rumeur : une série de photos de Melania nue prises au début de sa carrière de mannequin. Tout le monde, sauf Melania, pense que Trump lui-même serait à l'origine de cette histoire. Inconsolable, elle demande à son mari si c'est cela, leur avenir. Et si oui, elle lui annonce qu'elle ne le supportera pas.

Trump répond à sa façon – *Portons plainte !* – et lui envoie des avocats spécialisés. Mais il semble contrit, aussi, sentiment inhabituel chez lui. Attend encore un peu, lui dit-il. Tout sera terminé en novembre. Il l'assure solennellement à sa femme : il est impossible qu'il puisse gagner. Et même pour ce mari infidèle chronique – il dirait plutôt « incontrôlable » –, cette promesse faite à son épouse, il semble sûr de pouvoir la tenir.

La campagne de Trump, de manière fortuite, reprend le scénario du célèbre film de Mel Brooks, *Les Producteurs*, dans lequel deux héros, escrocs amateurs, Max Bialystock et Leo Bloom, entreprennent de vendre plus de 100 % des actions investies dans un show de Broadway qu'ils produisent. Comme ils ne seront découverts que si le spectacle est un succès, ils font tout pour que la pièce soit un désastre. Le show en devient si extravagant qu'il triomphe et ruine les producteurs.

Tous les présidents des États-Unis – animés par l'orgueil, le narcissisme ou un sens très singulier de leur destinée – ont probablement passé une grande partie de leur carrière, sinon même de leur vie depuis l'adolescence, à se préparer à cette épreuve. Ils ont gravi les échelons des fonctions électives, ils se sont construit une personnalité publique, ils ont tissé leur réseau avec un soin maniaque, puisque le succès dépend très largement des alliés dont on dispose. Ils ont bachoté (même dans le cas d'un président peu intéressé comme George W. Bush qui comptait sur les amis de son père pour travailler à sa place). Ils ont fait le ménage dans leur vie privée ou du moins pris soin de cacher leurs erreurs passées. Ils se préparent à gagner et à gouverner.

Le calcul de Trump est différent. il pense que lui et son équipe pourront engranger des bénéfices s'il devient *presque* président. Pas besoin pour cela de changer de comportement ni de vision du monde : restons nous-mêmes puisque, de toute évidence, nous n'allons pas gagner.

De nombreux candidats à la présidentielle ont érigé en vertu le fait de ne pas être de purs technocrates de Washington. Une stratégie qui favorise davantage les gouverneurs que les sénateurs. Mais tous les candidats sérieux, quel que soit leur mépris affiché à l'égard de la capitale fédérale, ont besoin des conseils et du soutien des initiés de Washington. Chez Trump, personne, dans le cercle étroit de ses conseillers, n'a jamais travaillé en politique à un niveau national – et sa garde rapprochée n'a aucune expérience en la matière. Tout au long de sa vie, Trump a noué peu de vraies amitiés, et quand il commence sa campagne, il ne connaît presque personne dans le monde politique. Les deux seuls politiciens dont il est proche sont Rudy Giuliani et Chris Christie, deux hommes qui, chacun à leur manière, sont à la fois singuliers et isolés. Et dire que Trump n'a absolument aucune des notions de base nécessaires à l'exercice politique est un euphémisme. Au début de la campagne, dans une scène digne des *Producteurs*, Sam Nunberg est envoyé chez le candidat pour lui expliquer la Constitution des États-Unis. « Je n'en étais qu'au quatrième amendement qu'il avait déjà un doigt sur la lèvre et que ses paupières se fermaient. »

À peu près tout le monde dans l'équipe de Trump est arrivé avec un tas de conflits d'intérêts prêts à exploser sous le nez du

Président et de son état-major. Mike Flynn, futur conseiller à la Sécurité nationale, qui chauffe les salles de meeting, et que Trump adore écouter quand il critique la CIA et l'impuissance des espions américains, s'est fait dire que ce n'était pas une bonne idée d'accepter 45 000 dollars pour un aller donner discours en Russie. « Bon, ce ne serait un problème que si nous allions gagner », dit-il, rassurant, sachant que ça n'en sera donc pas un.

Paul Manafort, le lobbyiste international qui dirige la campagne de Trump après le départ de Lewandowski en juin 2016, le fait bénévolement – ce qui amène à s'interroger sur les contreparties. Manafort a représenté pendant trente ans des dictateurs corrompus, amassant des millions de dollars qui depuis longtemps intéressent les enquêteurs. Il rejoint de surcroît la campagne au moment même où il est poursuivi par l'oligarque russe Oleg Deripaska qui l'accuse du vol de 17 millions de dollars lors d'une escroquerie immobilière.

Pour des raisons évidentes, aucun président avant Trump, et peu de politiciens en général, sont issus du secteur de l'immobilier : un marché peu régulé, fondé sur la dette et exposé à de fréquentes fluctuations. Il dépend souvent des largesses gouvernementales et constitue le havre parfait du blanchiment. Que ce soit le gendre de Trump, Jared Kushner, ou le père de ce dernier, Charlie Kushner, les fils de Trump Don Jr. et Eric, sa fille Ivanka, ou bien sûr Trump lui-même, tous ont plus ou moins fait prospérer leurs entreprises dans les limbes des flux internationaux de cash flow gratuit et d'argent sale. Les affaires immobilières de Jared Kushner sont totalement liées à celles de son père, Charlie, lequel a fait un séjour dans une prison fédérale pour évasion fiscale, subornation de témoins et financement politique illégal.

Les politiciens modernes et leurs équipes utilisent d'abord contre eux-mêmes les outils de l'*opposition research*[1]. Si l'entourage de Trump l'avait fait pour son candidat, il aurait réalisé qu'une enquête éthique pouvait facilement mettre leur campagne en péril. Mais Trump a ignoré ce procédé. Psychologiquement, il

---

1. Recherches menées par des entreprises privées qui rassemblent pour un parti ou un mouvement politique des données concernant leurs opposants.

lui est impossible de poser un tel regard critique sur lui-même, a affirmé un jour Roger Stone, vétéran des conseillers politiques du candidat, lors d'une conversation avec Bannon. Il ne pourrait pas non plus tolérer que quelqu'un en sache trop sur lui, et puisse s'en servir. Et de toute façon, pourquoi s'engager dans pareil examen, potentiellement risqué, alors que l'on n'a aucune chance de gagner l'élection ?

Ainsi, non seulement Trump a délibérément ignoré les éventuels conflits générés par ses affaires et ses holdings immobilières, mais il a eu aussi l'audace de refuser de publier sa feuille d'impôts. À quoi bon, puisqu'il ne va pas gagner ?

Par ailleurs, Trump a toujours refusé de s'occuper des questions de transition entre Obama et lui, même sous forme d'hypothèses, sous prétexte que cela pourrait lui porter malchance. En réalité, il pense que c'est une perte de temps.

Il ne va pas gagner ! Ou bien perdre, c'est gagner.

Trump sera l'homme le plus important du monde, un martyr d'Hillary la véreuse.

Sa fille Ivanka et son gendre Jared, libérés de leur statut d'obscurs jeunes gens riches, deviendront des célébrités mondiales et les ambassadeurs de la marque Trump.

Steve Bannon dirigera *de facto* le Tea Party.

Kellyanne Conway deviendra une star de la télé.

Reince Priebus et Katie Walsh retrouveront leur Parti républicain.

Melania Trump pourra renouer avec ses déjeuners loin des regards importuns.

Voilà la défaite sans peine qu'ils attendent le 8 novembre 2016. Perdre sera très bien pour tout le monde.

Peu après 20 heures, quand l'inattendu sursaut – pouvant donner la victoire à Trump – semble se confirmer, Don Jr. dit à un de ses copains que son père, DJT comme il l'appelle, a la tête d'un type qui vient de croiser un fantôme. Melania, qui avait cru en la promesse solennelle de Donald, est en larmes. Et ce ne sont pas des larmes de joie.

29

En un peu plus d'une heure, remarque Bannon plutôt amusé, le Trump confus devient un Trump dérouté puis un Trump horrifié. Viendra plus tard la transformation finale et soudaine : Donald Trump est désormais un homme persuadé qu'il mérite, et qu'il est tout à fait capable, d'être président des États-Unis.

2

La Trump Tower

Le samedi qui suit l'élection, Donald Trump reçoit un petit groupe de sympathisants dans son triplex de la Trump Tower. Même ses amis les plus proches sont encore sous le choc, abasourdis, l'ambiance est à la stupéfaction. Mais Trump a l'œil rivé sur l'horloge.

Rupert Murdoch, jusque-là absolument sûr que Trump était un charlatan et un imbécile, a fait savoir que lui et sa nouvelle femme, Jerry Hall, viendraient rendre visite au Président élu. Murdoch est en retard – très en retard. Trump ne cesse de rassurer ses invités : Rupert est en chemin, leur dit-il, il va bientôt arriver. Quand certains sont sur le point de partir, Trump les incite à rester encore un peu. *Vous allez rester pour rencontrer Rupert.* (Ou plutôt, comme commentera l'un des hôtes, vous allez rester pour voir enfin Trump avec Rupert).

Avec Wendi, son ex-femme, Murdoch a souvent passé du temps en compagnie de Jared et d'Ivanka, mais il fait peu d'efforts pour cacher son manque d'intérêt pour Trump. Dans la dynamique du rapport de force entre Trump et son gendre, l'affection de Murdoch pour Kushner tient une place singulière, donnée dont ce dernier a su jouer avec subtilité et dans son propre intérêt, lâchant souvent le nom de Murdoch au cours des conversations avec son beau-père. En 2015, quand Ivanka a annoncé à Murdoch que Donald Trump allait vraiment, assurément, se lancer dans la course à la présidence, Murdoch a repoussé d'emblée cette possibilité d'un revers de main.

Mais ce samedi-là, le nouveau Président élu – après le plus incroyable retournement de situation de l'histoire américaine – est sur des charbons ardents en attendant Murdoch. « Il fait partie des plus grands, annonce-t-il à ses invités, alors que son agitation ne fait que croître. Vraiment, c'est un des grands, le dernier des grands. Vous devez rester pour le rencontrer. »

C'est un curieux revirement, d'une ironique symétrie. Trump, ne réalisant peut-être pas encore son propre changement de statut, tente de s'attirer les bonnes grâces du magnat des médias jusqu'alors dédaigneux. Murdoch, arrivant enfin à cette soirée, se montre aussi discret et déconcerté que les autres invités, tentant de réévaluer cet homme qui, pendant plus d'une génération, a, au mieux, fait figure de prince des clowns au royaume des riches et célèbres.

Murdoch n'est pas le seul milliardaire à avoir manifesté du mépris à l'égard de Trump. Des années avant l'élection, Carl Icahn, que Trump a souvent cité comme l'un de ses amis et qu'il voulait nommer à un poste de haute responsabilité, a ouvertement ridiculisé son copain milliardaire (qui était loin d'être milliardaire, ajoutait-il).

Parmi ceux qui connaissent Trump, peu entretiennent d'illusions à son égard. C'est peut-être ce qui fait son charme : il est comme il est. L'œil pétillant, l'âme noire.

Mais maintenant, il est le Président élu. Et ça change tout. On peut dire ce qu'on veut de lui, mais il a cette victoire à son actif. Il a arraché l'épée du rocher, et ce n'est pas rien. C'est même *tout*.

Les milliardaires doivent réviser leur jugement. C'est ce que chacun fait dans l'entourage de Trump. Les membres de son équipe de campagne, soudain en position de rafler un job au sein de la West Wing[1] – une carrière, voire un poste qui marquera l'histoire –, tâchent de regarder sous un nouveau jour cette personnalité étrange, difficile, ridicule, et finalement mal préparée. Il a été élu Président. Par définition, Trump a donc une stature présidentielle, comme Kellyanne Conway aime le souligner.

---

1. L'aile ouest. La West Wing désigne un bâtiment de la Maison Blanche abritant les bureaux du Président et de ses cinquante plus proches collaborateurs.

Néanmoins, personne ne l'a encore vu se comporter en président – à savoir se soumettre publiquement aux rituels et aux conventions de la politique. Ou même montrer un minimum de self-control.

Maintenant, les recrutements commencent, et certains, en dépit de leurs sentiments à l'égard du nouveau Président, acceptent de le rejoindre. James Mattis, général quatre étoiles à la retraite, l'un des commandants des forces armées les plus respectés ; Rex Tillerson, patron d'ExxonMobil ; Scott Pruitt et Betsy DeVos, des loyalistes proches de Jeb Bush – tous reconnaissent maintenant ce fait singulier : bien qu'il soit un personnage déroutant, que la situation soit absurde, Donald Trump a été élu Président.

On peut faire en sorte que ça marche, se disent tous ceux qui gravitent dans son orbite. Ou du moins, que ça puisse peut-être marcher.

En fait, en y regardant de plus près, Trump n'est pas l'homme grandiloquent et bagarreur qui a attiré des foules enragées pendant la campagne. Il n'est ni furieux ni combattif. Il a pu être le candidat à la présidence le plus menaçant et le plus effrayant de l'histoire moderne, mais il semble maintenant presque apaisé. Son extrême autosatisfaction se révèle contagieuse. La vie est belle. Trump est un optimiste, du moins à son propre sujet. Il est charmant et flatteur, il s'intéresse aux gens. Il est drôle et manie même l'autodérision. Et son énergie semble incroyable – *On y va !* dit-il à tout propos, *on y va !* Ce n'est pas un dur, mais « un grand singe au cœur tendre », explique Bannon en guise d'éloge.

Cofondateur de PayPal et membre du Comité directeur de Facebook, Peter Thiel – le seul soutien important de Trump dans la Silicon Valley – a reçu une mise en garde de la part d'un autre milliardaire, vieil ami de Trump : le Président va bientôt lui offrir son indéfectible amitié dans un torrent de flatteries. *Tout le monde dit que vous êtes fantastique, vous et moi allons avoir une magnifique relation de travail, tout ce que vous voulez, appelez-moi et on le fera !* L'ami conseille à Thiel de ne pas prendre l'offre de Trump trop au sérieux. Thiel racontera plus tard que, malgré cet avertissement, il était absolument certain de la sincérité de Trump quand celui-ci lui disait qu'ils étaient amis pour la vie. Ensuite, il ne lui a plus jamais parlé et les appels de Thiel sont restés sans réponse. Le pouvoir fournit des excuses aux écarts de conduite.

Mais d'autres aspects de la personnalité de Trump sont plus problématiques.

Presque tous les professionnels prêts à rejoindre son équipe doivent désormais affronter le fait que Trump semble ne rien savoir. Il ne domine aucun sujet, sinon, peut-être, la construction. Avec lui, tout est improvisé. Ce qu'il sait, il a l'air de l'avoir appris une heure auparavant, et à moitié compris seulement. Chaque membre de la nouvelle équipe tente de se convaincre que ce type a été élu Président. De toute évidence, il doit avoir quelque chose à proposer. Son petit cercle d'hommes riches mesure parfaitement l'ampleur de son ignorance – Trump l'homme d'affaires incapable de lire un bilan, le piteux négociateur, inattentif aux détails, qui a fait campagne sur ses talents de businessman. Ils lui concèdent de l'*instinct*. C'est le mot. Il a une forte personnalité et vous fait croire en lui.

« Trump est-il une bonne personne, une personne intelligente, une personne capable ? se demande Sam Nunberg, son ancien conseiller politique. Je l'ignore. Mais je sais qu'il est une star. »

Pour tenter d'expliquer les vertus de Trump et son pouvoir d'attraction, Piers Morgan – le journaliste anglais, présentateur infortuné de CNN qui participa à l'émission *Celebrity Apprentice* et resta un ami loyal – avance que les réponses se trouvent dans le livre de Trump *The Art of the Deal*[1]. Tout ce qui lui a permis de devenir Trump et explique son bon sens, son énergie et son charisme s'y trouve. Si vous voulez connaître Trump, lisez-le. Mais le Président élu n'a pas écrit *The Art of the Deal*. Tony Schwartz, son coauteur, raconte que Trump a à peine participé à l'écriture du livre et qu'il ne l'a peut-être même pas lu. C'est probablement là la clé : Trump n'est pas un auteur, mais un personnage – héros ou anti-héros.

---

1. Publié en français sous le titre *Trump par Trump* aux éditions de l'Archipel en 2017.

Amateur de catch professionnel, devenu supporter et personnalité du milieu du World Wrestling Entertainement (et même entré au panthéon du WWE), Trump vit, tel le lutteur Hulk Hogan, comme un personnage de fiction. Pour le plus grand plaisir de ses amis, et pour le malaise de nombreuses personnes travaillant avec lui au plus haut niveau du gouvernement fédéral, Trump parle souvent de lui à la troisième personne. Trump a fait ceci. Les trumpistes ont fait cela. Sa personnalité (pour ne pas dire son rôle) est si puissante qu'il semble réticent, ou incapable, de l'abandonner pour devenir Président – ou gagner une stature présidentielle.

Si Trump peut être difficile, nombreux sont ceux dans son entourage qui lui trouvent des excuses – ou voient dans son attitude la source même de son succès. Ils la considèrent comme un avantage et non comme une limite. Pour Steve Bannon, l'unique vertu politique de Trump est d'être un mâle dominant, peut-être le dernier d'entre eux. Un homme des années 1950, genre Rat Pack[1], un personnage tout droit sorti de *Mad Men*[2].

Trump a une conscience encore plus précise de sa nature profonde. Une fois, rentrant dans son avion avec un ami milliardaire accompagné d'un mannequin étranger, Trump, essayant de faire des avances à la jeune femme, proposa d'atterrir à Atlantic City. Il voulait lui faire visiter son casino. Son ami assura le mannequin qu'Atlantic City n'avait rien de recommandable, c'était une ville envahie par la *white trash*[3].

« C'est quoi la *white trash* ? demanda-t-elle.

— Ce sont des gens comme moi, sauf qu'ils sont pauvres », répondit Trump.

Trump revendique le droit d'être anticonformiste, de ne pas être respectable. Il s'agit de gagner, même en faisant fi des règles ou de la loi. Gagner, quelle que soit la manière, c'est tout ce qui compte.

---

1. Dans les années 1950, groupe d'artistes de Las Vegas, comprenant notamment Frank Sinatra, Dean Martin ou Sammy Davis Jr.

2. Série télévisée américaine dont l'action se déroule dans les années 1960 dans le monde de la publicité.

3. *White trash*, que l'on pourrait traduire littéralement par « ordure blanche », est un terme péjoratif américain pour désigner les Blancs pauvres et marginaux.

Ses amis le savent bien et tentent d'ailleurs de ne pas en faire les frais : Trump est sans scrupules. C'est un rebelle, un perturbateur, qui vit au-dessus des lois et les méprise. Un de ses amis, également proche de Bill Clinton, les trouve tous les deux étrangement semblables – sauf que Clinton apparaît respectable.

L'un des aspects de cette personnalité hors norme, aussi bien pour Trump que pour Clinton, est leur image d'homme à femmes – voire de harceleurs. En tant que champions du genre, ils n'ont jamais été saisis par le moindre doute ni la plus petite hésitation.

Trump aime répéter qu'une des choses faisant que la vie vaut la peine d'être vécue est de mettre les femmes de ses amis dans son lit. Courtisant la femme de l'un d'entre eux, il aurait essayé de la persuader que son ami n'était peut-être pas l'homme qu'elle croyait. Ensuite, il aurait demandé à sa secrétaire de convoquer l'ami trompé dans son bureau. Puis, il se serait lancé avec lui dans un badinage sexuel sans fin. *Est-ce que tu aimes toujours faire l'amour avec ta femme ? À quel rythme ? Tu as dû avoir de meilleurs coups avec d'autres, non ? Raconte-moi. J'ai des filles qui arrivent de Los Angeles à 15 heures. On peut monter et bien s'amuser. Je te promets...* Et pendant ce temps-là, Trump aurait branché le haut-parleur pour que la femme de son ami entende leur conversation.

Avant lui, d'autres présidents, et pas seulement Clinton, ont eux aussi manqué de scrupules. Mais pour beaucoup de ceux qui connaissent bien Trump, le plus troublant est qu'il ait réussi à gagner cette élection, empocher cette victoire ultime, sans posséder la qualité requise pour ce poste, celle que les spécialistes des neurosciences appellent le sens de l'exécutif. Il a remporté la course à la présidence, mais son cerveau semble incapable de réaliser les tâches essentielles liées à son nouvel emploi. Il ne sait ni planifier, ni organiser, ni se concentrer, ni passer d'un sujet à l'autre. Il ne parvient pas à adapter son comportement en fonction des buts recherchés. Plus fondamentalement, il semble incapable de faire le lien entre la cause et l'effet.

L'accusation selon laquelle Trump aurait comploté avec les Russes pour gagner les élections, accusation dont il se moque, est, selon certains de ses amis, le parfait exemple de son incapacité à relier les points entre eux. Même s'il n'a pas lui-même conspiré avec les Russes pour truquer les élections, ses efforts pour s'attirer les faveurs de Poutine, notamment, ont sans aucun doute laissé des traces : des paroles et des actes inquiétants qui auront vraisemblablement un coût politique considérable.

Peu de temps après les élections, son ami Ailes lui a conseillé, en insistant sur l'urgence : « Tu dois clarifier ta position à l'égard de la Russie. » Même exilé de Fox News, Ailes jouit toujours d'un important réseau de renseignement. Il veut mettre Trump en garde contre les informations potentiellement dangereuses qui vont sortir.

« Donald, tu dois prendre ça au sérieux.

— Jared s'en occupe, répond Trump, très content de lui. Tout est réglé. »

La Trump Tower, qui jouxte Tiffany, est devenue le centre névralgique d'une révolution populiste. Elle s'est soudain mise à ressembler à un vaisseau spatial – l'Étoile Noire – sur la 5ᵉ Avenue. Dès que les bons, les grands et les ambitieux, mais aussi les protestataires et les badauds ont commencé à battre le pavé devant le porche, un dédale de barrières a été érigé pour protéger le Président élu.

Le Pre-Election Presidential Transition Act de 2010 autorise les présidents élus à bénéficier d'un budget leur permettant de commencer à sélectionner les milliers de candidats aux postes de la nouvelle administration[1]. Il permet de codifier les décisions qui détermineront les premières actions de la Maison Blanche et de préparer le transfert des responsabilités, le 20 janvier. Pendant la campagne, le gouverneur du New Jersey, Chris Christie, chef de l'équipe de transition de Trump, a dû signifier avec insistance au candidat qu'il ne pouvait pas utiliser ce budget à d'autres fins, que la loi l'obligeait à s'en servir pour assurer la transition – même s'il pensait ne pas en avoir besoin. Un Trump bougon lui a répondu qu'il ne voulait plus entendre parler de tout ça.

Le lendemain de l'élection, les proches conseillers de Trump – soudain pressés de participer à un processus que presque tout

---

1. Le terme désigne aux États-Unis l'ensemble du gouvernement et des conseillers du Président.

le monde a négligé – commencent à reprocher à Christie d'avoir négligé la préparation à la transition. En toute hâte, son équipe maigrichone quitte Washington pour la Trump Tower.

Cet immeuble est certainement le bien immobilier le plus cher qu'une équipe de transition ait jamais occupé (et même le plus cher d'une campagne électorale). On peut y voir un message du style de Trump aux *insiders* : non seulement nous sommes des *outsiders*, mais nous sommes plus forts que vous. Plus riches. Plus célèbres. Mieux logés.

Bien sûr, ce bien immobilier est personnalisé : le nom de Trump – et c'est fabuleux – s'étale sur la porte d'entrée. Les derniers étages abritent son triplex, bien plus grand que l'appartement privé de la Maison Blanche, et son bureau qu'il occupe depuis les années 1980. Les étages réservés à l'équipe de campagne le sont maintenant pour l'équipe de transition – dans la stricte orbite de Trump et non pas dans le « marigot » de Washington.

La réaction instinctive de Trump devant son succès inespéré, sinon incongru, est le contraire de l'humilité. D'une certaine façon, il s'agit d'en mettre plein la vue à tout le monde. Les initiés de Washington doivent venir à lui. La Trump Tower prend sans attendre le dessus sur la Maison Blanche. Tous ceux qui vont voir le Président élu reconnaissent, ou acceptent, un gouvernement de novices. Trump oblige ses visiteurs à se plier au rite de la parade devant la presse et les curieux massés sur l'avenue. Un acte d'obéissance, voire une humiliation.

Cette grandiloquente Trump Tower permet de camoufler l'inexpérience politique et législative du petit cercle des proches de Trump, soudain investis de la responsabilité de former un gouvernement. La politique est une affaire de réseaux, de relations entre personnes. Contrairement à d'autres présidents élus (qui, eux, avaient de grosses lacunes en management), Trump ne bénéficie d'aucun réseau politique sur lequel s'appuyer. Il n'a même pas sa propre organisation politique. Les derniers dix-huit mois de campagne à travers le pays se sont faits à trois : le chef de campagne, Corey Lewandowski (renvoyé en juin 2016, un mois avant la convention républicaine) ; Hope Hicks, 28 ans, la première recrue, porte-parole, représentante et stagiaire ; et Trump lui-même. Le strict minimum au service d'une action agressive nourrie à l'instinct de survie. Selon Trump, plus l'équipe est nombreuse, plus il est difficile de faire faire demi-tour à l'avion pour rentrer le soir à la maison.

L'équipe « professionnelle » – ne comptant guère de politiques professionnels en son sein – qui rejoint la campagne en août constitue l'ultime tentative d'éviter l'humiliation. Pour Trump, il s'agit de gens avec lesquels il n'aura à travailler que quelques mois.

Reince Priebus, prêt à quitter le Comité national républicain pour s'installer à la Maison Blanche, s'alarme du fait que Trump propose souvent, sans y réfléchir et à des personnes qu'il ne connaît pas, des postes dont il ne mesure pas l'importance.

Ailes, vétéran des administrations Nixon, Reagan et Bush senior, s'inquiète du manque d'intérêt du Président élu pour l'organigramme de la Maison Blanche qui pourrait pourtant le servir et le protéger. Il tente de faire comprendre à Trump la férocité de l'opposition qui va l'accueillir.

« Il te faut un fils de pute comme chef de cabinet. Un fils de pute qui connaisse bien Washington, dit-il à Trump juste après l'élection. Tu voudras être ton propre fils de pute, mais tu ne connais pas Washington. » Ailes suggère John Boehner, ancien président de la Chambre des représentants (poste qu'il a dû quitter après un putsch du Tea Party en 2011).

« C'est qui ? » demande Trump.

Dans le cercle des milliardaires de Trump, on s'inquiète de son dédain à l'égard de l'expérience des autres et on tente de lui expliquer l'importance des nombreuses personnes qui doivent former son entourage à la Maison Blanche, des gens qui connaissent l'univers washingtonien. *Votre équipe est plus importante que votre politique. Votre équipe, c'est votre politique.*

« Frank Sinatra avait tort, déclare David Bossie, l'un des conseillers de longue date de Trump. Si vous réussissez à New York, vous ne réussirez pas nécessairement à Washington. »

Le chef de cabinet doit avoir une parfaite connaissance de la Maison Blanche. Autant que le Président, il détermine le fonctionnement de l'exécutif – qui emploie 4 millions de personnes dont 1,3 million dans les forces armées.

Le poste est considéré comme celui d'un président adjoint, ou encore d'un directeur général, voire même d'un Premier ministre. On y a vu de très fortes personnalités comme H.R. Haldeman et Alexander Haig avec Richard Nixon ; Donald Rumsfeld et Dick Cheney avec Gerald Ford ; Hamilton Jordan avec Jimmy Carter ; James Baker avec Ronald Reagan ; le retour de Baker avec George Bush senior ; Leon Panetta, Erskine Bowles, John Podesta avec Bill Clinton ; Andrew Card avec George W. Bush ; Rahm Emanuel et Bill Daley avec Barack Obama. Si l'on considère attentivement ce poste, on voit qu'un bon chef de cabinet de la Maison Blanche se doit d'avoir une personnalité affirmée et l'expérience de Washington.

Donald Trump est peu, et même peut-être pas du tout, conscient de l'histoire et de la conception de ce rôle. Il impose son propre style de management et son expérience d'entrepreneur. Pendant des décennies, il a travaillé avec ses hommes, des vieux de la vieille, et sa famille. Même s'il aime comparer son business à un empire, il ne s'agit en fait que d'une holding discrète, une entreprise davantage vouée à satisfaire ses toquades de propriétaire et de gérant d'une marque qu'à obéir à des exigences de résultats ou de performance.

Ses fils, Don Jr. et Eric – derrière leur dos, les proches de Trump les appellent Uday et Qusay, en référence aux fils de Saddam Hussein –, se demandent s'ils ne pourraient pas, par hasard, faire coexister deux structures parallèles à la Maison Blanche, l'une au service des grands projets de leur père, de ses apparitions en public et de son art consommé de la vente, l'autre dédiée aux questions de management quotidien. Ils se verraient bien en charge de cette deuxième structure.

L'une des premières idées de Trump est de recruter comme chef de cabinet son ami Tom Barrack – l'un des magnats de l'immobilier faisant partie des conseillers de son groupe avec Steven Roth et Richard LeFrak.

Barrack, petit-fils d'immigrés libanais, est un investisseur immobilier doué d'un légendaire sens des affaires. Il possède notamment le Neverland Ranch, l'ancien paradis excentrique de Michael

Jackson. Avec Jeffrey Epstein – le financier new-yorkais devenu la cible des tabloïds après avoir plaidé coupable pour racolage actif, ce qui lui a valu une peine de prison de treize mois à Palm Beach, en 2008 –, Trump et Barrack étaient les trois mousquetaires de la nuit dans les années 1980 et 1990.

Fondateur et président du fonds de *private equity* Colony Capital, Barrack est devenu milliardaire en investissant dans le surendettement immobilier autour du globe. Il a parfois renfloué son ami Donald Trump. Récemment, il a participé au paiement d'une caution de Jared Kushner.

Il a suivi avec amusement la campagne présidentielle excentrique de Trump et a aidé Paul Manafort à remplacer Corey Lewandowski en disgrâce auprès de Kushner. Puis, surpris comme tout le monde par les succès continus de la campagne, Barrack a présenté le futur Président en termes personnels et chaleureux lors de la convention républicaine de Cleveland, en juillet (lui qui d'habitude s'exprime sur un ton sombre et agressif).

C'est un pur fantasme de la part de Trump d'imaginer que son ami Tom – un génie de l'organisation conscient du désintérêt du Président élu à l'égard du management quotidien – puisse accepter de diriger l'administration de la Maison Blanche. Pour Trump, il s'agit d'une réponse simple et pratique à cet événement imprévu qu'est son élection : travailler avec son mentor en affaires, son confident, son investisseur et son ami, décrit comme étant le plus capable de « gérer » Trump. Dans l'entourage du Président élu, on appelle ce plan celui des « *dos amigos* ». Epstein, resté proche de Barrack, a été effacé de la biographie de Trump.

Parmi les rares individus dont Trump, critique invétéré, ne conteste pas les qualités, Barrack apparaît comme celui qui peut vraiment faire avancer les choses et laisser Trump être Trump. De la part du Président élu, il s'agit d'une preuve inhabituelle de lucidité : il ne sait peut-être pas ce qu'il ne sait pas, mais il sait que Tom Barrack sait. Tom gérerait les affaires courantes et Donald vendrait la marchandise « *Make America Great Again*[1] ». #MAGA

---

1. « Rendre à l'Amérique sa grandeur », le slogan de campagne de Trump.

Barrack, comme tout le monde autour de Trump, considère le résultat de l'élection comme le gros lot d'une inimaginable loterie : votre invraisemblable copain devient Président. Mais Barrack, même après d'innombrables coups de fil d'un Trump le suppliant et le cajolant à la fois, doit finalement décevoir son ami. « Je suis trop riche », lui confie-t-il. Jamais il ne parviendrait à débrouiller tous ses avoirs et ses intérêts – notamment de gros investissements au Proche-Orient – d'une manière satisfaisante pour les défenseurs de la morale publique. Trump se montre indifférent ou même dans le déni quand il s'agit de ses propres conflits d'intérêts, mais Barrack, lui, ne voit rien venir d'autre que des emmerdements. De plus, il en est à son quatrième mariage et n'a aucune envie de voir étalée au grand jour cette vie privée haute en couleur qu'il a souvent partagée avec Trump.

Pour Trump, la solution de repli est son gendre. Tout au long de la campagne, après des mois d'agitation et de bizarreries (quand elles ne sont pas le fait de Trump, elles le sont de presque tous ses proches, y compris de sa famille), Kushner s'est imposé comme l'homme de main, toujours là, ne parlant que lorsqu'on l'interroge, donnant un avis calme et flatteur. Corey Lewandowski l'appelle « le majordome ». Trump, lui, a fini par comprendre que son gendre, parce qu'il sait se tenir à distance de lui, est un homme sagace.

Défiant la loi et les habitudes, sans parler des regards outrés, le Président semble vouloir s'entourer de sa famille à la Maison Blanche. Les Trump, tous les Trump – sauf sa femme qui, curieusement, reste à New York –, emménagent à Washington, prêts à assumer des responsabilités équivalentes à celles qui sont attachées à leur statut dans la holding familiale. Et personne, apparemment, ne leur conseille de ne pas le faire.

Finalement, la diva de la droite et soutien de Trump, Ann Coulter, prend un jour le Président élu à part et lui dit : « Manifestement, personne ne vous l'a dit, mais vous ne pouvez pas. Vous ne pouvez tout simplement pas embaucher vos enfants. »

Trump continue à prétendre qu'il a le droit de se faire aider par sa famille tout en demandant qu'on le comprenne. La famille, dit-il, « c'est *un peu* délicat ». Son équipe comprend non seulement les difficiles conflits et problèmes légaux que poserait la gestion de la Maison Blanche par le gendre du Président, mais aussi que ce dernier va désormais donner la priorité à sa famille. Après avoir fait l'objet de pressions multiples, il accepte finalement de ne pas nommer son gendre au poste de chef de cabinet – du moins officiellement.

S'il n'est ni pour Barrack ni pour Kushner, Trump pense alors que le poste doit revenir au gouverneur du New Jersey, Chris Christie. Avec Rudy Giuliani, il est le seul de ses amis à posséder une expérience politique.

Christie, comme la plupart des alliés de Trump, est passé du stade de favori à celui de délaissé. Trump l'a vu avec mépris prendre ses distances quand la campagne était calamiteuse et revenir dans le jeu après la victoire.

La relation de Trump et Christie remonte à l'époque où Trump tentait – en vain – de devenir un magnat du jeu à Atlantic City, voire même LE magnat du jeu à Atlantic City (Trump a longtemps été en compétition avec le roi de Las Vegas, Steve Wynn, homme qu'il admire et qu'il a nommé trésorier du Comité national républicain). Trump a apporté son soutien à Christie alors qu'il se faisait un nom politique dans le New Jersey. Il admirait son franc-parler, et tandis que Christie réfléchissait à sa propre candidature à l'élection présidentielle, en 2012 et 2013 – et que Trump cherchait à rebondir après la baisse d'audience de *The Apprentice*, son show télévisé –, il se demandait s'il ne pouvait pas devenir l'éventuel vice-président de Christie.

Tôt dans la campagne, Trump a affirmé qu'il ne se présenterait pas contre Christie, mais ce dernier s'est retiré de la course en février 2016, après le scandale du Bridgegate (quand ses supporters ont bloqué la circulation sur le pont George Washington afin de déstabiliser le maire d'une ville voisine, opposant de Christie). Le gouverneur a alors rejoint l'équipe de Trump et s'est ridiculisé, aux yeux des républicains, en le soutenant dans l'espoir de devenir son vice-président.

En fait, Trump fut désolé de ne pas avoir pu offrir ce poste à Christie. Mais si l'establishment républicain ne voulait pas de Trump dans la course, il ne voulait pas davantage de Christie. Ainsi Christie se vit-il attribuer la charge de la transition avec la promesse implicite d'un job important à venir, Procureur général[1] ou chef de cabinet.

Quand il était procureur du New Jersey, Christie a envoyé le père de Jared, Charles Kushner, en prison, en 2005. Charles Kushner, poursuivi par le gouvernement fédéral pour avoir triché sur sa déclaration de revenus, avait mis au point un subterfuge avec une prostituée afin de faire chanter son beau-frère qui s'apprêtait à témoigner contre lui. Selon plusieurs récits, souvent rapportés par Christie lui-même, Jared a vengé son père en mettant un terme aux espoirs de carrière de Christie dans l'administration Trump. La vengeance parfaite : le fils d'un homme puni (car indéniablement coupable) use de son pouvoir pour nuire à celui qui a trahi sa famille. D'autres témoignages, cependant, offrent une image plus subtile et plus sombre de l'histoire. Comme tous les gendres, Jared Kushner avance sur la pointe des pieds dans le sillage de son beau-père en déplaçant le moins d'air possible : le vieil homme massif et dominateur, le jeune homme ambitieux et docile. Dans cette version de la mise à mort politique de Christie, ce n'est pas le déférent Jared qui a porté le coup fatal, mais Charlie Kushner lui-même qui a réclamé fermement son dû. Ivanka, belle-fille de Charlie, détient le véritable pouvoir dans le cercle de Trump. C'est elle qui aurait porté le coup en annonçant à son père que la nomination de Christie au poste de chef de cabinet ou à tout autre poste de haut rang serait très dure à vivre pour elle et sa famille. Mieux vaut, lui aurait-elle dit, que Christie soit expulsé de l'orbite de Trump.

Bannon est la pièce maîtresse de l'organisation. Trump, qui semble fasciné par la verve de Steve – un mélange d'insultes, de poncifs historiques, de ragots sur les médias, de blagues de droite et de lieux communs – commence à suggérer à ses copains milliardaires que ce type pourrait devenir chef de cabinet. L'idée

---

1. L'équivalent du ministre de la Justice.

leur semble ridicule et ils la dénoncent, mais Trump prétend que nombreux sont ceux qui le soutiennent dans ce choix.

Quelques semaines avant l'élection, Trump considérait Bannon comme un flatteur qui affirmait que la victoire était assurée. Désormais, il le crédite de pouvoirs quasi magiques. Et de fait Bannon, sans expérience politique antérieure, est le seul à offrir une version cohérente du populisme de Trump : le trumpisme.

Les forces anti-Bannon – autant dire tous les républicains n'adhérant pas au Tea Party – réagissent vite. Murdoch, de plus en plus hostile, déclare à Trump que Bannon serait un choix dangereux. Joe Scarborough, ancien parlementaire et co-présentateur de *Morning Joe* sur MSNBC, une des émissions préférées de Trump, lui dit en privé que « Washington serait en flammes » si Bannon devenait chef de cabinet et il commence à dénigrer régulièrement ce dernier dans son émission.

En réalité, Bannon lui-même pose plus de problèmes encore que ses idées politiques. Il est profondément désorganisé, souvent accaparé par un sujet et inattentif à tout le reste. Serait-il le pire manager que la terre ait porté ? Peut-être. Il semble incapable de rappeler quelqu'un. Il répond aux e-mails d'un seul mot, en raison de sa paranoïa, mais surtout de sa volonté d'apparaître comme énigmatique. Il tient ses assistants et gardes du corps à bonne distance. Il est impossible de prendre rendez-vous avec lui, il faut juste se présenter à sa porte. Et bizarrement son adjointe, Alexandra Preate, une collectrice de fonds conservatrice travaillant également dans les relations publiques, est aussi désorganisée que lui. Après trois mariages, Bannon vit en célibataire à Capitol Hill, dans une maison connue sous le nom d'ambassade Breitbart car elle fait aussi office de bureau pour Breitbart News. Aucune personne sensée n'embaucherait Bannon pour un job consistant à faire partir les trains à l'heure.

D'où Reince Priebus.

Aux yeux du Congrès, il est le seul choix raisonnable et il devient vite le sujet d'un lobbying intense de la part du président de la Chambre des représentants, Paul Ryan, et du leader de la majorité au Sénat, Mitch McConnell. S'ils doivent travailler avec un extra-terrestre comme Donald Trump, mieux vaut avoir l'aide de quelqu'un qui leur ressemble.

À 45 ans, Priebus n'est ni un homme politique, ni un conseiller, ni un stratège. Il fait marcher la machine politique en exerçant l'une des plus anciennes professions : il collecte des fonds.

Enfant de la classe ouvrière originaire du New Jersey puis du Wisconsin, il participe à l'âge de 32 ans pour la première et dernière fois de sa vie à une campagne électorale : il convoite sans succès un siège au sénat du Wisconsin. Il devient président du Parti dans son État puis conseiller général du Comité national républicain. En 2011, il prend du galon en accédant au poste de président du Parti républicain au niveau fédéral. La crédibilité politique de Priebus vient du fait qu'il a pacifié le Tea Party dans le Wisconsin, mais aussi de son association avec le gouverneur du Wisconsin, Scott Walker, une étoile montante républicaine (qui fut – très – peu de temps le favori de l'élection de 2016).

Une bonne partie du Parti républicain étant définitivement opposée à Trump, pensant qu'avec lui on s'acheminerait vers une défaite humiliante, Priebus a fait l'objet de fortes pressions après la nomination de Trump pour réduire les financements voire même abandonner à son sort sa campagne.

Priebus, convaincu que Trump n'a aucun espoir, assure néanmoins ses arrières. Le fait qu'il n'abandonne pas totalement Trump ouvre à ce dernier une étroite possibilité de victoire, et fait de Priebus une sorte de héros (selon Kellyanne Conway, une défaite aurait à l'inverse fait de lui une cible facile). C'est ainsi que Priebus devient le choix par défaut pour le poste de chef de cabinet.

Entrer dans le cercle des proches de Trump est pour lui source d'incertitude et de confusion. Il sort déconcerté de son premier long entretien avec le Président élu qui n'a pas cessé de parler et s'est constamment répété.

« C'est sa façon de faire, lui confie un proche collaborateur. Pendant une réunion d'une heure avec lui, vous allez entendre des histoires durant quarante-cinq minutes, des histoires qui seront toujours les mêmes. Si vous avez un point de vue à défendre, il vous faut l'exprimer dès que vous le pouvez. »

Annoncée à la mi-novembre, la nomination de Priebus au poste de chef de cabinet n'empêche pas Bannon de rester sur un pied d'égalité avec lui. Trump revient à son inclination naturelle qui consiste à ne jamais laisser personne détenir trop de pouvoir. Priebus, même avec le poste le plus élevé dans la hiérarchie, apparaît comme un personnage faible, dans la lignée traditionnelle des lieutenants de Trump. Ce choix de Priebus convient également aux autres prétendants écartés. Tom Barrack pourra facilement contourner Priebus et continuer à parler à Trump sans intermédiaire. La position de Jared Kushner comme gendre et bientôt comme premier assistant reste solide. Quant à Steve Bannon, qui communique directement avec Trump, il reste la voix incontestable du trumpisme à la Maison Blanche. En d'autres termes, il y a bien quelqu'un qui porte le titre de chef de cabinet, mais ce n'est pas la personnalité la plus importante. Plusieurs autres, plus influentes, entretiennent à la fois le chaos à la Maison Blanche et l'indépendance incontestée de Trump.

Jim Baker, chef de cabinet à la fois de Ronald Reagan et de George H.W. Bush, un modèle en matière de gestion de la West Wing, avait conseillé à Priebus de ne pas accepter le poste.

La mutation de Trump de candidat pour rire à défenseur d'une population mécontente, puis de candidat ridicule à Président élu d'une nouvelle ère, n'a pas fait mûrir sa réflexion. Après le choc de l'élection, il s'est réinventé en Président inéluctable.

Un exemple de son révisionnisme et de la nouvelle stature de l'homme d'État qu'il semble désormais assumer : la vidéo Billy Bush, au plus bas de sa campagne. « Vraiment, ce n'était pas pas moi », affirme-t-il en *off* à l'un de ses amis présentateur télé. Lequel reconnaît qu'il est assez injuste de se voir caractérisé par un unique événement. « Non, répond Trump, ce n'était pas moi. Des gens qui s'y connaissent m'ont raconté que c'était très facile de trafiquer tout ça, de mettre d'autres voix et d'autres gens. »

En tant que vainqueur, il veut maintenant faire l'objet de respect, de fascination et de sympathie. Il s'attend à ce que la presse hostile devienne bienveillante. Et pourtant, le vainqueur continue d'être étrillé par des médias qui, par le passé, faisaient preuve d'une grande déférence à l'égard du Président élu, quel qu'il fût. À ses yeux, il est incompréhensible que les même personnes – c'est-à-dire les médias – qui l'avaient violemment critiqué pour avoir dit qu'il pourrait contester les résultats de l'élection le traitent maintenant, *lui*, d'illégitime. (Les trois millions de votes qui ont manqué à Trump[1] lui restent toujours en travers de la gorge, mieux vaut éviter d'aborder le sujet).

Trump n'est pas un homme politique capable d'analyser les forces en présence qui l'attaquent ou le soutiennent. C'est un vendeur qui doit fourguer sa marchandise. « J'ai gagné. Je suis le gagnant. Je ne suis pas le perdant », répète-t-il, incrédule, comme un mantra.

Bannon le décrit comme une machine relativement simple. Son bouton *on* délivre un déluge de flatteries, son bouton *off* un torrent de calomnies. Les flatteries coulent, nombreuses, pleines de superlatifs et entièrement déconnectées de la réalité : untel est le meilleur, le plus incroyable, le nec plus ultra, l'éternel. La calomnie est rude, sèche, amère, elle exclut toujours, ferme la porte.

Telle est la nature de ses talents de vendeur : sa croyance première est qu'il n'y a aucune raison de ne pas lancer une bonne dose de poudre aux yeux sur un client potentiel. Mais si ce dernier ne se transforme pas en acheteur, il n'y a aucune raison non plus de ne pas l'étouffer sous le mépris et les poursuites judiciaires. Après tout, si les flatteries n'ont pas d'effet, les calomnies peuvent se révéler payantes. Bannon pense – avec peut-être trop de certitude – que Trump peut facilement passer du *on* au *off*.

Dans un paysage dominé par des rapports de force mortifères – avec les médias, les démocrates et le marigot – encouragés par Bannon, Trump peut aussi se laisser séduire. Dans un sens, il n'aime rien tant que d'être courtisé.

Jeff Bezos, le patron d'Amazon et propriétaire du *Washington Post*, était devenu l'une des nombreuses bêtes noires de Trump dans les médias. Il a néanmoins pris la peine de se rapprocher non seulement du

---

1. Selon le système électoral américain, Trump a légitimement été élu par les grands électeurs, mais il lui a manqué trois millions de voix pour obtenir la majorité des votants.

Président élu, mais aussi d'Ivanka. Pendant la campagne, Trump soutenait qu'Amazon « s'en tirait diablement bien au niveau des impôts ». S'il était élu, « Oh, qu'est-ce qu'ils auraient comme problèmes ! ». Désormais, Trump chante les louanges de Bezos devenu « un génie de top niveau ». Dans la Trump Tower, Elon Musk, PDG de Space X, demande à Trump que la nouvelle administration soutienne sa course vers Mars, idée que Trump saisit au bond. Stephen Schwarzman, le patron du groupe Blackstone[1] – et ami de Kushner – propose d'organiser pour Trump une conférence avec les milieux d'affaires, ce que Trump accepte avec enthousiasme. Anna Wintour, la rédactrice en chef de *Vogue*, reine de l'industrie de la mode, avait espéré, sans succès, être nommée ambassadrice des États-Unis en Grande-Bretagne sous Obama. Puis elle s'était rapprochée de Hillary Clinton. Et la voilà maintenant à la Trump Tower (entrée en toute discrétion par la porte de derrière) qui suggère à Trump de la nommer ambassadrice à Londres. Trump se dit prêt à envisager cette éventualité. « Heureusement, commente Bannon, le courant n'est pas passé entre eux. »

Le 14 décembre, une délégation de haut niveau de la Silicon Valley arrive à la Trump Tower pour rencontrer le Président élu, même si celui-ci, à maintes reprises pendant sa campagne, a critiqué l'industrie de la tech. Plus tard dans l'après-midi, Trump appelle Rupert Murdoch qui lui demande comment s'est passée la rencontre.

« Oh super, vraiment super, répond Trump. Très, très bien. Ces types ont vraiment besoin de mon aide. Obama ne leur était pas favorable, trop de réglementations. Pour moi s'ouvre l'opportunité de les aider.

— Donald, répond Murdoch, ces types ont eu Obama dans leur poche pendant huit ans. Ils ont pratiquement géré l'administration. Ils n'ont pas besoin de ton aide.

— Regarde le problème du visa H-1B. Ils ont absolument besoin de ces visas H-1B[2]. »

Murdoch souligne que suivre une approche libérale à l'égard des visas pourrait se révéler difficile compte tenu des promesses

---

1. L'un des plus importants fonds de *private equity* au monde.
2. Le visa H-1B, qui permet à des étrangers hautement qualifiés de venir travailler aux États-Unis, est très prisé des entreprises de la Silicon Valley.

de Trump sur l'immigration. Mais ce dernier ne semble pas s'en soucier, assurant à Murdoch : « On trouvera une solution. »

En raccrochant, Murdoch laisse tomber « Quel putain d'idiot ! » dans un haussement d'épaules.

Dix jours avant l'investiture de Donald Trump, un groupe de jeunes membres de son personnel – les hommes en costume, les femmes dans le style qu'il préfère, bottes montantes, jupe courte, cheveux mi-longs – regardent le Président Barack Obama prononcer son discours d'adieu sur l'écran d'un ordinateur portable dans les bureaux de l'équipe de transition.

« M. Trump a dit qu'il n'a jamais écouté un discours d'Obama dans son intégralité, lance un des jeunes gens d'un ton ferme.

— Ils sont si ennuyeux », dit un autre.

Tandis qu'Obama fait ses adieux, on prépare activement la première conférence de presse de Trump qui doit avoir lieu le lendemain. L'idée est de tout faire pour montrer que les conflits d'intérêts générés par la vie professionnelle du Président élu seront pris en considération de façon formelle et appropriée.

Jusqu'alors, Trump considérait qu'il avait été élu *grâce à* ces conflits – son sens des affaires, son carnet d'adresses, son expérience, sa marque – et non pas en dépit d'eux, et qu'il était absurde de penser qu'il pouvait se désengager de son business, quand bien même il le voudrait. En fait, devant les journalistes et ceux qui veulent l'entendre, Kellyanne Conway expose au nom de Trump une défense soulignant qu'il convient de s'apitoyer sur le sort du Président élu en raison de tout ce qu'il a sacrifié jusque-là.

Après avoir jeté de l'huile sur le feu en annonçant son intention d'ignorer les règles concernant les conflits d'intérêts, dans un geste théâtral, Trump annonce qu'il prend un nouveau chemin, plus généreux. Debout dans le hall de la Trump Tower, près d'une table couverte de piles de documents juridiques, il décrit les gros efforts qui ont été faits pour réaliser l'impossible et lui permettre, maintenant, de se concentrer exclusivement sur les affaires du pays.

Mais soudain, tout ceci semble bien loin de l'essentiel.

Fusion GPS, un organisme d'*opposition research*, a pour clients des soutiens du Parti démocrate. En juin 2016, Fusion a embauché Christopher Steele, ancien espion britannique, pour mener des recherches sur les propos de Trump se flattant de sa relation avec Vladimir Poutine et de la nature de ses contacts avec le Kremlin. Grâce au travail d'informateurs russes, dont un bon nombre viennent des services de renseignement, Steele écrit un rapport dévastateur – appelé « le dossier » – qui suggère que Donald Trump a fait l'objet de chantage de la part du gouvernement de Poutine. En septembre, Steele informe des journalistes du *New York Times*, du *Washington Post*, de Yahoo ! News, du *New Yorker* et de CNN du contenu du « dossier ». Tous refusent d'utiliser ces informations non vérifiées et à la provenance incertaine, d'autant qu'elles concernent un candidat ayant peu de chances de l'emporter.

Mais la veille de la conférence de presse de Trump, en janvier 2017, CNN dévoile les détails du dossier Steele. Juste après, Buzzfeed publie le rapport dans son intégralité – une montagne de détails révélant un comportement inadmissible.

Alors que Trump se prépare à devenir Président, les médias, avec l'approche particulière qu'ils réservent aux sujets concernant Trump, font état d'une conspiration à grande échelle. Cette théorie, soudain présentée comme probable, affirme que les Russes ont piégé Donald Trump lors d'un voyage à Moscou après avoir déployé un dispositif classique de chantage, incluant des prostituées et des vidéos d'actes sexuels déviants (notamment des *golden showers*[1]). La conclusion implicite est qu'une fois Trump compromis, il s'est entendu avec les Russes pour gagner l'élection et s'installer à la Maison Blanche en tant que marionnette de Poutine.

Si c'était vrai, le pays se trouverait à l'un des moments les plus incroyables de l'histoire de la démocratie, des relations internationales et du journalisme.

---

1. En français, on peut dire « ondinisme » ou « urophilie », jeu érotique donnant à l'urine un fort pouvoir d'excitation sexuelle.

Si c'était faux – et on ne peut guère envisager d'entre-deux –, il semblerait alors que Trump ait raison (et Bannon aussi) de dire que les médias, aveuglés par leur dégoût et leur aversion idéologique ou personnelle à l'encontre d'un personnage démocratiquement élu, auraient eu recours à tous les moyens pour le faire tomber. Dans le journal conservateur, mais anti-Trump, *Weekly Standard*, Mark Hemingway décrit le nouveau paradoxe de cette situation à deux narrateurs dépourvus de crédibilité dominant la vie publique américaine : le Président élu qui parle sans être vraiment informé et souvent sans base factuelle, et « les médias pour lesquels tout ce que cet homme fait est soit inconstitutionnel, soit relève de l'abus de pouvoir ».

L'après-midi du 11 janvier, ces deux approches opposées s'affrontent lors de la conférence de presse dans le hall de la Trump Tower : d'un côté, l'antéchrist politique, un personnage sombre habitué aux scandales clownesques, sous la coupe de l'adversaire historique de l'Amérique ; de l'autre, la masse des journalistes nimbés de leur vertu, de leurs certitudes et de leurs théories du complot. Chacune des deux parties représente pour l'autre une version totalement fausse et discréditée de la réalité.

Voici comment s'est déroulée la conférence de presse, digne d'une bande dessinée.

D'abord les louanges tressées par Trump à lui-même :

« Je serai le plus grand pourvoyeur de jobs que Dieu ait jamais créé... »

Puis quelques embryons de dossiers qui l'attendent :

« Les anciens combattants qui souffrent d'un petit cancer ne peuvent pas voir un médecin avant que leur maladie n'en soit au stade terminal... »

Puis l'incrédulité :

« Voici quelques années, j'étais en Russie pour l'élection de Miss Univers – ça s'est très, très bien passé – et j'ai dit à tout le monde : attention si vous ne voulez pas vous voir à la télévision parce qu'il y a des caméras dans tous les coins. Mais en fait c'est la même chose partout, pas seulement en Russie. Est-ce que quelqu'un peut vraiment croire cette histoire ? Je suis aussi un grand germanophobe. Croyez-moi. »

Puis le déni :

« Je n'ai aucun accord avec la Russie, je n'en ai pas car on s'est tenus à l'écart de ce pays, et je n'ai aucun emprunt en Russie. Je dois dire quelque chose… Pendant le week-end, on m'a offert 2 milliards de dollars pour un contrat à Dubai et j'ai refusé. Je n'avais pas besoin de le refuser car comme vous savez je n'ai aucun conflit en tant que Président. Je ne le savais pas il y a trois mois, mais c'est une bonne chose. Pour autant je n'ai pas voulu tirer avantage de cette situation. En tant que Président, j'ai un arrangement de non-conflit d'intérêts. Je pourrais continuer à gérer mes affaires, à gérer mes affaires et gérer le gouvernement en même temps. Je n'aime pas ce schéma mais je pourrais le faire si je le voulais. Je pourrais gérer le groupe Trump, une entreprise vraiment fantastique, et je pourrais aussi gérer le pays, mais je n'y tiens pas. »

Ensuite, une attaque directe contre CNN, son ennemi juré :

« Votre entreprise est nulle. Votre entreprise est nulle… Doucement… Doucement… Ne soyez pas grossier… Non, je ne vais pas prendre votre question… Je ne vais pas prendre votre question… Vos informations sont fausses… »

Et en résumé :

« D'abord, ce rapport n'aurait jamais dû sortir car il vaut moins que le papier sur lequel il est imprimé. Je vais vous dire que cela ne devrait jamais, jamais se produire. Vingt-deux millions de comptes ont été piratés par la Chine. C'est parce que nous n'avons aucune défense, parce que nous sommes dirigés par des gens qui ne savent pas ce qu'ils font. La Russie aura bien plus de respect pour notre pays quand je le dirigerai. Et pas seulement la Russie, mais la Chine, qui ne fait que tirer profit de nous. La Russie, la Chine, le Japon, le Mexique, tous les pays nous respecteront davantage, beaucoup plus qu'ils ne l'ont fait avec les administrations précédentes… »

Non seulement le Président élu clame haut et fort ses griefs et son amertume, mais il est maintenant clair que le fait d'avoir été élu Président ne changera pas sa façon d'étaler au grand jour, sans aucun filtre et apparemment de façon incontrôlable, son lot de blessures, de ressentiment et de colère.

« J'ai trouvé son intervention remarquable, déclare Kellyanne Conway après la conférence de presse. Mais les médias ne le diront pas. Ils ne le diront jamais. »

3

Le premier jour

À 36 ans, Jared Kushner s'enorgueillit de bien s'entendre avec des hommes plus âgés que lui. Avec l'investiture de Donald Trump, il devient l'intermédiaire officiel entre son beau-père et l'establishment. Pouvoir contacter Kushner sécurise cette élite déstabilisée par les événements.

Plusieurs membres du cercle des confidents de son beau-père avouent souvent à Kushner leurs inquiétudes à l'égard de leur ami, le Président élu.

« Je lui donne de bons conseils sur ce qu'il doit faire et le lendemain il les suit pendant trois heures, puis les oublie complètement », se plaint l'un d'entre eux. Kushner a pour principe d'écouter sans répondre sur le fond. Il rassure ses interlocuteurs en leur disant qu'il comprend leurs frustrations.

Ces gens importants tentent de transmettre à Donald Trump un sens de la réalité du monde politique qu'ils prétendent bien mieux connaître que lui. Ils ont tous peur qu'il ne comprenne pas ce qui l'attend. Et qu'il n'existe pas de mode d'emploi pour gérer sa folie.

Chacun de ses interlocuteurs donne à Kushner une sorte de cours sur les limites du pouvoir présidentiel, et sur le fait que Washington est aussi bien conçue pour saper que pour servir ce pouvoir.

« Ne le laissez pas emmerder la presse, ni le Parti républicain, ne menacez pas les membres du Congrès car ils vous baiseront à la fin. Et par-dessus tout, ne le laissez pas faire chier le monde du renseignement, recommande un républicain éminent à Kushner. Si vous déconnez avec le renseignement, ces gens sauront vous le faire payer, et vous vous retrouverez avec une enquête de deux ou trois ans sur la Russie, avec chaque jour une nouvelle fuite. »

On dresse devant Kushner, dont le calme confine au surnaturel, un tableau précis du monde des espions et de leur pouvoir, la façon dont les secrets circulent entre ces espions et leurs prédécesseurs ou leurs alliés au Congrès, voire même jusqu'aux membres de l'exécutif, puis enfin à la presse.

L'un des hommes avisés qui appellent souvent Kushner est Henry Kissinger, témoin privilégié de la révolte de l'administration et du renseignement contre Richard Nixon. Il lui signale toutes les intrigues, et bien pire encore, que la nouvelle administration pourrait avoir à affronter.

Le *deep state*[1], cette notion, utilisée aussi bien par la droite que par la gauche, désigne un réseau secret et décisionnel rassemblant espions et technocrates. Cette expression du bréviaire lexical de Breitbart News devient le terme de prédilection de l'équipe Trump : le nouveau Président bouscule ce vieil ours qu'est le *deep state*. Un ours aux multiples noms : John Brennan, directeur de la CIA, James Clapper, directeur du renseignement national, Susan Rice, la conseillère à la sécurité nationale d'Obama, sur le départ, et Ben Rhodes, adjoint de Rice et soutien d'Obama.

Des scénarios de films sont imaginés : la cabale d'une clique de sbires du renseignement disposant des preuves les plus accablantes de l'imprudence de Trump et de ses transactions douteuses ferait en sorte, par une série de fuites compromettantes suivant un calendrier précis, qu'il soit impossible pour Trump de gérer la Maison Blanche.

Ce que Kushner entend, encore et encore, c'est que le Président doit s'amender, tendre la main, se calmer. *Il existe des forces qu'on ne doit pas traiter à la légère*, lui dit-on avec la plus grande gravité.

---

1. Littéralement : « État profond ».

Pendant la campagne et plus encore après l'élection, Trump a pris pour cible la communauté américaine du renseignement – la CIA, le FBI, la NSC, au total dix-sept agences – qu'il trouve incompétente et mythomane. Parmi ses messages multiples et variés allant à l'encontre de l'orthodoxie conservatrice, Trump pourfend les informations erronées des services de renseignement sur les armes de destruction massive qui ont conduit à la guerre en Irak. Il évoque la longue liste des échecs de l'administration Obama dans les guerres d'Afghanistan-Irak-Syrie-Libye, et enfin, cerise sur la gâteau, il dénonce les fuites sur ses relations et manigances supposées avec la Russie.

Par ses critiques sur le renseignement, Trump semble s'aligner sur la gauche qui, depuis un demi-siècle, accuse ces croquemitaines des services secrets. Mais en réalité, la gauche et les espions se retrouvent unis dans leur détestation de Donald Trump. L'essentiel de la gauche (qui avait rejeté avec fracas le portrait d'Edward Snowden dressé sans nuance par les services secrets comme celui d'un traître plutôt que d'un lanceur d'alerte bien intentionné) accepte maintenant les soupçons des mêmes services selon lesquels Trump entretiendrait d'infâmes relations avec les Russes.

Trump se retrouve dangereusement isolé.

C'est pourquoi Kushner pense qu'il serait judicieux d'inclure un geste envers la CIA parmi les premiers actes à la nouvelle administration.

Trump n'a pas apprécié son investiture. Il avait espéré un énorme gala avec Tom Barrack en maître de cérémonie. En plus du Neverland de Michael Jackson, Barrack possède désormais Miramax, racheté à Disney avec l'acteur Rob Lowe. Lui qui avait refusé le poste de chef de cabinet, a proposé de lever des fonds pour l'investiture de son ami. Il veut créer un événement « au rythme poétique » et « plein de douce sensualité », apparemment en décalage avec la personnalité du nouveau Président et du désir de Bannon d'une investiture populaire et sans chichis. Trump, quant à lui, implore ses amis d'user de leur influence pour faire venir quelques grandes stars hollywoodiennes. Mais celles-ci snobent la soirée, ce qui l'embarrasse et le blesse ; il est furieux. Bannon, voix apaisante mais aussi agitateur professionnel, tente de convaincre Trump de la nature dialectique (sans utiliser ce mot) de son succès, qui dépasse toute mesure, et est au-delà de toute attente. Tout ce que la gauche et les médias peuvent faire, maintenant, c'est de justifier leur échec.

Au cours des heures précédant l'investiture, Washington semble retenir son souffle. La veille au soir, Bob Corker, sénateur républicain du Tennessee et président du Comité des affaires étrangères du Sénat, a commencé son discours à l'hôtel Jefferson avec cette question existentielle : « Où allons-nous ? » Il s'est arrêté un instant puis a répondu, d'un ton de profonde perplexité : « Je n'en ai aucune idée. »

Plus tard ce même soir, un concert au Lincoln Memorial (nouvel exemple de l'effort, toujours maladroit, d'importer la culture pop à Washington) s'est terminé, faute de grandes vedettes, avec Trump sur la scène, furibond, insistant lourdement sur le fait qu'il pouvait éclipser toutes les stars du pays.

Son équipe l'a dissuadé de descendre au Trump International Hotel de Washington, et il regrette d'avoir suivi ce conseil. Le matin de son investiture, il s'est levé du mauvais pied dans une suite de Blair House, la résidence officielle des invités de la Maison Blanche. Trop chaud. Faible pression d'eau. Mauvais lit.

En ce 20 janvier 2017, jour d'investiture, son humeur ne va pas s'améliorer. Tout au long de la matinée, il s'est manifestement disputé avec sa femme qui semble au bord des larmes et repartira le lendemain à New York. Chaque mot qu'il lui adresse est dur et péremptoire. Kellyanne Conway avait choisi Melania pour une opération de relations publiques. Elle voulait promouvoir la nouvelle première dame comme élément essentiel du soutien au Président, voix singulière et utile. Elle a même essayé de convaincre Trump que sa femme pourrait jouer un rôle important à la Maison Blanche. Mais les relations entre Trump et Melania résistent à tout questionnement et constituent une variable mystérieuse de l'humeur présidentielle.

Lors de la rencontre officielle à la Maison Blanche entre le Président sortant et le nouveau, qui a lieu juste avant l'assermentation, Trump estime que les Obama ont été dédaigneux – « très arrogants » – envers lui et sa femme. Au lieu de sortir le grand jeu en se rendant à la cérémonie, le Président élu montre ce que son entourage appelle sa tête de golfeur : fâché, énervé, les épaules voûtées, les bras ballants, le front plissé, les lèvres pincées. Cette tête est devenue son masque public – Trump le féroce.

Une cérémonie d'investiture est supposée être un moment de bonheur. Une histoire neuve et joyeuse commence pour les médias. Pour la nouvelle majorité, des temps heureux s'annoncent. Pour les membres de l'administration – le marigot –, c'est l'occasion de s'attirer les faveurs des arrivants et d'en tirer avantage. Pour le pays, c'est un couronnement. Mais Bannon a trois messages qu'il tente, encore et encore, d'imposer à son patron : sa présidence sera différente – plus différente qu'aucune autre depuis celle d'Andrew Jackson[1] (il a fourni au Président élu, qui n'a jamais lu grand-chose, des livres et des citations sur Jackson) ; ils savent qui sont leurs ennemis et ne doivent pas tomber dans le piège de vouloir en faire des amis, car ils ne le seront jamais ; donc, dès le premier jour, il leur faut se considérer en guerre. Cette approche convient au Trump combattif et bagarreur, mais pas au Trump qui veut être aimé. Bannon tente de concilier ces deux inclinations en mettant l'accent sur la première et en expliquant à son patron qu'avoir des ennemis ici implique de se faire de nouveaux amis ailleurs.

En fait, l'humeur contrariée de Trump s'accorde bien avec le discours hargneux qu'il prononce lors de l'investiture, et qui a été écrit par Bannon. La plus grande partie de cette allocution de seize minutes reflète les propos quotidiens de Bannon : l'Amérique d'abord, rendons l'Amérique aux Américains, signons la fin du carnage général dans le pays. Mais ce discours devient plus sombre et son impact plus grand une fois prononcé par un Trump au visage des mauvais jours. Cette administration adopte délibérément pour ses premiers pas un ton menaçant, en relayant un message adressé par Bannon à tous ses adversaires : le pays va

---

1. Jackson a été le septième président des États-Unis, de 1829 à 1837. Il n'est pas un politicien traditionnel et serait considéré aujourd'hui comme un outsider. Il est élu sur un programme de défense des droits des « hommes ordinaires », mais aussi sur la déportation des Indiens.

connaître un profond changement. La blessure ressentie par Trump – son sentiment d'être rejeté et mal aimé dès le premier jour de sa présidence – donne plus de force à ses mots. Lorsqu'il quitte le pupitre une fois son allocution terminée, il déclare à plusieurs reprises : « Personne n'oubliera ce discours. »

Sur l'estrade, George W. Bush murmure alors ce premier commentaire : « Quel truc merdique ! »

Malgré sa déception devant l'incapacité de Washington à l'accueillir et à le célébrer, Trump, comme tout bon vendeur, reste optimiste. Les commerçants, pour continuer de vendre, recréent un monde plus positif que le vrai. Là où tous les autres voient un sujet de découragement, les vendeurs voient simplement une réalité à enjoliver.

Le lendemain matin, Trump cherche quelqu'un qui lui confirmerait que l'investiture a été un grand succès. « C'est toute une foule qui est venue. Il y avait plus d'un million de personnes, n'est-ce pas ? » Il appelle de nombreux amis qui lui donnent des réponses allant toutes dans son sens. Kushner lui confirme qu'il y avait beaucoup de monde. Conway ne fait rien pour le détromper. Priebus est d'accord. Bannon s'en sort avec une blague.

L'une des premières décisions de Trump en tant que Président est de remplacer les photos édifiantes de la West Wing par une série d'images des foules rassemblées lors de sa cérémonie d'investiture.

Bannon rationalise la tendance de Trump à arranger la réalité. Ses hyperboles, ses exagérations, ses envolées fantaisistes, ses improvisations, et la liberté qu'il prend avec les faits, tout cela découle d'une forme d'arrogance, d'un manque total de finesse et de contrôle de ses impulsions. Comportements qui lui ont pourtant permis de créer ce sentiment de proximité et de spontanéité qui ont si bien réussi à convaincre les indécis lors de la campagne – et qui en ont horrifié tant d'autres.

Pour Bannon, Obama est la réserve personnifiée. « La politique, avance-t-il avec une autorité qui fait oublier qu'il a débuté dans le métier six mois plus tôt, est un jeu trop intuitif pour lui. » Trump, selon Bannon, est un William Jennings Bryan des temps modernes (Bannon soutient depuis longtemps qu'il manque à la droite un nouveau Bryan – selon ses amis, quand il dit cela, Bannon pense à lui-même). Au tournant du xxᵉ siècle, Bryan avait captivé le monde rural par sa capacité à parler pendant des heures de façon impromptue et passionnée. Trump compense – selon quelques proches, dont Bannon – ses difficultés à lire, à écrire et à se concentrer, par une aptitude à l'improvisation qui produit, sinon le même effet que Bryan autrefois, du moins un effet opposé à celui d'Obama.

Mélange d'exhortation, de témoignage personnel, de fanfaronnades de pilier de bar, l'approche de Trump est décousue, incohérente, je-m'en-foutiste. Il tient de l'animateur télé, du prêcheur, du comique troupier, du coach et du youtubeur. Dans la politique américaine, certains êtres charismatiques ont défini une forme de charme, d'esprit, de style que l'on a qualifié de « cool ». Mais un autre type de charisme américain existe, qui relève plus de l'évangélisme chrétien et d'un spectacle émotionnel et expérientiel.

La stratégie centrale de la campagne de Trump a été construite autour de grands meetings rassemblant régulièrement des dizaines de milliers de personnes, phénomène que les démocrates ont ignoré ou perçu comme le signe d'un attrait limité pour le candidat républicain. Pour l'équipe de Trump, ce style, cette relation directe – ses discours, ses tweets, ses coups de fil spontanés aux émissions de radio et de télévision, et souvent à qui veut bien l'écouter – est l'annonce d'une politique nouvelle, personnelle et charismatique. De leur côté, les démocrates y ont vu des clowneries inspirées par une démagogie autoritaire et brutale, depuis longtemps dénoncée et discréditée par l'histoire. Sur la scène politique américaine, une telle démagogie a toujours échoué.

Aux yeux de l'équipe de Trump, les avantages de ce style sont très clairs. Le problème est qu'un tel comportement outrancier génère souvent – en fait régulièrement – des affirmations n'ayant qu'un lien ténu avec la réalité.

Tout ceci a progressivement débouché sur la théorie des deux réalités de la politique de Trump. Selon la première, qui concerne la plupart de ses supporters, il est compris et apprécié. Il est l'antibûcheur, le contre-expert, l'instinctif, monsieur Tout-le-monde. Il est le jazz – certains, à l'écouter, disent même le rap – quand tous les autres font de la musique traditionnelle. Selon la seconde réalité, qui rassemble presque tous ses adversaires, il présente des défauts graves, voire des troubles mentaux, ou même des pulsions criminelles. Dans cette réalité se trouvent les journalistes qui, convaincus d'une présidence illégitime et bâtarde, estiment qu'il faut affaiblir Trump, le blesser, le rendre dingue, lui enlever toute crédibilité en pointant inlassablement ses erreurs factuelles.

Prétendant être perpétuellement choqués, les médias ne peuvent pas comprendre qu'avoir tort n'est pas la fin de tout. Comment Trump peut-il ne pas avoir honte ? Comment son entourage peut-il le défendre ? Les faits sont les faits ! Les braver, les ignorer ou les modifier, c'est mentir, tromper, produire un faux témoignage. (Une controverse passagère se fait même jour dans la presse pour savoir si les contrevérités sont des inexactitudes ou des mensonges).

Aux yeux de Bannon : 1. Trump ne changera jamais ; 2. tenter de le faire changer le priverait de tous ses moyens ; 3. pour les supporters de Trump, cela n'a aucune importance ; 4. de toute façon, les médias ne l'aimeront jamais ; 5. mieux vaut jouer contre les médias qu'avec eux ; 6. la prétention des médias de garantir la réalité et l'exactitude des faits est une imposture ; 7. la révolution Trump est un combat contre les hypothèses et les expertises conventionnelles, donc mieux vaut accepter la conduite de Trump que de tenter de la modifier ou de la guérir.

Trump ne veut jamais suivre de scénario (« Son esprit ne fonctionne pas de cette façon », explique-t-on dans son entourage). Le problème, c'est qu'il meurt d'envie d'obtenir l'approbation des médias. Mais, comme Bannon le souligne, il ne respectera jamais les faits, ne reconnaîtra jamais qu'il s'est trompé, donc il n'obtiendra jamais cette approbation. Ce qui veut dire, et c'est un élément crucial, qu'il doit se défendre avec agressivité contre les objurgations des journalistes.

Mais plus la défense est véhémente – notamment concernant des affirmations dont la fausseté peut facilement être prouvée – plus les accusations des médias se renforcent. De surcroît, Trump affronte aussi les critiques de son entourage. Les appels qu'il reçoit ne sont pas seulement ceux de ses amis qui s'inquiètent pour lui. Des membres de la Maison Blanche appellent des proches pour qu'ils lui téléphonent et lui demandent de se calmer.

« Qui avez-vous autour de vous ? l'interroge un jour Joe Scarborough sur un ton très inquiet. En qui avez-vous confiance ? Jared ? Qui peut vous aider à analyser cette question avant que vous ne décidiez d'agir ?

— Eh bien, répond le Président, vous n'allez pas aimer ma réponse, mais c'est moi. Je me parle. »

D'où l'invention par le Président, vingt-quatre heures après l'investiture, de ce million de personnes qui n'existent pas. Il envoie son nouveau porte-parole, Sean Spicer – dont la litanie personnelle va vite devenir « Vous ne pouvez pas raconter de pareilles conneries » – le défendre devant la presse. Ce qui transforme aussitôt Spicer, un professionnel de la politique tout à fait coincé, en une farce nationale. Il semble qu'il ne s'en remettra jamais. Le comble est que Spicer a ensuite subi les foudres de Trump, furieux parce qu'il n'avait pas réussi à transformer son million de fantômes en réalité.

Cet épisode montre que le Président, comme jadis le candidat, n'en a rien à foutre, dixit Spicer. On peut lui dire tout ce qu'on veut, il sait ce qu'il sait. Et si vous cherchez à le contredire, c'est très simple, il ne vous croit pas.

Le jour suivant, Kellyanne Conway, versant de plus en plus dans l'exubérance et l'auto-compassion, revendique le droit du nouveau Président à présenter ce qu'elle appelle des « faits alternatifs ». En l'occurrence, Conway a voulu dire des « informations alternatives », ce qui suppose la communication de données supplémentaires. Mais formulé ainsi, la nouvelle administration semble réclamer le droit de redéfinir la réalité. Au fond, c'est ce qu'elle fait. Mais pour Conway, ce sont les médias qui procèdent à la refonte de la réalité, en faisant une montagne – « *Fake news !* » – d'une honnête et légère exagération.

Par ailleurs, la question récurrente est de savoir si Trump va continuer à envoyer sans supervision ses tweets, souvent inexplicables, alors qu'il est officiellement à la Maison Blanche et président des États-Unis. Une question aussi souvent posée à l'intérieur qu'à l'extérieur de l'administration, et dont la réponse est : oui, il va continuer.

Il s'agit sans doute de son innovation la plus fondamentale dans l'art de gouverner : des explosions incontrôlées de rage et de mauvaise humeur.

Néanmoins, dans l'immédiat, la mission du Président est de se réconcilier avec la CIA.

Le samedi 21 janvier, au cours d'un événement organisé par Kushner, le Président effectue son premier déplacement officiel pour aller à Langley[1]. Selon le commentaire optimiste de Bannon, Trump y va pour « faire un peu de politique ». Entre deux remarques soigneusement préparées pour cet acte officiel, le Président glisse quelques-unes des flatteries dont il a le secret, non seulement à la CIA mais aussi au reste du monde – tentaculaire et coutumier des fuites – du renseignement américain.

Sans enlever son grand manteau sombre qui lui donne l'air d'un gangster patibulaire, il fait les cent pas devant le mur des étoiles érigé en l'honneur des agents décédés, devant une foule d'environ trois cents membres de la CIA et quelques responsables de la Maison Blanche. Soudain, faisant preuve d'une audace imputable au manque de sommeil mais aussi à la joie d'avoir un auditoire captif, Trump, sans un regard pour son texte, se lance dans ce que l'on peut considérer comme l'une des interventions les plus curieuses jamais prononcées par un président américain.

« Je sais beaucoup de choses sur West Point. Je crois beaucoup aux études universitaires. Je dis toujours que j'avais un oncle qui a été pendant trente-cinq ans un professeur formidable au MIT, il a fait un travail fantastique dans de nombreux domaines académiques – c'était un universitaire génial – et puis on me dit, est-ce que Donald Trump est un intellectuel ? Croyez-moi, je suis comme une personne intelligente. »

---

1. Siège de la CIA, proche de Washington.

Il s'agit sans doute d'une sorte de compliment adressé au nouveau directeur de la CIA, Mike Pompeo, qui a fait des études à West Point et que Trump a amené avec lui. Pompeo est maintenant aussi perplexe que tous les autres.

« Vous savez, quand j'étais jeune… Bien sûr, je me sens jeune – j'ai l'impression d'avoir 30… 35… 39… Quelqu'un me demande : êtes-vous jeune ? Je réponds je pense être jeune. Pendant les derniers mois de la campagne, je m'arrêtais quatre fois, cinq fois, sept fois – des discours, des discours devant vingt-cinq, trente mille personnes… quinze, dix-neuf mille. Je me sens jeune – je pense que nous sommes tous si jeunes. Quand j'étais jeune, on gagnait toujours des choses dans ce pays. On gagnait commercialement, on gagnait militairement – à un certain âge, je me souviens avoir entendu l'un de mes professeurs dire que les États-Unis n'avaient jamais perdu une guerre. Et puis, après ça, c'est comme si on n'avait rien gagné. Vous connaissez la vieille expression "Au vainqueur, le pactole" ? Vous vous souvenez, je dis toujours gardez le pétrole. »

« *Qui* doit garder le pétrole ? » demande un employé médusé de la CIA, se penchant vers un collègue au fond de la salle.

« Je n'étais pas un fan de l'Irak, je ne voulais pas qu'on aille en Irak. Mais je vais vous dire, une fois là-bas, on n'en est pas bien sortis et j'ai toujours dit en plus de ça : gardez le pétrole. Maintenant, je le dis pour des raisons économiques, mais si vous y pensez, Mike (il s'adresse au directeur de la CIA dans la salle), si on avait gardé le pétrole, on n'aurait pas eu Daech, car c'est comme ça qu'il se font de l'argent, donc c'est pour ça qu'on aurait dû garder le pétrole. OK, peut-être que vous aurez une autre chance, mais le fait est que nous aurions dû garder le pétrole. »

Le Président fait une pause et sourit, visiblement satisfait.

« La raison pour laquelle je vous ai réservé mon premier déplacement, comme vous le savez j'ai une guerre en cours avec les médias, ce sont les êtres humains les plus malhonnêtes de la planète, et ils font comme si j'avais de mauvais rapports avec le monde du renseignement et je veux vous dire que la raison pour laquelle je suis d'abord venu vous voir c'est juste le contraire, précisément, et ils comprennent ça. Je vous parlais des chiffres. On a fait, on a fait quelque chose hier, lors du discours. Est-ce que tout le monde a aimé ce discours ? Il fallait l'aimer. Mais il y avait une foule énorme. Vous les avez vus. C'était bondé. En me levant ce matin, j'allume la télévision et je vois qu'ils montrent une pelouse vide et je me dis attendez une minute, j'ai fait un discours. J'ai regardé au loin – l'esplanade était – ça semblait un million, un million et demi de personnes. Ils ont montré une pelouse où il n'y avait presque personne. Et ils ont dit Donald Trump n'a pas réuni grand monde et j'ai dit il pleuvait presque, la pluie aurait dû leur faire peur, mais Dieu a regardé la scène et dit Nous ne ferons pas pleuvoir sur ton discours et en fait quand j'ai commencé je me suis dit oooh non, à la première ligne j'ai reçu quelques gouttes, et j'ai dit oh c'est dommage mais on y arrivera, et la vérité c'est que la pluie s'est arrêtée tout de suite... »

« Non, c'est pas vrai », chuchote machinalement une employée de la Maison Blanche venue avec lui. Se reprenant tout à coup, elle regarde autour d'elle d'un air inquiet pour voir si personne ne l'a entendue.

« ... puis le soleil est arrivé et je suis parti, et des trombes d'eau sont tombées juste après mon départ. Il a plu mais il s'est passé quelque chose d'amusant car – honnêtement, il semblait y avoir un million, un million et demi de personnes, le chiffre importe peu, mais la foule s'étendait jusqu'au Washington Monument et par erreur j'ai regardé cette chaîne qui montrait une esplanade vide et qui racontait qu'on avait attiré deux cent cinquante mille personnes. Bon, c'est pas grave, mais c'est un mensonge... Et on en a eu encore un hier qui était intéressant. Dans le Bureau ovale il y a une belle statue de Martin Luther King et il se trouve que j'aime aussi Churchill – Winston Churchill – je pense que la plupart d'entre nous aiment Churchill, il ne vient pas de notre pays mais on eu pas mal affaire avec lui, il nous a aidés, un allié véritable, et comme vous le savez la statue de Churchill a été retirée... Donc un reporter de *Time* et moi avons été sur la couverture quatorze ou quinze fois. Je pense que j'ai le record historique du nombre de couvertures de *Time*. Si Tom Brady est sur la couverture c'est seulement une fois, parce qu'il a gagné le Super Bowl ou quelque chose comme ça. On m'y a mis quinze fois cette année. Je ne pense pas, Mike, que ce record puisse être battu, vous êtes d'accord avec ça… Qu'est-ce que vous en pensez ?

— Non, répond Pompeo d'une voix accablée.

— Mais je dirai qu'ils ont dit que c'était très intéressant que "Donald Trump a enlevé le buste, la statue de Martin Luther King" alors qu'elle était juste là, il y avait un photographe en face d'elle. Donc Zeke… Zeke… du *Time*… écrit dans un article que je l'ai enlevée. Jamais je n'aurais fait ça. J'ai beaucoup de respect pour Martin Luther King. Mais voilà l'étendue de la malhonnêteté des médias. Une grosse histoire, mais la rétractation est passée comme ça (avec ses doigts il fait un signe pour signifier qu'elle était minuscule). En une ligne ou alors ils ne s'embêtent même pas avec ça. Je veux simplement dire que j'aime l'honnêteté, j'aime les reportages honnêtes. Je vais vous dire, la dernière fois, même si je le dis quand vous laissez entrer des milliers d'autres personnes qui ont cherché à entrer, parce que je reviens, on aura peut-être besoin de vous trouver une pièce plus grande, on aura peut-être besoin de vous trouver une pièce plus grande et peut-être, *peut-être*, elle sera construite par quelqu'un qui s'y connaît en construction et on n'aura plus de colonnes. Vous comprenez ça ? On supprime les colonnes mais vous savez, je voulais juste vous dire que je vous aime, que je vous respecte, que je ne respecte personne plus que vous. Vous faites un travail fantastique et on va commencer à gagner de nouveau, et vous allez mener la charge, donc merci beaucoup à tous. »

Illustrant parfaitement l'effet *Rashomon*[1] chez Trump (ses discours qui inspirent aussi bien la joie que l'horreur), des témoins, décrivant l'accueil qui fut réservé ce jour-là aux propos du Président, parlent soit d'un torrent d'émotions digne de la Beatlemania, soit d'une intervention si confuse et consternante que, dans les secondes qui suivirent, on aurait pu entendre une mouche voler.

---

1. L'effet *Rashomon* (d'après le film d'Akira Kurosawa en 1950) se produit quand un même événement engendre plusieurs versions des faits selon les témoins.

4

Bannon

Steve Bannon est le premier conseiller de haut rang à pénétrer dans la Maison Blanche après la prestation de serment de Trump. Durant la marche d'investiture, il a attrapé la nouvelle chef de cabinet adjoint, Katie Walsh, ancienne collaboratrice de Priebus au RNC, et ils se sont échappés ensemble pour inspecter la West Wing, vacante depuis peu. La moquette a été nettoyée mais rien d'autre ou presque n'a changé. C'est un labyrinthe de petits bureaux à la propreté douteuse dont les murs auraient besoin d'une couche de peinture. Bannon s'octroie un bureau ordinaire juste en face de la suite majestueuse du chef de cabinet, et réquisitionne en même temps les panneaux blancs sur lesquels il a l'intention de schématiser son plan pour les cent premiers jours de l'administration Trump. Puis il enlève le mobilier de la pièce, ne voulant rien laisser qui permettrait à un visiteur de s'asseoir. Ainsi, aucune réunion n'aura lieu, ou alors dans un inconfort total. Limiter les échanges. Limiter les débats. C'est la guerre. C'est une salle de guerre.

De nombreuses personnes ayant travaillé avec Bannon pendant la campagne et la transition notent chez lui un changement indéniable. Après avoir atteint son premier objectif, il passe au suivant. Cet homme résolu a franchi un cran supplémentaire dans la détermination. Il est plus concentré que jamais.

« Que se passe-t-il avec Steve ? » demandera bientôt Kushner. Puis : « Quelque chose ne va pas avec Steve ? » Et finalement : « Je ne comprends pas. Nous étions si proches. »

Dès la première semaine, Bannon semble avoir remisé au placard la camaraderie qui régnait à la Trump Tower – notamment ces palabres à n'en plus finir à toute heure du jour et de la nuit – et prend ses distances au point de devenir presque inaccessible. « Je suis concentré sur ma merde », dit-il. Il fait avancer les dossiers. Mais pour beaucoup, cela signifie comploter contre eux. Sa nature de conspirateur est bien connue. Attaquer avant d'être attaqué. Anticiper les mouvements des autres, les contrer avant qu'ils ne puissent agir. Il faut voir loin, se focaliser sur un ensemble d'objectifs. Le premier a été l'élection de Donald Trump, le second les nominations des secrétaires d'État. Maintenant, il s'agit de se saisir de l'âme même de la Maison Blanche et il comprend ce que les autres n'ont pas encore envisagé : le combat sera mortel.

Au tout début de la période de transition, Bannon a encouragé l'équipe de Trump à lire *The Best and the Brightest* de David Halberstam[1]. (Parmi le petit nombre de gens qui semble l'avoir écouté figure Jared Kushner.) « La lecture de ce livre est une expérience saisissante, affirme Bannon. Il donne une vision claire du monde, avec des personnages incroyables, et tout est véridique. »

Il s'agit pour lui de peaufiner son image de marque – Bannon montre le livre aux nombreux journalistes de gauche qu'il courtise. Mais aussi de transmettre un message important, compte tenu du côté brouillon du processus de recrutement de l'équipe de transition : choisissez bien ceux que vous embauchez.

Publié en 1972, le livre d'Halberstam est un effort tolstoïen pour comprendre comment les grands noms du monde académique, intellectuel et militaire des années Kennedy et Johnson se sont si gravement mépris sur la nature de la guerre du Vietnam et ont si mal géré sa mise en accusation. C'est un récit édifiant sur l'establishment des années 1960 – le précurseur de celui que Trump et Bannon défient aujourd'hui de façon agressive.

---

1. Publié en français sous le titre *On les disait les meilleurs et les plus intelligents* aux éditions Hachette en 1974.

Mais ce livre peut aussi être lu comme un guide pratique pour rejoindre l'establishment. Pour la génération des années 1970, les futurs experts, les leaders mondiaux en herbe et les journalistes ambitieux sortant des meilleures universités – la génération de Bannon, mais lui se situe loin de ces élites –, *The Best and the Brightest* est le manuel du pouvoir et des chemins qui y mènent. Pas seulement les bonnes écoles et les bons milieux sociaux, même si c'est important, mais aussi les attitudes, la suffisance, l'affect, le langage qui permettront de manière infaillible de se faire une place au cœur du pouvoir américain. Nombreux sont ceux qui ont lu ce livre comme une liste de recommandations pour y parvenir, alors que pour l'auteur il s'agissait au contraire de dire ce qu'il ne faut pas faire quand on est au sommet. *The Best and the Brightest* décrit aussi le type de gens qui devraient, selon l'auteur, accéder aux responsabilités. L'étudiant Barack Obama était fasciné par ce livre, de même que le boursier Bill Clinton.

Le livre d'Halberstam définit également l'allure et la nature du pouvoir de la Maison Blanche. Une façon de parler, sonore, imposante, souvent pompeuse, a donné le ton pour un demi-siècle chez les journalistes chargés de suivre la présidence. Même les occupants de la Maison Blanche ayant échoué ou fait scandale ont été traités comme des personnages exceptionnels qui avaient atteint les plus hauts sommets au terme d'un processus politique darwinien. Le journaliste Bob Woodward, qui participa à la chute de Nixon, devenu lui-même un personnage sans égal dans la machine à fabriquer les mythes présidentiels, a écrit une étagère entière de livres dans lesquels même la plus malvenue des actions présidentielles semble relever d'une épopée dont l'enjeu serait la vie ou la mort. Seul un lecteur sans cœur ne rêverait pas d'être partie intégrante de cette incroyable saga.

Et Steve Bannon est un grand rêveur.

Si Halberstam définit la posture présidentielle, Trump la défie et la profane. Aucun de ses traits de caractère ne le place dans le cercle vénéré des présidents américains. Et par un curieux renversement de la thèse d'Halberstam, cette exception est la chance de Steve Bannon.

Moins un candidat est présidentiable, plus son entourage est inexpérimenté et inapte à exercer ses fonctions – à l'inverse, les bons conseillers chercheront à travailler avec un candidat crédible. Lorsqu'un candidat hors normes gagne l'élection – et que les outsiders ont le vent en poupe – la Maison Blanche se retrouve alors occupée par des gens aux profils tout à fait particuliers. Bien sûr, ce qu'ont démontré Halberstam et la campagne de Hillary Clinton, c'est que le candidat crédible peut commettre lui aussi de graves erreurs. D'où la rhétorique de Trump selon laquelle seuls les candidats non conformes, non issus de l'establishment, ont du génie.

Néanmoins, on a rarement vu de conseiller aussi improbable que Steve Bannon.

À 63 ans, il obtient son premier emploi en politique en rejoignant la campagne de Trump. Stratège en chef, son titre dans la nouvelle administration (« Stratège ! » soupire Roger Stone qui, avant Bannon, l'avait été lui aussi pour Trump), est non seulement son premier poste dans l'administration, mais aussi dans le secteur public. Le Président mis à part, Bannon est sans aucun doute la personne inexpérimentée la plus âgée qui ait jamais travaillé à la Maison Blanche.

Et c'est une carrière plutôt erratique qui l'a conduit à ce poste.

École catholique de Richmond, en Virginie. Puis université locale, Virginia Tech. Après cela, sept ans dans la Marine, lieutenant sur un navire, et ensuite au Pentagone. Pendant son service actif, il passe une maîtrise à la School of Foreign Service de Georgetown. Il quitte la carrière navale, obtient un MBA de la Business School de Harvard et reste quatre ans chez Goldman Sachs en tant que banquier d'affaires – les deux dernières années, il se consacre à l'industrie des médias à Los Angeles.

En 1990, à l'âge de 37 ans, Bannon crée Bannon & Co, une société de conseils financiers pour l'industrie du divertissement. L'entreprise, qui a l'air d'une coquille vide, se lance dans une industrie où peu réussissent et beaucoup s'élèvent, espèrent et tombent. Bannon & Co échappe à l'échec et finit par rassembler un peu d'argent pour financer des projets de films indépendants – dont aucun ne connaît le succès.

Bannon est lui-même un personnage de cinéma. Une gueule, de l'alcool et des mariages ratés. Il est à court d'argent dans un secteur où celui-ci est l'aune du succès. Il a toujours des projets. Il est toujours déçu.

Pour un homme persuadé d'avoir un grand destin, il passe inaperçu. Jon Corzine, ancien patron de Goldman, futur sénateur des États-Unis et gouverneur du New Jersey, grimpait les échelons de la banque quand Bannon y travaillait, et il ne l'a jamais repéré. Quand Bannon, nommé directeur de la campagne de Trump, devient du jour au lendemain l'objet de toutes les attentions de la presse – et une sorte de gigantesque point d'interrogation –, on cite une histoire alambiquée concernant la participation financière de Bannon & Co à la série *Seinfeld*. Mais les responsables, les créateurs ou les producteurs du fameux sitcom semblent n'avoir jamais entendu parler de lui.

Mike Murphy, un républicain spécialiste des médias, en charge du Comité d'action politique de Jeb Bush, devenu un personnage central de l'opposition à Trump, a un vague souvenir de Bannon cherchant une attachée de presse pour un film produit il y a une dizaine d'années. « On m'a dit qu'il a assisté à une réunion, mais franchement je ne peux pas mettre un visage sur son nom. »

Le *New Yorker* s'est penché sur l'énigme Bannon, laquelle peut se résumer en une phrase : comment les médias ont-ils pu ignorer quelqu'un qui fait soudain partie des personnes les plus puissantes du gouvernement ? Le magazine a tenté, sans succès, de retrouver sa trace à Hollywood. Le *Washington Post* a collecté toutes ses anciennes adresses sans en tirer la moindre information, sauf un éventuel délit de fraude électorale.

Au milieu des années 1990, Bannon participe activement à un projet – Biosphere 2 – généreusement financé par Edward Bass, l'un des héritiers de la famille Bass qui a fait fortune dans le pétrole. Ce projet qui s'intéresse à la survie dans l'espace est considéré par *Time* comme l'une des cent idées les plus mauvaises du siècle – un caprice de millionnaire. Bannon a un besoin urgent de travailler : il saute à pieds joints sur ce projet qui commence déjà à péricliter. Son arrivée en précipite la chute et provoque un procès, notamment pour harcèlement et vandalisme.

Après le désastre de Biosphere 2, il participe à la recherche de financements pour une monnaie virtuelle au sein d'une entreprise nommée Internet Gaming Entertainment. Elle succède à Digital Entertainment Network, une start-up qui a fait faillite et dont l'un des principaux dirigeants, l'ancien enfant vedette Brock Pierce (*Les Petits Champions*) a été limogé. Bannon est nommé PDG de cette société qui croule sous les contentieux.

Les entreprises en détresse font les affaires des opportunistes. Et certaines ont plus de valeur que d'autres. Bannon doit gérer des conflits, de la méchanceté et du désespoir. Son travail consiste à tirer un petit profit d'une trésorerie qui s'étiole. Il vit chichement en marge de gens qui gagnent beaucoup mieux leur vie que lui. Il tente encore et toujours de faire fortune mais ne décroche jamais le gros lot.

Le secteur des entreprises en détresse est aussi le terrain de jeu préféré des investisseurs à contre-courant. Leur personnalité impulsive – mue par l'insatisfaction, la rancœur, l'instinct du joueur – intéresse de plus en plus Bannon. Cette attirance pour l'anticonformisme vient en partie de ce qu'il est issu d'une famille catholique irlandaise, a fréquenté des écoles catholiques, et a connu ensuite trois mariages malheureux suivis de douloureux divorces.

Il n'y a pas si longtemps, Bannon aurait pu être un personnage moderne, un anti-héros romantique, un ancien militaire venant de la classe ouvrière et qui s'en est détaché en prenant du galon au gré de plusieurs mariages et de différentes professions, frustré par l'establishment, mais désireux à la fois d'y avoir sa place et d'y poser une bombe – un personnage pour Richard Ford, John Updike ou Harry Crews. L'histoire d'un Américain. Mais aujourd'hui, ces histoires d'Américains deviennent politiques. Des histoires de droite. Bannon trouve ses modèles parmi les politiciens habitués aux luttes intestines, comme Lee Atwater, Roger Ailes, Karl Rove. Des Américains plus vrais que nature, se battant contre le conformisme et la modernité, ravis d'effaroucher les sensibilités démocrates.

Bannon, qu'il soit ou non intelligent et charismatique, et même s'il prétend être une personne loyale, n'est pas un gentil. Plusieurs décennies passées à gérer ses affaires sans en obtenir la moindre satisfaction n'adoucissent pas les mœurs. L'un de ses concurrents dans le business des médias conservateurs, tout en reconnaissant son esprit et la grande ambition de ses idées, le décrit comme un type « méchant, malhonnête, sans empathie. Il semble toujours chercher dans la pièce une arme pour vous frapper ou vous escroquer ».

Les médias conservateurs conviennent à son tempérament furieux, anticonformiste et catholique, et il est aisé d'y entrer. Les médias de gauche, en revanche, sont hiérarchisés et plus difficiles à pénétrer. La presse de droite, par ailleurs, est un marché très lucratif qui commercialise des livres (souvent des best-sellers), des vidéos et d'autres produits en vente directe afin de contourner les onéreux réseaux de distribution.

Au début des années 2000, Bannon devient un pourvoyeur de livres et de produits dérivés pour les médias conservateurs. Dans cette entreprise, son partenaire est David Bossie – un pamphlétaire d'extrême droite jadis membre du comité d'investigation du Congrès sur l'affaire Whitewater qui embarrassait Bill Clinton. Bossie le rejoint comme manager adjoint de la campagne de Trump. Bannon rencontre le fondateur de Breitbart News, Andrew Breitbart, lors de la projection d'un documentaire réalisé par Bannon et Bossie, *In the Face of Evil* (« Face au diable », sous-titré « La croisade de Ronald Reagan pour détruire le système politique le plus tyrannique et dépravé que le monde ait jamais connu »). Cette rencontre en provoque une autre avec un homme qui va donner sa chance à Bannon : Robert Mercer.

Bannon, sans aucune discipline en affaires, est aussi un entrepreneur sans vision. Il va simplement là où est l'argent, tentant d'en prendre le plus possible aux plus naïfs. Il ne peut trouver mieux que Bob Mercer et sa fille Rebekah, naïfs professionnels.

Bannon les courtise et devient leur conseiller en investissements politiques.

La mission des Mercer est totalement chimérique. Ils ont dépensé des fortunes – même s'il ne s'agit que d'une petite portion des nombreux milliards de Bob Mercer – pour tenter de former, aux États-Unis, un mouvement politique radical anti-libéral, anti-musulman et anti-droits civiques, prônant le libre-échange, un État faible, l'enseignement à la maison, l'étalon-or, la peine de mort, la chrétienté et le monétarisme.

Bob Mercer, c'est le matheux absolu, un ingénieur spécialiste des algorithmes et patron de Renaissance Technologies, l'un des hedge funds les plus rentables du monde. Avec sa fille, Rebekah, et en suivant leur seule fantaisie, Mercer a fondé leur Tea Party privé, et un club alt-right[1]. Bob Mercer s'exprime très peu, il vous regarde d'un œil morne sans ouvrir la bouche ou vous offre une réponse minimaliste. Il a fait installer sur son yatch un piano Steinway demi-queue et lorsqu'il convie des amis ou ses collègues sur le bateau, il en joue sans s'arrêter ni prêter la moindre attention à ses invités. Ses opinions politiques, pour autant qu'elles puissent être décelées, le portent plutôt vers Bush, et ses discussions politiques, pour autant qu'il veuille bien y participer, tournent autour du *ground game*[2] et de la collecte de données. C'est Rebekah Mercer, impressionnée par Bannon, qui définit les vues politiques de la famille. Lesquelles sont sombres, inflexibles et doctrinaires. « Elle est... Waouh ! Impossible d'avoir une conversation idéologique avec elle », raconte un haut responsable de l'entourage de Trump à la Maison Blanche.

Avec la mort d'Andrew Breitbart, en 2012, Bannon, qui joue le rôle de mandataire de Mercer pour ses investissements dans le site Breitbart News, reprend le business. Il se sert de son expérience en matière de jeux en ligne pour utiliser Gamergate, un portail

---

1. Abréviation d'*alternative right*, terme flou désignant une partie de l'extrême droite raciste, sexiste, antisémite et conspirationniste.

2. Un terme politique américain qui désigne l'effort de terrain des activistes locaux pour frapper aux portes et obtenir autant de voix qu'ils le peuvent lors d'une élection.

d'extrême droite dont les membres, qui ont en commun leur antipathie vis-à-vis des femmes, harcèlent celles qui jouent en ligne. Bannon génère un gros trafic sur Gamergate grâce à la viralité de mèmes politiques. Une nuit, à la Maison Blanche, il annonce qu'il sait exactement comment construire un site Breitbart de gauche. Et il en tirerait un avantage majeur car « les gens de gauche veulent gagner le prix Pulitzer tandis que moi, je veux *être* Pulitzer ! ».

Travaillant et vivant dans la maison que Breitbart louait à Capitol Hill, Bannon devient l'une des grandes figures – lesquelles sont de plus en plus nombreuses – du Tea Party à Washington, et le conseiller de Mercer. Mais il reste marginal quand on sait que son projet d'alors est de promouvoir la candidature présidentielle de 2012 de Jeff Sessions – dont le deuxième prénom est Beauregard, en hommage au général sudiste –, le plus obscur et le plus étrange des sénateurs.

Donald Trump est un cran au-dessus. Tôt dans la campagne de 2016, il devient l'icône de Breitbart News. (De nombreux arguments développés par Trump pendant la campagne sont tirés des articles du site photocopiés par Bannon à son intention.) Bannon commence à suggérer autour de lui – de la même façon qu'Ailes chez Fox – qu'il est la véritable force derrière le candidat qu'il s'est choisi.

Bannon ne se pose pas trop de questions sur le sérieux de Trump, son comportement ou sa capacité à être élu. Trump est juste le dernier homme riche qu'il a rencontré. La richesse est un fait établi qu'il faut savoir accepter et gérer dans un monde entrepreneurial. Bien sûr, si Trump avait été plus sérieux, s'il avait eu un comportement plus acceptable, et une probabilité plus grande d'être élu, Bannon n'aurait eu aucune chance.

Peu importe son côté marginal, secret, arnaqueur de faible envergure : Bannon – le personnage d'un polar d'Elmore Leonard – n'est plus le même quand il entre dans la Trump Tower, le 15 août 2016, et qu'il n'en sort plus, sauf quelques heures la nuit (et encore, pas toutes) pour rejoindre son appartement de Midtown jusqu'au 17 janvier, quand l'équipe de transition déménage à Washington. Dans la Trump Tower, la concurrence est inexistante pour qui ambitionne de devenir le cerveau des opérations. Parmi les personnages principaux de la transition, ni Kushner ni Priebus ni Conway, et certainement pas le Président élu, ne sont capables d'élaborer un récit cohérent. Chacun doit donc se tourner vers la seule personne qui, au débotté, est capable de faire preuve d'éloquence, de concision, de spontanéité, d'esprit, qui est toujours présente et qui a la particularité d'avoir lu un livre ou deux.

En vérité, pendant la campagne, Bannon se montre capable de gérer l'opération Trump et de la réduire – quelle que soit la confusion générale – à une seule injonction : la victoire passe par l'envoi d'un message économique et culturel à la classe ouvrière de Floride, de l'Ohio, du Michigan et de Pennsylvanie.

Bannon collectionne les ennemis. Mais peu, parmi les républicains traditionnels, lui inspirent autant de haine et de rancœur que Rupert Murdoch, d'autant plus que le magnat de la presse a l'oreille de Donald Trump. L'une des certitudes de Bannon à l'égard de de son patron, c'est que le dernier qui lui parle a toujours raison. Or Trump se vante des nombreux appels de Murdoch tandis que Murdoch raconte que le Président le poursuit au téléphone.

« Il ne connaît rien à la politique américaine et ne manifeste aucun intérêt pour le peuple américain », explique Bannon à Trump, soulignant que Murdoch n'est pas né aux États-Unis. Mais Trump ne peut s'en passer. Il aime les gagnants – pour lui, Murdoch est le premier de la catégorie – et commence à traiter son ami Ailes de perdant.

Murdoch, cependant, est utile à Bannon. Il aime rappeler qu'il a connu tous les présidents américains depuis Harry Truman, et sans doute plus de chefs d'État dans le monde que n'importe qui. Dès lors, il prétend mieux comprendre que les jeunes – et mieux que Trump avec ses 70 ans – que le pouvoir est éphémère. Il l'avait déjà dit à Barack Obama : un président dispose de six mois et pas un de plus pour avoir un impact sur son pays et fixer son programme. Il a même de la chance si on lui laisse ces six mois. Après ça, il n'a plus qu'à éteindre les incendies et combattre l'opposition.

C'est là un message urgent que Bannon veut transmettre à Trump, souvent distrait. Au cours de ses premières semaines à la Maison Blanche, Trump est négligent et essaye de réduire le nombre de ses réunions, de limiter les heures passées dans son bureau et de continuer à jouer au golf comme avant.

Aux yeux de Bannon, les armes du pouvoir sont « le choc et l'effroi[1] ». Dominer plutôt que négocier. Il a rêvé du pouvoir et ne se voit pas en bureaucrate. Il pense être animé par une ambition et une morale plus élevées. Il cherche à se venger, et pense qu'il sait viser juste. Joindre l'acte à la parole est une obligation morale : si vous dites vouloir faire quelque chose, faites-le.

Dans sa tête, Bannon aligne une série d'actions décisives suffisamment fortes pour marquer les premiers jours de la nouvelle administration, mais surtout pour affirmer aux yeux de tous que rien ne sera jamais plus comme avant. Il a 63 ans. Il est pressé.

Bannon a étudié la nature des décrets présidentiels. Aux États-Unis, il est impossible de gouverner par décrets – sauf qu'en fait, c'est possible. L'ironie de l'histoire est qu'Obama lui-même, face à un Congrès récalcitrant, les a multipliés. Et maintenant, dans une espèce de jeu à somme nulle, les décrets de Trump doivent réduire à néant ceux d'Obama.

Pendant la transition, Bannon et Stephen Miller, un ancien adjoint de Jeff Sessions qui a rejoint la campagne de Trump et est devenu l'assistant de Bannon, ont dressé une liste de plus de deux cents décrets à signer au cours des cent premiers jours. Selon Bannon, le premier dossier à traiter est l'immigration. Les étrangers sont la principale obsession du trumpisme. Ce thème, défendu par l'excentrique Jeff Sessions, est souvent considéré comme la marotte de quelques esprits étroits. Mais Trump est persuadé que de nombreux Américains en ont plus qu'assez des étrangers, et sa campagne a montré que le nativisme[2] a de beaux jours devant lui.

---

1. En anglais « shock and awe », désigne une doctrine militaire américaine de domination massive et rapide d'un champ de bataille.

2. Courant politique de pays peuplés d'immigrants (États-Unis, Australie, Canada, etc.) qui s'oppose à toute nouvelle immigration.

Une fois l'élection gagnée, Bannon comprend qu'il ne faut plus hésiter à se proclamer ethnocentristes.

Cerise sur la gâteau : ce sujet rend la gauche totalement dingue.

Appliquées avec laxisme, les lois sur l'immigration sont au cœur de la nouvelle philosophie démocrate et soulignent, selon Bannon, son hypocrisie. Pour la gauche, la diversité représente le bien absolu tandis que Bannon pense que toute personne raisonnable, qui n'a pas été aveuglée par l'esprit des Lumières, voit bien que les vagues d'immigrés apportent avec elles une montagne de problèmes. Regardez ce qui se passe en Europe. Ces périls n'affectent pas l'élite démocrate, mais les citoyens américains du bas de l'échelle sociale.

Grâce à son instinct ou à son génie imbécile, Trump comprend qu'il faut s'approprier cette question. Il aime répéter : *Les vrais Américains existent-ils encore ?* Dans quelques-uns de ses premiers discours, avant même l'élection d'Obama en 2008, Trump évoque déjà, avec consternation et ressentiment, les stricts quotas de l'immigration européenne et le déluge de personnes en provenance « d'Asie et d'autres endroits » (comme la gauche l'a vérifié, ce déluge n'est toujours qu'une modeste rivière, même si elle a grossi). Son obsession concernant le certificat de naissance d'Obama vient en partie du fléau que représentent pour lui les étrangers non-européens – de la pure discrimination raciale. *Qui sont ces gens ? Pourquoi sont-ils ici ?*

Une carte frappante des États-Unis a circulé pendant la campagne. Elle montrait, dans chaque État, les principales tendances observées en matière d'immigration. Il y a cinquante ans, la plupart des immigrés étaient d'origine européenne. Aujourd'hui, la même carte révèle que l'immigration mexicaine est majoritaire dans tous les États de l'Union. Pour Bannon, voici la réalité quotidienne du travailleur américain soumis à la présence toujours croissante d'une force de travail alternative et bon marché.

La carrière politique de Bannon s'est déroulée dans les médias, mais aussi sur Internet, avec des sites suscitant des réactions immédiates. La formule de Breitbart News horrifie la gauche qui y découvre ses sympathisants doublement comblés de générer du clic en exprimant leur dégoût ou leur satisfaction. On se définit par les réactions de ses adversaires. Le conflit, c'est l'appât des médias. La nouvelle politique n'est pas l'art du compromis, mais celui du conflit.

Le but est d'exposer au grand jour l'hypocrisie des vues de la gauche. En dépit des lois, des règles et des habitudes, les « mondialistes » démocrates ont créé le mythe d'une immigration plus ou moins libre. Il s'agit en réalité d'une double hypocrisie car l'administration Obama s'est montrée très ferme en reconduisant à la frontière les étrangers illégaux – mais ne le dites pas aux démocrates…

« C'est très simple, dit Bannon, les Américains veulent récupérer leur pays. »

Bannon veut que les décrets présidentiels – une procédure en soi peu libérale – mettent un terme aux prétentions d'ouverture de la gauche. Et plutôt que d'atteindre ses objectifs sans faire de vagues – sans toucher à la feuille de vigne démocrate –, il cherche la confrontation.

Pourquoi ? c'est la question logique de quiconque considère que la fonction première d'un gouvernement est d'éviter les conflits.

Ce qui est le cas de la plupart des gens en poste. Les nouvelles recrues dans les agences gouvernementales et l'administration, notamment à la Sécurité intérieure, ne souhaitent rien de plus que d'avoir le temps de se poser et de prendre leurs marques avant de travailler sur de nouvelles politiques spectaculaires ou controversées. Le général John Kelly, alors directeur de la Sécurité intérieure, est remonté contre le désordre que causerait un nouveau décret sur l'immigration. Les plus anciens, recrutés par Obama et qui occupent encore la plupart des postes à responsabilités, trouvent inconcevable que la nouvelle administration se perde dans des procédures qui, pour la plupart, existent déjà, et les reformulent en termes polémiques et alarmistes afin que les démocrates n'aient d'autre choix que de s'y opposer.

Bannon veut crever la bulle du « gauchisme internationaliste » qui refuse d'admettre les effets compliqués et coûteux d'une immigration incontrôlée. Il veut forcer les démocrates à avouer que même leurs gouvernements, même celui d'Obama, ont suivi une politique réaliste pour freiner l'immigration.

Le décret présidentiel doit être rédigé de manière à exprimer de façon ferme ces vues sans compassion de l'administration (ou de Bannon). Mais ce dernier ne sait pas du tout comment procéder pour changer les règles et les lois. Il est parfaitement conscient que ses propres limites pourraient contrecarrer leur action. La procédure, là est l'ennemi. Donc agir – peu importe comment – et agir sans attendre, voilà la plus puissante des ripostes.

Agir devient le principe de Bannon, l'antidote radical à l'ennui et à la résistance de la bureaucratie et de l'establishment. C'est l'énergie du chaos qui permet de faire les choses. Peu importe que vous ne connaissiez pas la procédure, du moment que les choses soient faites. Mais qui va faire ce que vous voulez faire ? Comme personne dans l'administration Trump ne sait vraiment comment faire quoi que ce soit, il n'est pas évident de savoir qui fait quoi.

Justement, c'est le travail de Sean Spicer : expliquer qui fait quoi et pourquoi. Toutefois, il n'arrive pas à remplir sa mission *parce que personne n'a de vrai job, parce que personne n'est capable d'en avoir un.*

Priebus, en tant que chef de cabinet, doit organiser des réunions, élaborer des programmes, embaucher du personnel. Il doit aussi superviser les fonctions des différents départements de l'exécutif. Bannon, Kushner, Conway et la fille du Président n'ont en fait aucune responsabilité précise. Ils peuvent faire ce qu'ils veulent quand ils le veulent. Il leur est possible de décider de faire n'importe quoi – même s'ils ne savent pas comment faire ce n'importe quoi.

Motivé par sa volonté de faire les choses, Bannon, pourtant, n'utilise pas d'ordinateur. *Comment peut-il travailler ?* se demande Katie Walsh. Mais pour lui, l'important est d'avoir une vision large. Le processus ne compte pas. La compétence est le dernier refuge des démocrates, toujours perdants face à la vision large. Seule la volonté de faire de grandes choses permet de les accomplir. « Ne vous éreintez pas sur les petits sujets », voici l'essentiel de la vision du monde de Trump – et de Steve Bannon. « La stratégie de Steve, c'est le chaos », dit Walsh.

Bannon demande à Stephen Miller d'écrire le décret sur l'immigration. Miller, un homme de 55 ans dans le corps d'un garçon de 32, est un ancien conseiller de Jeff Sessions propulsé dans l'équipe de campagne de Trump en raison de son expérience politique. Pourtant au-delà de ses vues d'extrême droite, ses talents personnels ne sont pas évidents à déceler. Il est supposé écrire des discours, mais semble incapable de construire de vraies phrases. Il serait l'intellectuel de l'équipe, mais personne ne le lit. Il est censé donner des conseils de politique générale mais en sait peu sur la question. Il passe pour un spécialiste de la communication, mais se met presque tout le monde à dos. Pendant la transition, Bannon l'a envoyé chercher un modèle de décret sur Internet.

En arrivant à la Maison Blanche, Bannon a sur sa table son décret présidentiel sur l'immigration rédigé à la va-vite et son « travel ban », une mesure interdisant à la plupart des musulmans étrangers d'entrer aux États-Unis. Il a été édulcoré de mauvaise grâce, à la demande expresse de Priebus, en une version pourtant encore draconienne.

Après le mensonge sur la foule présente à l'investiture et le discours loufoque à la CIA, le troisième acte fort de la présidence est donc le décret réformant la politique migratoire américaine. Presque personne au sein du gouvernement n'a vu ou entendu quoi que ce soit à ce sujet. Après avoir contourné les juristes, les régulateurs, les agences et le personnel en charge de son application, Trump, avec Bannon dans son ombre lui soufflant à l'oreille une foule d'informations complexes, signe le document qu'on a posé devant lui.

Le 27 janvier, un vendredi, le « travel ban » est signé avec effet immédiat. Le résultat est un torrent d'indignation dans les médias de gauche, la grande peur des communautés d'immigrés, de vives protestations dans les aéroports, une confusion générale au sein du gouvernement et, à la Maison Blanche, de nombreuses mises en garde, des avertissements, l'opprobre d'amis et de membres de la famille. *Qu'est-ce que tu as fait ? Sais-tu ce que tu fais ? Il faut faire marche arrière ! Vous êtes foutus avant même d'avoir commencé à bosser ! Qui est responsable ici ?*

Mais Steve Bannon est satisfait. Il a réussi à tracer une ligne nette entre deux Amériques – celle de Trump et celle de la gauche – et entre sa Maison Blanche à lui et celle qu'occupent des gens qui ne sont pas encore prêts à y mettre le feu.

Pourquoi avoir fait ça un vendredi, avec un impact maximal dans les aéroports et des milliers de gens en colère prêts à sortir dans la rue ? Presque toute la Maison Blanche se pose la question.

« Eh bien… c'est pour ça, répond Bannon. Pour que les excités prennent d'assaut les aéroports et se déchaînent. » Il veut briser les démocrates : les rendre fous et les pousser vers l'extrême gauche.

5

Jarvanka

Le dimanche suivant le décret sur l'immigration, Joe Scarborough et Mika Brzezinski, les présentateurs de l'émission *Morning Joe* sur MSNBC, sont conviés à déjeuner à la Maison Blanche.

Scarborough est un ancien parlementaire républicain de Pensacola, en Floride, et Brzezinski la fille d'un collaborateur de haut rang à la Maison Blanche de Lyndon Johnson et le conseiller à la Sécurité nationale de Jimmy Carter. *Morning Joe* existe depuis 2007 et a développé son audience dans les milieux politiques et les médias new-yorkais. Trump suit le programme depuis longtemps.

En 2016, très tôt dans la campagne, après un changement dans la direction de la chaîne NBC News, il semble probable que l'émission, dont l'audience est en baisse, soit supprimée. Mais Scarborough et Brzezinski ont une bonne relation avec Trump et font de leur émission le seul média qui non seulement le présente de façon positive, mais donne aussi l'impression de comprendre ce qu'il a dans la tête. Trump devient un invité régulier et l'émission un moyen de lui parler plus ou moins directement.

C'est le type de relation dont Trump a longtemps rêvé : des journalistes qui le prennent au sérieux, qui parlent de lui souvent, sollicitent son opinion, l'informent sur les derniers commérages et font circuler ses rumeurs à lui. Ainsi, les deux présentateurs entrent dans le cercle de Trump, et c'est exactement ce qu'il voulait. Bien qu'il aime se dire outsider, il est insatisfait quand il reste « dehors ».

Trump juge que les médias qu'il promeut lui sont redevables (dans le cas de Scarborough et de Brzezinski, il a sauvé leur job). À l'inverse, les médias qui lui concèdent beaucoup d'espace et de temps d'antenne gratuit estiment qu'il est leur obligé. De leur côté, Scarborough et Brzezinski se considèrent comme des conseillers semi-officiels, pour ne pas dire des imprésarios politiques, qui ont offert à Trump son job sur un plateau.

En août 2016, après un différend en public, Trump tweete aussitôt : « Un jour, quand la situation sera plus calme, je raconterai la véritable histoire de @JoeNBC et de @morningmika, sa petite amie de longue date si peu sûre d'elle. Deux clowns ! » Mais les disputes avec Trump se terminent souvent sur l'accord tacite d'en tirer un avantage mutuel. Peu de temps après, tous sont à nouveau en bons termes.

Lors de leur arrivée à la Maison Blanche, en ce neuvième jour de la nouvelle présidence, Trump leur fait visiter le Bureau ovale avec fierté, fierté un instant mise à mal quand Brzezinski raconte que, depuis l'âge de 9 ans, elle s'y était rendue un grand nombre de fois avec son père. Trump leur montre quelques objets de collection et le nouveau portrait d'Andrew Jackson – le Président que Bannon a transformé en figure tutélaire de la nouvelle administration.

« Alors, que pensez-vous de cette première semaine de ma présidence ? » leur demande Trump sur un ton enjoué, cherchant la flatterie.

Surpris par la légèreté de Trump alors que les protestations se multiplient dans le pays, Scarborough répond sobrement : « Eh bien, j'apprécie beaucoup ce que vous avez fait avec US Steel et le fait que vous ayez convié les syndicats dans le Bureau ovale. » Trump avait promis d'utiliser dans la fabrication des pipelines américains l'acier produit aux États-Unis, et dans un geste très trumpien, il a invité les représentants des syndicats de la construction et de la sidérurgie – geste, souligne Trump, que n'a jamais fait Obama.

Puis le Président réitère sa question, et Scarborough soupçonne que personne n'a osé dire à Trump que sa semaine a été calamiteuse, que Bannon et Priebus, allant et venant dans les bureaux, l'ont même convaincu, sans doute, qu'elle avait été un succès.

Scarborough s'aventure alors à dire que le décret sur l'immigration aurait pu être géré de meilleure façon et que, globalement, la semaine a été plutôt agitée. Surpris, Trump entame un long monologue expliquant à quel point les choses vont bien, disant avec de grands éclats de rire à Bannon et à Priebus qui arrivent : « Joe ne pense pas que notre semaine se soit bien passée. » Et se tournant vers Scarborough : « J'aurais dû inviter Hannity[1] ! »

Au cours du déjeuner – du poisson, ce que Brzezinski ne mange pas –, Jared et Ivanka rejoignent le Président et ses convives. Jared est devenu le confident de Scarborough et lui fournit régulièrement des informations sur ce qui se passe à la Maison Blanche, bref, il est l'auteur de fuites sur le gouvernement de son beau-père. En retour, Scarborough défend sa position et ses idées. Pour le moment, le gendre et la fille se montrent discrets et déférents tandis que Scarborough et Brzezinski discutent avec le Président. Lequel, prenant la parole plus qu'à son habitude, pérore.

Trump reste en quête d'impressions positives sur sa première semaine et Scarborough réitère son éloge sur sa gestion des syndicats de l'acier. Jared intervient alors pour dire que se rapprocher des syndicats, une tradition démocrate en période électorale, « c'est la façon de faire de Bannon ».

« Bannon ? rétorque le Président en fusillant son gendre du regard. Ce n'est pas l'idée de Bannon. C'est la mienne. C'est signé Trump, pas Bannon. »

Kushner se fait tout petit et ne dit plus rien.

Changeant de sujet, le Président se tourne vers Scarborough et Brzezinski : « Alors, vous deux, où en êtes-vous ? » Il fait allusion à leur relation sentimentale qui n'est plus vraiment un secret.

Le couple répond que la situation est encore un peu compliquée, pas encore officielle, mais que tout va bien et que les problèmes seront bientôt résolus.

---

1. Sean Hannity est un commentateur de Fox News qui a soutenu les thèses et la candidature de Trump.

« Vous devriez vous marier, insiste Trump.

— Je peux vous marier ! Je suis un prêtre Internet unitarien universaliste, lance soudain Kushner, par ailleurs juif orthodoxe.

— Quoi ? lance le Président. Qu'est-ce que tu racontes ? Pourquoi accepteraient-ils que *tu* les maries alors que *moi* je peux le faire ? Alors qu'ils pourraient être mariés par le Président ! À Mar-a-Lago ! »

Presque tout le monde a conseillé à Jared de ne pas accepter de poste à la Maison Blanche. Son statut de membre de la famille lui donne une influence que personne ne peut contester. En étant l'employé de son beau-père, en revanche, son inexpérience pourrait être mise en cause, sa présence constituer un point faible de l'édifice présidentiel que viendraient démolir les adversaires de Trump. Par ailleurs, dans la West Wing, quand vous avez un titre – autre que celui de gendre – tout le monde cherche à vous le prendre.

Jared et Ivanka écoutent ce conseil – donné également par le frère de Jared, Josh, qui n'aime pas Trump – mais tous les deux, calculant risques et avantages, décident de l'ignorer. Trump encourage à plusieurs reprises son gendre et sa fille à poursuivre leurs ambitions. Pourtant, alors que s'affirme leur intérêt, il se montre sceptique tout en se disant incapable de les faire changer d'avis.

Pour Jared et Ivanka, pour tout le monde dans la nouvelle administration, et pour le Président lui-même, comment ne pas saisir l'opportunité d'un tel retournement de l'histoire ? La décision est prise d'un commun accord par le couple et, dans un sens, pour un travail commun. Jared et Ivanka ont passé un pacte : si l'occasion se présente un jour, ce sera elle qui sera candidate à l'élection présidentielle (ou la première à s'exposer, en fonction des circonstances). Ivanka joue avec l'idée que la première femme présidente des États-Unis ne serait pas Hillary Clinton, mais elle.

Bannon, qui a inventé le mot Jarvanka, de plus en plus utilisé, se montre horrifié quand on lui raconte l'accord conclu par le couple. « Ils n'ont pas dit ça ? Arrêtez. Oh, non. S'il vous plaît ne me racontez pas d'histoires. Oh, mon Dieu ! »

La vérité, c'est qu'à ce moment-là, Ivanka est l'une des personnes qui a le plus d'expérience parmi toutes celles qui travaillent à la Maison Blanche. C'est elle et Jared, ou Jared, et par ricochet elle aussi, qui sont les vrais chefs de cabinet – du moins qui ont le même accès au Président que Bannon et Priebus, le titulaire du titre. Sur l'organigramme, Jared et Ivanka jouissent d'un statut totalement indépendant dans la West Wing. Un statut magnifique. Et quand Priebus ou Bannon tentent, même avec diplomatie, de leur rappeler les procédures internes, le couple fait comprendre aux deux hommes que les prérogatives de la Première Famille l'emportent sur tous les règlements. Trump le confirme en confiant à Jared le dossier du Proche-Orient, faisant de son gendre l'un des plus importants acteurs de l'administration sur la scène mondiale. Au cours des premières semaines, ce dossier grossit pour inclure presque toutes les questions internationales, des responsabilités auxquelles rien, dans le passé Kushner, ne l'avait préparé.

Pour Kushner, la raison la plus convaincante de travailler à la Maison Blanche est l'« effet de levier » qui désigne chez lui la proximité. Bien au-delà du statut de membre de la famille, chaque personne ayant accès au Président bénéficie d'un effet de levier. Plus la proximité est grande, plus fort est cet effet. On peut alors imaginer Trump comme une sorte d'oracle de Delphes, assis sur son trône et faisant des déclarations devant être interprétées. Ou comme un enfant plein d'énergie dont toute personne capable de l'amadouer ou de le distraire pourrait devenir le favori. Ou comme le dieu Soleil (ce qu'effectivement Trump pense être), le centre de toute attention, qui dispense ses faveurs et délègue un pouvoir susceptible, à tout instant, d'être repris. La dimension nouvelle est que ce dieu Soleil fait fi du calcul. Son inspiration étant imprévisible, mieux vaut être près de lui à chaque instant. Et Bannon n'est pas le dernier à se comporter de la sorte, lui qui dîne avec Trump chaque soir, ou qui, du moins, se tient disponible – de célibataire à célibataire. Priebus remarque qu'au début tout le monde voulait faire partie de ces dîners avant qu'ils ne deviennent, quelques mois plus tard, un moment pénible à éviter.

Jared et Ivanka savent qu'influencer Trump exige une présence constante auprès de lui. Entre deux coups de fil – et ses journées, à part les réunions organisées, se passent entièrement au téléphone –, vous pouvez le perdre. Les subtilités à maîtriser sont nombreuses. Même si Trump, on l'a vu, est souvent influencé par la dernière personne qui lui a parlé, il n'écoute en réalité aucun conseil. Ce n'est donc pas la force d'un argument ou d'une requête qui le fait bouger, mais plutôt la présence, la connexion entre ce qui se passe dans sa tête et le point de vue de la personne qui se trouve auprès de lui. Et bien qu'il soit un grand obsessionnel, il a peu de convictions.

En fin de compte, Trump n'est peut-être pas si dissemblable, dans son solipsisme fondamental, d'autres personnes très riches ayant passé leur vie dans un environnement fermé. Il en diffère néanmoins en ce qu'il n'a jamais acquis la moindre règle de discipline sociale, il ne peut même pas tenter d'imiter la bienséance. Il est incapable de bavarder, par exemple, d'échanger des informations ou des points de vue. Il n'écoute pas ce qu'on lui dit et n'accorde qu'un intérêt limité à ce qu'il répond, d'où le fait qu'il se répète souvent. Il ne traite personne avec courtoisie. S'il veut savoir quelque chose, il peut se concentrer et accorder son attention, mais si quelqu'un l'interroge, il a tendance à devenir irritable et déplaisant. Il veut que vous l'écoutiez, puis décide que vous êtes faible à ramper ainsi devant lui. Il se comporte comme un acteur instinctif, choyé et engrangeant les succès. Les gens qui l'entourent sont soit des valets à son service, soit des magnats du cinéma essayant de susciter son attention et de diriger son jeu – et ceci sans trop l'irriter ni le mécontenter.

L'avantage, c'est son enthousiasme, sa rapidité, sa spontanéité et – s'il arrête un instant de ne penser qu'à lui – un sens aigu de la faiblesse de ses opposants et de leurs plus profonds désirs. Le problème de la politique, selon lui, sont les gens qui en savent trop et s'effondrent, avant de commencer, devant la complexité des dossiers et tant d'intérêts contradictoires. Trump, ne sachant pas grand-chose, pourrait, aux dires de ses soutiens, décoincer le système et lui offrir un nouveau départ.

Dans un temps très court – moins d'une année – Jared Kushner est passé de démocrate classique, comme ses parents, à compagnon du trumpisme, métamorphose déconcertante pour de nombreux amis ainsi que pour son frère dont la compagnie d'assurances, Oscar, fondée avec l'argent de la famille Kushner, risque de voler en éclats en cas d'abrogation de l'Obamacare.

Cette conversion apparente est en partie le résultat des conseils constants et convaincants de Bannon – une sorte d'engagement vital en faveur d'idées susceptibles de changer le monde qui n'avaient jamais effleuré Kushner, même lors de ses études à Harvard. À l'influence de Bannon s'ajoute le ressentiment de Jared à l'égard des élites démocrates qu'il a tenté de courtiser en rachetant le *New York Observer*, un geste qui s'est violemment retourné contre lui. Une fois lancé dans la campagne, il veut se convaincre que plus on se rapproche de l'absurde, plus les choses prennent du sens. Ainsi le trumpisme serait une sorte de realpolitik dénuée de tout sentiment, mais qui, au final, ne laisserait personne sur le bord du chemin. Et puis, surtout, il est dans le camp des vainqueurs. Il ne va pas critiquer le cadeau qu'on lui fait. Et il est certain qu'il saura un jour, seul, éclairer la part sombre du trumpisme.

Aussi surprenant que cela puisse lui paraître – des années durant, il a courtisé son beau-père plus qu'il ne l'a aimé – Kushner ressemble à Trump. Le père de Jared, Charlie, partageait de nombreux traits communs avec le père de Donald, Fred. Tous deux dominaient leurs enfants, et ils y réussirent si bien que, malgré leurs exigences, leurs enfants leur furent toujours dévoués. Les deux hommes étaient extrêmes : agressifs, intransigeants, durs, amoraux. Ils ont longtemps fait souffrir leurs enfants qui ont toujours recherché leur approbation. (Malgré ses efforts, le frère aîné de Trump, Freddy, n'y est pas parvenu. Homosexuel, il sombra dans l'alcool et mourut en 1981 à l'âge de 43 ans.) Des témoins sont déconcertés de voir que, dans les réunions de travail, Charlie et Jared Kushner se saluent, s'embrassent et que Jared, adulte, appelle encore son père Papa.

Ni Donald ni Jared, en dépit de leurs pères autoritaires, n'ont connu l'humilité. Leurs privilèges ont compensé l'insécurité de leur enfance. Tous deux nés hors de Manhattan (Kushner dans le New Jersey, Trump dans le Queens), ils sont impatients de prouver leurs talents ou de s'imposer au cœur de la grande ville. On les considère arrogants, suffisants, prétentieux. Chacun cultive un côté lisse, plus comique que gracieux. « Certaines personnes très privilégiées en sont conscientes et ne l'affichent pas. Mais Kushner, sans doute inconsciemment, par chacun de ses mots et de ses gestes, vous signale qu'il est un privilégié », raconte un patron de presse new-yorkais qui a fait des affaires avec lui. Les deux hommes, en fait, ne sortent jamais de leur cercle. Le défi qu'ils s'imposent est d'aller plus avant encore, au cœur du premier cercle. Gravir l'échelle sociale, voilà leur moteur.

Jared cultive surtout l'amitié de ses aînés. Il a passé un temps considérable avec Rupert Murdoch, avide de recueillir les conseils qu'un magnat des médias peut donner sur un secteur dans lequel il veut percer. Kushner a aussi longtemps courtisé Ronald Perelman, un financier milliardaire, virtuose des rachats d'entreprise, qui accueille Jared et Ivanka dans sa synagogue privée les jours saints de la religion juive. Et bien sûr, Kushner a su séduire Trump qui est devenu un fan du jeune homme et s'est montré particulièrement tolérant quand sa fille Ivanka s'est convertie au judaïsme orthodoxe, dernière étape avant leur mariage. De la même façon, Trump, quand il était jeune homme, avait consciencieusement fréquenté de vieux mentors, notamment Roy Cohn, flamboyant juriste et homme de réseau qui avait servi de bras droit au sénateur Joe McCarthy, le célèbre « chasseur » de communistes.

La dure réalité, c'est que le monde de Manhattan et sa voix la plus puissante, celle des médias, ne les aiment pas. Depuis longtemps, ils considèrent Donald Trump comme un poids plume du monde des affaires. Ils le démolissent pour avoir commis le péché ultime : il a trop tenté de séduire la presse. Sa renommée était plutôt une contre-renommée : il était tristement célèbre. Une gloire grotesque.

Pour comprendre les rebuffades des journaux et leurs nombreux degrés d'ironie, il suffit d'ouvrir le *New York Observer*, l'hebdomadaire des médias et de la bonne société de Manhattan acheté par Kushner en 2006 pour 10 millions de dollars – soit, selon la plupart des estimations, 10 millions de plus que sa valeur réelle.

Lancé en 1987, le *New York Observer* est la danseuse d'un homme riche, comme beaucoup de médias sans avenir. Il fait la chronique hebdomadaire insipide de l'Upper East Side, le quartier le plus opulent de New York et a pour prétention de traiter celui-ci comme une petite ville en soi. Mais cela n'intéresse personne. Son propriétaire frustré, Arthur Carter, qui a fait fortune à Wall Street, est présenté un jour à Graydon Carter (aucun lien familial) qui a lancé le magazine *Spy*, une imitation new-yorkaise de la publication satirique anglaise, *Private Eye*. *Spy* fait partie d'une série de publications des années 1980 – *Manhattan, Inc.*, la nouvelle version de *Vanity Fair* et le magazine *New York* – fascinées par les nouveaux riches et par ce moment charnière de l'histoire de la ville. De cette époque d'excès et de fascination pour les célébrités, Trump est à la fois le symbole et la caricature. En 1991, Graydon Carter devient le rédacteur en chef du *New York Observer* et recentre l'hebdomadaire sur la culture de l'argent. Il en fait ainsi une sorte de vade-mecum pour les gens très riches désireux d'être présents dans la presse. On n'a jamais vu une publication aussi égocentrique et autoréférencée que le *New York Observer*.

Dans le même temps, le *New York Post* de Murdoch devient le greffier de cette nouvelle aristocratie avide de publicité. Alors que Donald Trump, à l'image de nombreux autres nouveaux riches de son genre, cherche à faire parler de lui dans les médias, le *New York Observer* décide de s'intéresser à la manière dont Trump est couvert par la presse. L'histoire de Trump, c'est l'histoire d'un homme qui veut construire son histoire. C'est impudique, théâtral et édifiant. Si vous ne craignez pas d'être humilié, le monde est à vous. Trump devient l'incarnation de cet appétit de gloire et de notoriété. Il commence à croire qu'il comprend tout des médias

– qui il faut connaître, quel rôle il faut jouer, quelle information a valeur d'échange, quels mensonges sont bons à divulguer, quels boniments attendent-ils de vous. Et les médias commencent à croire qu'ils savent tout de Trump – sa futilité, ses illusions, ses fanfaronnades, et les profondeurs abyssales jusqu'auxquelles il peut s'abaisser pour attirer plus encore l'attention des journalistes.

Graydon Carter utilise vite le *New York Observer* comme tremplin vers *Vanity Fair* – où, croit-il, il deviendra lui-même plus célèbre encore que Donald Trump. En 1994, Peter Kaplan, éditeur doué d'un grand sens de l'ironie et de l'ennui post-moderne, succède à Carter à l'*Observer*.

Selon Kaplan, le personnage de Trump n'est plus le même. Avant, il était le symbole du succès et l'on se moquait de lui. Désormais, après le refinancement d'un gros paquet de dettes, il est le symbole de l'échec, et on se moque toujours de lui. Ce renversement inédit ne concerne pas seulement Trump, mais aussi la presse. Trump devient le symbole du dégoût qu'ont les médias pour eux-mêmes. L'intérêt qu'ils ont manifesté pour lui, sa promotion en dit long sur les médias. Kaplan l'exprime ainsi : Trump ne devrait plus faire l'objet d'articles car chaque nouvel article le concernant est devenu un cliché.

Un aspect important du *New York Observer* de Kaplan est que le magazine devient un modèle pour une nouvelle génération de reporters, à l'heure où le journalisme est de plus en plus soucieux de sa propre image. Pour toute la profession travaillant à New York, écrire sur Trump est une honte journalistique, s'en abstenir devient une position morale.

En 2006, Arthur Carter vend l'*Observer* qui n'a jamais fait de bénéfices. L'acheteur est le jeune Kushner, alors âgé de 25 ans, un héritier inconnu venu du secteur immobilier qui veut prendre de l'envergure et devenir célèbre à New York. Kaplan, en poste depuis quinze ans, reste rédacteur en chef et devient l'employé d'un jeune homme de vingt-cinq ans son cadet, le genre d'arriviste dont il aurait aimé écrire le portrait.

Pour Kushner, être propriétaire de ce journal se révèle déterminant – avec une ironie dont il ne mesure pas l'ampleur – car cela le propulse dans un nouveau cercle social au sein duquel il rencontre la fille de Donald Trump, Ivanka, qu'il épouse en 2009. Mais le magazine n'est pas une réussite financière, ce qui agace Kushner et tend ses relations avec Kaplan. Ce dernier commence à raconter des histoires drôles et dévastatrices sur les prétentions et l'inexpérience de son nouveau patron, histoires qui se répandent parmi ses nombreux protégés dans les médias, et donc partout.

En 2009, Kaplan quitte le magazine et Kushner commet alors la même faute que la plupart des hommes riches ayant acheté un titre de presse : il tente de faire des bénéfices en réduisant les coûts. Très vite, le monde des médias considère Kushner comme celui qui a retiré le magazine des mains de Kaplan et a signé sa perte en le dirigeant de façon brutale et incompétente. En 2013, Kaplan meurt d'un cancer à 59 ans.

La presse se nourrit des histoires des gens, elle décide qui va connaître la gloire et qui va sombrer dans l'oubli, qui va vivre et qui va mourir. Si vous restez longtemps dans son viseur, votre destin n'est pas enviable – une loi qu'Hillary Clinton n'a pas su contourner. Les médias ont le dernier mot.

Longtemps avant d'avoir brigué la présidence, Trump et Kushner ont été marqués du sceau de l'ignominie, ont subi la lente torture que sont le ridicule et le dédain. Ils ont été l'objet des persiflages les plus drôles et sont devenus moins que rien, les déchets de la presse. Mon Dieu !

Trump prend une décision intelligente. Il emporte avec lui sa triste réputation construite par les médias de New York, ville hyper-critique, et s'en va à Hollywood, ville sans valeurs, où il devient le roi de sa propre émission de téléréalité, *The Apprentice*. À cette occasion, il fait sienne une théorie qui va le servir pendant la campagne électorale : dans cette zone que généralement l'on survole en avion, le centre des États-Unis, rien ne vaut la célébrité. Être connu, c'est être aimé – ou du moins flatté.

L'incroyable, l'incompréhensible ironie de l'histoire est que la famille Trump – en dépit de tout ce que les médias savent, comprennent et ont raconté à son sujet – est parvenue à un niveau de notoriété qui confine à l'immortalité. Au-delà du pire cauchemar et de la blague cosmique. Dans ces circonstances extravagantes, Trump et son gendre sont restés unis, toujours conscients et jamais satisfaits, ne comprenant pas pourquoi ils étaient l'objet de blagues et la cible de l'indignation des médias.

Le fait que Trump et son gendre aient beaucoup en commun ne signifie pas qu'ils jouent dans la même catégorie. Quelle que soit sa proximité avec son beau-père, Kushner n'est que l'un des membres de l'entourage de Trump, et il ne le contrôle pas davantage que les autres.

Cette difficulté à maîtriser son beau-père constitue l'un des arguments de Kushner pour justifier d'être passé de membre de la famille à responsable de haut niveau à la Maison Blanche : il veut cadrer le Président et même – déclaration culottée de la part d'un jeune homme sans expérience – lui insuffler plus de gravité.

Si Bannon veut porter en bandoulière le « travel ban » comme sa première action à la Maison Blanche, Kushner veut manifester pour la première fois son leadership en organisant une rencontre du Président mexicain Enrique Peña Nieto avec son beau-père, le second ayant menacé et insulté le premier tout au long de la campagne.

Kushner appelle Kissinger, alors âgé de 93 ans, pour lui demander conseil. Une sollicitude qui flatte le vieux diplomate et qui permet aussi à Jared de montrer qu'il est proche des grands hommes. Mais Kissinger lui offre surtout de véritables conseils. Trump n'a jamais rien fait d'autre que de causer des problèmes au Président mexicain. Inviter ce dernier à la Maison Blanche – en dépit de Bannon dont la position n'a pas changé d'un iota depuis la campagne – marquerait une évolution significative dont Kushner pourrait tirer avantage. Ce dernier conçoit ainsi son rôle : suivre son beau-père de près, clarifier ses positions avec nuance et subtilité, voire les reformuler entièrement.

Les négociations préparant la visite du Président mexicain – la première d'un chef d'État étranger à la Maison Blanche sous l'ère Trump – commencent dès la période de transition. Kushner y voit l'opportunité de convertir la question du mur que Trump veut ériger entre les deux pays en un accord bilatéral sur l'immigration.

Un tel résultat serait un tour de force. Le 27 janvier, une semaine après l'investiture, arrive une délégation mexicaine de haut rang, pour une réunion de préparation avec Kushner et Priebus. Dans l'après-midi du même jour, Kushner fait savoir à son beau-père que Peña Nieto est d'accord pour venir à Washington et que l'organisation de sa visite peut commencer.

Le lendemain, Trump tweete : « Les États-Unis enregistrent un déficit commercial de 60 milliards de dollars avec le Mexique. Le deal est inique depuis le début du NAFTA[1]... » Et il continue dans un second tweet : « Nous enregistrons des pertes considérables en jobs et en entreprises. Si Le Mexique n'est pas prêt à payer pour ce mur dont nous avons grandement besoin, mieux vaudrait annuler la visite prévue... »

C'est exactement ce que fait Peña Nieto, annihilant ainsi le travail de négociations et de diplomatie de Kushner.

Le vendredi 3 février, au cours d'un petit-déjeuner à l'hôtel Four Seasons de Georgetown, l'épicentre du marigot, Ivanka Trump, agitée, descend les marches et entre dans la salle à manger en parlant fort dans son portable : « C'est une vraie pagaille et je ne sais pas comment en sortir... »

La semaine a été difficile avec les retombées continues du décret sur l'immigration – la justice est saisie et l'administration s'attend à un rejet brutal – et des fuites embarrassantes de deux coups de fil présidentiels censés, en théorie, arrondir les angles, l'un avec le Président mexicain (« *bad hombres*[2] »), l'autre avec le Premier ministre australien (« de loin ma pire conversation téléphonique »). De surcroît, la veille, la chaîne américaine des magasins Nordstrom a annoncé qu'elle abandonnait la marque de vêtements Ivanka Trump.

La jeune femme, âgée de 35 ans, a le visage inquiet d'une businesswoman qui a dû abruptement déléguer le contrôle de ses

---

1. Acronyme de North America Free Trade Agreement, en français l'ALENA, pour Accord de libre-échange d'Amérique du Nord, signé le 1er janvier 1994 entre le Canada, les États-Unis et le Mexique.
2. Un mélange d'anglais et d'espagnol signifiant « mauvais hommes », ou « sales types ».

affaires. Elle a aussi été un peu dépassée par l'obligation de déménager ses trois enfants dans une nouvelle maison au cœur d'une nouvelle ville et avoir dû le faire à peu près seule. Quand quelqu'un a demandé à Jared, plusieurs semaines après leur emménagement, si ses enfants s'étaient bien adaptés à leur nouvelle école, il a répondu oui, mais sans pouvoir immédiatement nommer l'école en question.

Ivanka, cependant, prend ses marques. Le petit-déjeuner au Four Seasons est devenu un rituel. Elle s'y retrouve avec ceux qui comptent. Sont présents dans le restaurant ce matin-là Nancy Pelosi, chef des représentants démocrates ; Stephen Schwarzman, PDG de Blackstone ; Vernon Jordan, grande figure de Washington, lobbyiste et confident d'Hillary Clinton ; Wilbur Ross, secrétaire au Commerce ; Justin Smith, PDG de Bloomberg Media ; et une table de femmes lobbyistes très influentes, dont Hilary Rosen, représentante de longue date de l'industrie de la musique à Washington ; Juleanna Glover, conseillère d'Elon Musk dans la capitale ; Niki Christoff, directrice d'Uber, et Carol Melton, chargée des affaires politiques de Time Warner.

Si l'on oublie son père à la Maison Blanche et ses tirades en faveur du drainage du marigot dans lequel évoluent la plupart des personnes présentes ce matin-là, Ivanka se trouve à l'endroit où elle a toujours voulu être, au sein d'un groupe dont elle a rêvé de faire partie. Suivant les traces de son père, elle a fait de son nom et d'elle-même une marque multiproduits. Elle personnifie la transition entre un père businessman, golfeur et mâle dominant, et une jeune femme d'affaires ambitieuse et mère de famille. Bien avant que l'on ait pu prédire l'élection de son père, elle avait déjà vendu un projet de livre, *Women Who Work : Rewriting the Rules for Success* (« Femmes au travail : les nouvelles règles du succès »), pour un million de dollars.

Le parcours d'Ivanka démontre une discipline inattendue pour cette jeune femme satisfaite de son sort, distraite et mondaine. À l'âge de 21 ans, elle joue dans un film réalisé par son boyfriend d'alors, Jamie Johnson, un héritier de Johnson & Johnson. C'est un film curieux, parfois déconcertant, dans lequel Johnson conduit sa bande de jeunes gens riches à exprimer leurs insatisfactions, leur manque d'ambition, et à dénigrer leurs familles. Ivanka, dont la voix ressemble à celle d'une gamine californienne – qui deviendra plus tard une voix de princesse Disney –, ne semble ni plus ambitieuse ni plus occupée que les autres, mais autrement moins rebelle.

Aujourd'hui, elle traite son père avec un peu de légèreté, voire d'ironie. Lors d'une interview télévisée, elle s'est même moquée de sa coiffure. Elle en a souvent décrit les coulisses devant ses amis : un dessus du crâne parfaitement lisse – une sorte d'île constituée après une opération du cuir chevelu – entouré d'un cercle de cheveux couronnant les côtés et le front puis rassemblés sur le haut de la tête et balayés en arrière avant qu'un bon coup de laque permette de tenir tout en place. La couleur vient d'un produit nommé Just for Men, précise-t-elle malicieusement, qui fonce à mesure qu'on le laisse agir. C'est donc par impatience que Trump arbore cette couleur blond-orange.

Père et fille s'entendent étrangement bien, le plus souvent. Elle est une vraie mini-Trump (un titre auquel bon nombre de personnes aspirent maintenant) et accepte son père tel qu'il est. Elle l'a aidé non seulement dans ses affaires, mais aussi dans ses remaniements matrimoniaux en lui facilitant les entrées et les sorties. Si votre père est un blaireau et que tout le monde le sait, cela peut être assez drôle et transformer votre vie en une sorte de comédie romantique – ou pas.

Ivanka aurait pu, avec raison, être beaucoup plus rancunière. Non seulement elle a grandi dans une famille dysfonctionnelle, mais celle-ci faisait les gros titres de la presse people. Cependant, la jeune fille a le don de transformer la réalité et de choisir de vivre dans un univers où le nom de Trump, aussi décrié soit-il, est affectueusement accepté. Elle a grandi dans sa bulle de gens riches ravis de leur entre-soi, d'abord dans des écoles privées parmi ses amis de l'Upper East Side de Manhattan, puis en compagnie de personnes travaillant dans la mode ou les médias. Elle a aussi trouvé une protection et un statut dans les familles de ses fiancés, toutes riches et compatibles avec la sienne, notamment celle de Jamie Johnson, puis celle des Kushner.

La relation Ivanka-Jared est chaperonnée par Wendi Murdoch, elle-même parfait exemple d'opportunisme social. Elle fait partie de cette nouvelle génération qui transforme les femmes mondaines et fantasques en femmes de pouvoir, inventant ainsi une haute société post-féministe. Toutes aspirent à connaître d'autres riches, les meilleurs riches, à intégrer des réseaux de riches, et à faire en sorte que leur nom évoque... la richesse elle-même. On ne se satisfait jamais de ce que l'on a, cependant. On en veut plus, ce qui exige d'être infatigable. Vous êtes votre propre produit, vous vous lancez sur le marché. Vous êtes votre start-up personnelle.

Au fond, c'est ce que le père d'Ivanka a toujours fait. Vendre sa marque, plus que de l'immobilier.

Kushner et elle forment un couple de pouvoir, peaufinant constamment leur image pour devenir des personnages accomplis, ambitieux, satisfaits d'évoluer dans ce nouveau monde globalisé, d'y incarner, enfin, une nouvelle sensibilité économique, philanthropique et artistique. Pour Ivanka, tout ceci suppose d'être l'amie de Wendi Murdoch et de Dasha Zhukova – alors l'épouse de l'oligarque russe Roman Abramovitch, un grand nom du monde de l'art. Quelques mois avant l'élection présidentielle, Ivanka a participé avec Kushner à un séminaire de méditation Deepak Chopra. Elle cherchait un sens à sa vie – et l'a trouvé. Cette transformation s'exprime non seulement à travers ses lignes de vêtements, bijoux et chaussures, mais aussi dans des projets de téléréalité et une présence contrôlée sur les réseaux sociaux. Elle maîtrise magnifiquement son rôle de mère de famille et ambitionne, avec l'élection de son père, de lui donner une nouvelle envergure en se faisant grande ordonnatrice de la famille royale.

En vérité, la relation d'Ivanka avec son père n'a rien de conventionnel. Si elle n'est pas basée sur l'opportunisme, elle est certainement l'objet d'une convention tacite. C'est avant tout du business. Construire la marque. La campagne présidentielle, maintenant la Maison Blanche. Tout ceci est du business.

Mais que pensent *vraiment* Ivanka et Jared de leur père et beau-père ? « Il y a entre eux beaucoup d'affection, beaucoup, beaucoup

– on le voit, on le voit vraiment », affirme Kellyanne Conway, sans réellement répondre à la question.

« Ils ne sont pas idiots », lance Rupert Murdoch quand on l'interroge.

« Ils le comprennent, j'en suis sûr, estime Joe Scarborough. Ils apprécient son énergie, mais ils sont aussi un peu détachés. » Ce qui veut dire, continue Scarborough, qu'ils sont à la fois tolérants et sans illusion.

Ce vendredi-là au Four Seasons, Ivanka prend son petit-déjeuner avec Dina Powell, la dernière hiérarque de Goldman Sachs à rejoindre la Maison Blanche.

Dans les jours qui ont suivi l'élection, Ivanka et Jared ont rencontré un grand nombre de juristes et de spécialistes des relations publiques. La plupart d'entre eux sont méfiants à l'idée de s'engager avec eux, sans doute parce que le couple ne semble chercher que les conseils qui leur conviennent. Presque toutes les recommandations qu'on leur prodigue tournent autour du même message : entourez-vous – *familiarisez-vous* – avec les gens les plus crédibles de l'establishment. Autrement dit : vous êtes des amateurs et vous avez besoin de professionnels.

Le nom qui revenait le plus souvent était celui de Dina Powell. Cadre du Parti républicain, elle a acquis une grande influence et un gros salaire chez Goldman Sachs. Elle est l'opposé d'une républicaine trumpiste. Sa famille a émigré d'Égypte quand elle était enfant, elle parle couramment l'arabe. Elle a pris du galon en travaillant pour une série de républicains à l'ancienne, parmi lesquels la sénatrice du Texas Kay Bailey Hutchison, et le président de la Chambre des représentants, Dick Armey. Lorsque Bush était à la Maison Blanche, elle est devenue chef du bureau du Président et secrétaire d'État adjointe à l'éducation et à la culture. Entrée chez Goldman en 2007, elle en est devenue associée en 2010, tout en prenant la responsabilité de la Goldman Sachs Foundation, l'organisation philanthropique de la banque. Comme souvent dans les carrières politiques, son réseau est impressionnant et elle est une excellente conseillère en affaires publiques et en relations publiques. Elle connaît les bonnes personnes dans les cercles puissants, et sait avec acuité comment utiliser le pouvoir des autres.

Ce matin-là, au Four Seasons, la table des femmes lobbyistes et des professionnelles de la communication est tout autant intéressée par Powell et sa présence dans la nouvelle administration, que par la fille du Président. Le fait qu'Ivanka ait contribué à faire entrer Powell à la Maison Blanche, et qu'on la voie ce matin converser avec elle donne une nouvelle dimension à son image qui, jusque-là, n'avait pour intérêt que sa nouveauté. Dans une Maison Blanche semblant vouloir aveuglément poursuivre un chemin trumpien, on peut voir soudain l'éventualité d'une route alternative. Dans l'esprit de ces observatrices du pouvoir se dessine une Maison Blanche de l'ombre, celle de la famille de Trump, qui ne touche pas aux structures du pouvoir mais se passionne pour le pouvoir lui-même.

Après ce long petit-déjeuner, Ivanka se fraye un chemin à travers la salle. Tout en donnant des instructions au téléphone d'un ton sec, elle lance de chaleureuses salutations aux tables alentour et empoche quelques cartes de visite.

6

À la maison

Dans les premières semaines de son mandat, certains amis de Trump jugent qu'il ne se comporte pas en président, ou, en tout cas, qu'il ne tient pas compte de son nouveau statut, ni ne modère son comportement, depuis ses tweets du matin jusqu'à son refus d'utiliser des éléments de langage, en passant par les appels où il s'apitoie sur lui-même auprès de ses amis, dont les détails filtrent déjà dans la presse. Il n'a pas fait le saut que d'autres ont exécuté avant lui. La plupart de ses prédécesseurs à la Maison Blanche étaient issus du monde politique et ne pouvaient s'empêcher d'être intimidés et d'avoir conscience du fait que leurs nouvelles fonctions, qui leur donnaient soudain accès à une résidence dotée d'un personnel et d'une protection dignes d'un palace, un avion toujours prêt à décoller et un entourage de courtisans et de conseillers, modifiaient radicalement leur existence. Pour Trump, tout cela n'est pas si différent de l'ancienne vie qu'il menait dans sa Trump Tower, bien plus spacieuse et à son goût que la Maison Blanche, avec ses domestiques, ses vigiles, ses courtisans et ses conseillers toujours présents, et un avion prêt à décoller. Ce qu'a d'exceptionnel la fonction de président n'est pas, pour lui, une évidence.

D'autres au contraire estiment que Trump est totalement déstabilisé parce que son petit monde bien ordonné a été mis sens dessus dessous. De ce point de vue, Trump, à 70 ans, est un homme d'habitudes à un degré que peu de gens sans un contrôle despotique de leur environnement peuvent imaginer. Il vit dans les mêmes lieux, un vaste espace dans la Trump Tower, depuis la fin des travaux de construction en 1983. Tous les matins, il descend à son bureau, quelques étages plus bas. Cette pièce d'angle est une capsule temporelle échappée des années 1980, avec miroirs dans leur cadre doré et couvertures jaunissantes de *Time* au mur. L'unique changement substantiel est le remplacement de la photo du footballeur Joe Namath par celle de Tom Brady, autre footballeur. Derrière les portes de son bureau, où qu'il pose le regard, ce sont les mêmes têtes, les mêmes domestiques – serviteurs, vigiles, courtisans, béni-oui-oui – qui sont depuis toujours à son service.

« Imaginez-vous à quel point il est perturbant de changer votre vie de tous les jours pour vous retrouver à la Maison Blanche », s'exclame un vieil ami de Trump, en souriant de ce coup du sort, ou de semonce.

Trump considère la Maison Blanche, ce vieux bâtiment irrégulièrement entretenu et partiellement rénové comme une demeure fâcheuse et même un peu effrayante (sans parler des cafards et des rongeurs). Des amis qui admirent ses talents d'hôtelier se demandent pourquoi il ne restaure pas tout bonnement les lieux, mais il semble intimidé par les regards à l'affût de ses moindres faits et gestes.

Kellyanne Conway, dont la famille est restée dans le New Jersey et qui prévoit de rentrer chez elle à chaque retour du Président à Manhattan, est surprise de voir New York et la Trump Tower brusquement barrés dans l'agenda de son patron. Elle pense que le président élu est conscient de l'hostilité new-yorkaise à son égard et qu'il fait en outre un effort délibéré pour « s'intégrer dans cette grande maison ». Reconnaissant les difficultés inhérentes à son adaptation à son nouveau mode de vie, elle se demande : « Combien de fois ira-t-il à Camp David ? » – le lieu de villégiature présidentielle, spartiate, au fond des bois du Catoctin Mountain Park, dans le Maryland. « Sans doute jamais. »

À la Maison Blanche, Trump s'est replié dans sa chambre – c'est la première fois depuis les Kennedy qu'un couple présidentiel fait chambre à part (même si, jusqu'ici, Melania a passé peu de temps à Washington). Les premiers jours, il commande deux téléviseurs supplémentaires et fait poser un verrou sur sa porte, ce qui provoque un bref conflit avec les agents des services secrets qui insistent pour avoir accès à sa chambre. Il réprimande le personnel de maison qui a ramassé sa chemise : « Si ma chemise est par terre, c'est parce que je veux qu'elle soit par terre ! » Puis il instaure un ensemble de nouvelles règles : que personne ne touche à rien, surtout pas à sa brosse à dents. (Il a peur depuis de longues années d'être empoisonné, c'est l'une des raisons pour lesquelles il aime aller chez McDonald's – personne ne sait qu'il va venir et la nourriture est préparée à l'avance, donc sans risque.) Il fait aussi savoir au personnel quand il désire changer ses draps en défaisant son lit lui-même.

S'il ne dîne pas à 18 h 30 avec Steve Bannon, ce qu'il préfère est de se mettre au lit à la même heure avec un cheeseburger, de regarder ses trois écrans et d'appeler ses amis. Le téléphone est son véritable moyen de communication avec le monde. Le plus souvent, il appelle Tom Barrack, témoin privilégié de ses sautes d'humeur vespérales.

Mais, après ces débuts difficiles, les choses commencent à prendre forme – voire, selon certains, à prendre une tournure présidentielle. Le mardi 31 janvier, lors d'une cérémonie bien huilée à une heure de grande écoute, un président Trump remonté et confiant annonce la nomination à la Cour suprême du juge fédéral à la cour d'appel Neil Gorsuch. Cet homme est la parfaite combinaison d'une réputation conservatrice impeccable, d'une admirable probité et d'excellentes références juridico-légales. Cette nomination n'est pas seulement fidèle à la promesse que Trump a faite à ses électeurs et à l'establishment conservateur, elle est apparemment aussi un choix tout à fait présidentiel.

Elle constitue également une victoire pour une équipe qui a vu Trump longuement hésiter sur l'attribution de ce job en or. Ravi de l'accueil fait à cette nomination, et surtout du peu d'objections que les médias ont pu y trouver, Trump va vite devenir un fan de Gorsuch. Mais avant de se décider en sa faveur, il s'est demandé s'il ne devrait pas offrir ce poste à un de ses fidèles. De l'avis de Trump, il est peu rentable d'accorder une telle faveur à quelqu'un qu'il ne connaît même pas.

Il a donc passé en revue la liste de ses amis avocats – des choix improbables sinon bizarres, tous novices en politique. Parmi eux, Trump est sans cesse revenu sur un nom : Rudy Giuliani.

Trump est redevable à Giuliani – non qu'il soit obsédé par ses dettes, mais celle qu'il a envers lui mérite d'être honorée. Ami new-yorkais de longue date, Giuliani lui a offert un soutien constant, ardent et combatif alors que peu de Républicains, et aucun de stature nationale, le prenaient au sérieux. Ce fut particulièrement vrai durant les journées éprouvantes qui ont suivi le Pussygate. Tout le monde – Bannon, Conway, le candidat lui-même et ses propres enfants – pensait alors que la campagne allait imploser, mais Giuliani n'a cessé de défendre Trump, avec enthousiasme et sans scrupules.

Giuliani voudrait être secrétaire d'État, et Trump lui propose le poste de manière explicite. Le cercle du Président est opposé à cette idée, pour la raison même qui pousse le Président à nommer Giuliani : c'est un homme qui a l'oreille de Trump et ne se laisse pas faire. L'équipe médit sur la santé et la stabilité mentale de l'ancien maire de New York. Même sa pugnacité dans le Pussygate finit par lui porter préjudice. Il se voit proposer les postes de Procureur général, de conseiller à la sécurité nationale et de directeur national du renseignement, mais il les décline tous, avec pour seule ambition d'accéder au Département d'État. Ou à la Cour suprême – signe ultime de présomption, selon l'état-major de la Maison Blanche. On fait valoir à Trump qu'il ne peut nommer à la Cour quelqu'un d'ouvertement favorable à l'avortement sans fragmenter sa base et risquer la défaite. Trump suggère alors de lui donner le Département d'État.

Quand cette stratégie échoue – c'est Rex Tillerson qui obtient le poste –, l'affaire n'est pas close pour autant. Trump n'a pas renoncé à l'idée de nommer Giuliani à la Cour suprême. Le 8 février, lors du processus de confirmation, Gorsuch désavoue publiquement Trump qu'il accuse de vouloir discréditer la Cour. Ce dernier, dans un moment d'énervement, décide d'annuler la nomination de Gorsuch et, au cours de ses conversations téléphoniques d'après-dîner, il recommence à dire qu'il aurait dû placer Rudy. Lui seul est loyal. Il revient donc à Bannon et à Priebus de lui rappeler, et lui répéter indéfiniment, que l'un des rares grands moments de sa campagne, sa meilleure opération de séduction auprès des conservateurs, a été la promesse de proposer à la Société fédéraliste[1] la création d'une liste de candidats à la Cour suprême. Ce qu'elle fit et, inutile de le dire, Giuliani n'y figurait pas.

Gorsuch est la solution. Et bientôt Trump ne se souviendra plus d'avoir un jour voulu nommer à ce poste un autre que lui.

Le 3 février, la Maison Blanche accueille la réunion savamment orchestrée de l'une des nouvelles instances de conseil à l'usage du président, le Forum stratégique et politique. Il s'agit d'un groupe de PDG et d'hommes d'affaires importants rassemblés par le patron de Blackstone, Stephen Schwarzman. La préparation de la rencontre – programme, invitations, présentations et documents – est l'œuvre de Schwarzman plus que de la Maison Blanche. C'est le genre d'événement que Trump gère bien et affectionne. Kellyanne Conway, quand elle y fait référence, entonne son habituelle complainte : ce type de réunion – Trump assis avec des gens sérieux autour d'une table pour trouver des solutions aux problèmes de la nation – n'intéresse pas les médias.

Ces groupes de conseil venus du monde des affaires sont le fruit d'une stratégie signée Jared Kushner. Cette approche éclairée des dirigeants d'entreprises et des financiers éloigne Trump d'une droite trop rétrograde. De plus en plus méprisant, Bannon prétend que ces réunions ont pour seul objectif de permettre à Kushner de côtoyer des PDG.

Schwarzman est le reflet de cet attrait subit et surprenant de Wall Street et du monde des affaires pour Trump. Peu de grands patrons l'ont publiquement soutenu. La plupart d'entre eux attendaient la victoire de son adversaire et recrutaient déjà des équipes de politique publique proche des Clinton, tandis que les médias prédisaient qu'une victoire de Trump allait provoquer une chute des marchés. Puis, du jour au lendemain, l'atmosphère s'est réchauffée. Une

---

1. Groupe de juristes conservateurs et libertariens partisans d'une interprétation littérale de la Constitution américaine.

Maison Blanche ultralibérale et la promesse d'une réforme fiscale l'ont emporté sur l'éventuelle conséquence de tweets perturbateurs et la crainte du chaos trumpien. D'ailleurs, le marché est à la hausse depuis le 9 novembre, lendemain de l'élection. Mieux, après leur entrevue avec Trump, les patrons sentent des ondes positives dans ses flatteries et ses effusions, et expriment un soudain soulagement de ne pas avoir à subir les incessants chantages du clan Clinton (que pouvez-vous faire pour nous aujourd'hui ? Pouvons-nous nous utiliser votre plan ?).

Cependant, cet engouement des dirigeants à l'égard de Trump s'accompagne d'une inquiétude grandissante concernant les consommateurs. La marque Trump est peut-être devenue la plus célèbre du monde, mais elle n'est pas un nouvel Apple, elle est son exact opposé. Elle fait l'objet d'un dédain universel (du moins auprès des clients que les plus grandes marques cherchent à séduire).

D'où la surprise des employés d'Uber, dont le PDG d'alors, Travis Kalanick, a intégré le conseil de Schwarzman, en découvrant le matin de l'investiture de Trump des manifestants enchaînés aux portes de leur siège social à San Francisco. Ils reprochent à Uber et à son PDG d'être des « collabos », de se laisser influencer par le Président. Les clients d'Uber sont majoritairement jeunes, urbains et progressistes, rien à voir avec le socle électoral de Trump. Cette génération sensible aux marques a vu au-delà du simple marchandage politique un conflit identitaire. Pour elle, le problème avec la Maison Blanche rétrograde et impopulaire de Trump est moins d'ordre politique et économique que culturel.

Kalanick démissionne du conseil. Le patron de Disney, Bob Iger, sèche la première réunion du forum. La majorité des membres du Conseil – mis à part Elon Musk, qui donnera sa démission plus tard – n'appartient pas au monde démocrate des médias ou des nouvelles technologies, mais à la vieille garde, du temps de la « grandeur de l'Amérique ». Il s'agit de Mary T. Barra, PDG de General Motors ; Ginni Rometty à la tête d'IBM ; Jack Welch, ancien patron de General Electric ; Jim McNerney l'ex-PDG de Boeing ; et Indra Nooyi, patronne de PepsiCo. Si la nouvelle droite a élu Trump, ce dernier lui préfère les séniors du palmarès du magazine *Fortune*.

Trump assiste à la réunion avec sa suite au grand complet, et notamment ceux qui l'accompagnent partout : Bannon, Priebus, Kushner, Stephen Miller et le président du Conseil économique national, Gary Cohn. Mais il la préside seul. Chacune des personnes présentes parle cinq minutes d'un sujet de son choix, puis Trump lui pose des questions complémentaires. Bien qu'il ne semble pas avoir travaillé les thèmes en discussion, il fait des remarques pertinentes, creuse certains points qui l'intéressent et transforme la réunion en un échange convivial. Selon l'un des patrons participants, cette formule semble le mode d'information préféré de Trump. Il parle de ce qui l'intéresse et amène les autres à en discuter avec lui.

La réunion dure deux heures. Du point de vue de la Maison Blanche, c'est du Trump au meilleur de sa forme. Il est à l'aise au milieu de gens qu'il respecte, « les plus respectés du pays », dit-il. Et eux aussi semblent respecter Trump.

Créer des situations dans lesquelles le Président se sent bien, constituer une sorte de bulle afin de le protéger des mesquineries du monde extérieur, voici la nouvelle priorité de son équipe. Ainsi ses proches cherchent-ils à reproduire minutieusement la formule suivante : Trump dans le Bureau ovale ou dans un grand salon de réception de la West Wing présidant une réunion devant un auditoire attentif. Voilà qui ferait une belle photo. Dans ces occasions, Trump est le meilleur metteur en scène de lui-même, faisant entrer et sortir avec à-propos les figurants autour de lui.

Les médias se montrent prudents pour ne pas dire sélectifs, quand il s'agit de montrer la vie à la Maison Blanche. Habituellement, le Président et la Première famille ne sont pas, ou très peu, exposés à la traque des paparazzi, aux photos peu flatteuses voire gênantes ou moqueuses, ou aux spéculations infinies sur leur vie privée dans les magazines people. Même durant les pires scandales de l'histoire, les présidents restent dignement en costume-cravate.

Les parodies politiques du *Saturday Night Live*[1] sont drôles en partie parce qu'elles jouent sur la certitude qu'en réalité, les présidents sont des personnes réservées et conformistes, et leurs familles, non loin derrière, transparentes et dociles. La blague sur Nixon, c'est qu'il était pathétiquement coincé – même à l'apogée du Watergate, alors qu'il buvait beaucoup, il restait en costume-cravate et priait à genoux. Gerald Ford s'est contenté de trébucher à sa descente d'Air Force One, déclenchant l'hilarité générale par cette perte de l'équilibre protocolaire. Ronald Reagan, souffrant pourtant des premiers effets de la maladie d'Alzheimer, a toujours su donner une impression de calme et de confiance. Bill Clinton, aux prises avec la plus grande violation de la bienséance présidentielle de l'histoire moderne, est quand même toujours représenté comme un homme maître de la situation. George W. Bush, malgré tout son désengagement, était théâtralement accroché aux manettes du pouvoir. Barack Obama, peut-être à ses dépens, était constamment décrit comme prévenant, équilibré, déterminé. C'est en partie le bénéfice d'un contrôle total de l'image publique. Mais c'est aussi parce que le Président est perçu comme le chef ultime – ou parce que le mythe national exige qu'il le soit.

Tel est le type d'image que Donald Trump a cherché à projeter pendant la plus grande partie de sa carrière. L'idéal de l'homme d'affaires des années 1950. Il aspire à ressembler à son père – ou, à tout le moins, à ne pas le décevoir. Hormis quand il est en tenue de golf, on a du mal à l'imaginer sans son costume-cravate, parce qu'il ne porte rien d'autre. La dignité personnelle – c'est-à-dire la droiture et la respectabilité – est l'une de ses obsessions. Il est mal à l'aise quand les hommes de son entourage ne sont pas vêtus de complets. Avant qu'il devienne président, quasiment tous ceux qui ne sont ni célèbres ni milliardaires l'appelaient « Mr. Trump » : la raideur et la convention sont un élément central de sa personnalité. L'image, loin de toute désinvolture, nous informe que la marque Trump défend le pouvoir, la fortune et la réussite.

---

1. Émission de divertissement à sketches hebdomadaire diffusée le samedi soir sur NBC.

À la maison

Le 5 février, le *New York Times* publie une anecdote interne à la Maison Blanche selon laquelle le Président, quinze jours après son intronisation, déambulait en peignoir de bain aux petites heures du matin, incapable d'actionner les interrupteurs électriques. Trump est effondré. C'est, le Président n'a pas tort de le souligner, une manière de le décrire en train de craquer, à l'instar de Norma Desmond dans *Sunset Boulevard*, une star vieillissante vivant dans un monde imaginaire. (Cette interprétation de Bannon de l'histoire de Trump dans le *Times* est vite adoptée par toute la Maison Blanche.) Bien sûr, une fois encore, l'article est perçu comme une manipulation des médias : Trump est traité comme jamais aucun autre président ne l'a été.

Ce n'est pas faux. Le *New York Times*, dans ses efforts pour couvrir une présidence qu'il considère ouvertement aberrante, a ajouté à sa rubrique de la Maison Blanche une nouvelle forme de reportage. À côté des annonces marquantes de la présidence – séparant le trivial de l'important –, le journal souligne également, souvent en première page, le sentiment de l'absurde, du pathétique et de l'« humain trop humain » qu'inspire Trump. Ces anecdotes le tournent en ridicule. Deux des journalistes du *New York Times* accrédités à la Maison Blanche, Maggie Haberman et Glenn Thrush, sont pour Trump les preuves vivantes que les médias veulent à tout prix « l'avoir ». Thrush va même devenir un habitué des sketches du *Saturday Night Live* qui caricaturent le Président, ses enfants, son attaché de presse Sean Spicer et ses conseillers Bannon et Conway.

Le Président, bien que volontiers affabulateur dans sa conception du monde, prend très au sérieux la manière dont il se voit lui-même. Il réfute donc cette image de type à moitié dingue déambulant la nuit dans la Maison Blanche en précisant qu'il ne possède pas de peignoir de bain.

« Est-ce que j'ai l'air d'un gars à porter un peignoir de bain, vraiment ? demande-t-il sans humour à presque toutes les personnes croisées les quarante-huit heures suivantes. Sérieusement, vous me voyez en peignoir ? »

D'où vient la fuite ? Pour Trump, les détails de sa vie personnelle deviennent une bien plus grande source de préoccupation que tous les autres types de révélations.

Le bureau de Washington du *New York Times*, inquiet d'être pris en faute par la possible absence d'un vrai peignoir, fait savoir discrètement que Bannon est à l'origine de la fuite.

Steve Bannon, qui se vante d'être une tombe, est devenu la voix officielle du silence, la « Gorge profonde » de la capitale. Il est spirituel, passionné, bon conteur et bouillonnant, sa discrétion théorique cède toujours le pas au commentaire officieux dénonçant la prétention, le ridicule et le désespérant manque de sérieux de presque tous les membres de la West Wing – excepté lui. Dès la seconde semaine de la présidence Trump, tout le monde à la Maison Blanche dresse sa liste de possibles taupes et fait de son mieux pour fuiter avant de faire l'objet d'une fuite.

Mais une autre source de fuite sur les angoisses de Trump n'est autre que Trump lui-même. Dans la journée et le soir depuis son lit, il appelle souvent des gens qui n'ont aucune raison de rester discrets. Il se plaint continûment – y compris du dépotoir qu'est la Maison Blanche, pour peu qu'on y regarde de près. Et beaucoup de ses interlocuteurs se dépêchent de colporter ses doléances à travers le monde attentif et impitoyable des ragots.

Le 6 février, Trump passe un de ses appels téléphoniques furieux, complaisants et impulsifs, sans présomption de confidentialité, à une relation des médias new-yorkais de passage à Washington. L'appel a pour seul motif d'exprimer son énervement vis-à-vis du mépris implacable des médias à son endroit et de la déloyauté de son état-major.

L'objet initial de son courroux est le *New York Times* et sa journaliste Maggie Haberman qu'il surnomme « la tarée ». Puis il évoque Gail Collins, du *Times*, qui a écrit un papier le comparant défavorablement au vice-président Pence : c'est « une abrutie ». Ensuite, poursuivant dans la même veine, il s'en prend à CNN et à la profonde déloyauté de son patron, Jeff Zucker. Ce dernier, qui, à la tête de NBC, avait commandé *The Apprentice*, est un type

« créé par Trump », aux dires du Président, parlant de lui-même à la troisième personne. Il a « personnellement » aidé Zucker à obtenir son poste à CNN. « Oui, oui, je l'ai aidé », martèle Trump.

Puis il répète une histoire qu'il raconte à tous de manière obsessionnelle. Assistant à un dîner, il ne se souvient plus quand, il est assis à côté d'un « monsieur appelé Kent » – sans aucun doute Phil Kent, ancien PDG de Turner Broadcasting, la filiale de la Time Warner qui chapeaute CNN – « et celui-ci a une liste de quatre noms ». Trump n'a jamais entendu parler de trois d'entre eux, mais il connaît Jeff Zucker grâce à *The Apprentice*. « Zucker est le quatrième sur la liste, alors je lui ai proposé de le mettre à la première place. Je n'aurais sans doute pas dû, parce que Zucker n'est pas si malin que ça, mais j'aime montrer que je peux faire ce genre de truc. » Mais Zucker, « un incompétent qui a fait chuter l'audimat », fait volte-face après avoir obtenu le poste « grâce à Trump ». Il aurait déclaré : « Enfin, c'était incroyablement dégoûtant ! » au sujet du « dossier » russe et de l'histoire de la *golden shower* – la manie à laquelle CNN a accusé Trump de s'adonner dans la suite d'un palace moscovite en compagnie de plusieurs prostituées.

Après avoir réglé son compte à Zucker, le président des États-Unis poursuit en spéculant sur les implications de cette histoire de *golden shower*, élément d'une campagne médiatique qui ne réussira jamais à l'écarter de la Maison Blanche. Parce qu'ils sont de mauvais perdants et qu'ils le haïssent à cause de sa victoire, les médias répandent de grossiers mensonges, des choses inventées à 100 %, sans fondements. Par exemple, la couverture de *Time* de cette semaine-là montre Steve Bannon, un type bien, disant que c'était lui le vrai président. « D'après vous, quelle influence Steve Bannon a sur moi ? » Trump répète la question avant de répondre : « Zéro ! Zéro ! » Et cela vaut aussi pour son gendre, qui a beaucoup à apprendre.

Non seulement les médias lui portent préjudice, continue-t-il, sans attendre une approbation ni même une réponse, mais en faisant du tort à ses talents de négociateur, ils font du tort à la nation américaine. Cela vaut aussi pour le *Saturday Night Live*, qui peut se croire très drôle mais est en réalité blessant pour tous les habitants du pays. Et même s'il comprend que le *SNL* est là pour être méchant avec lui, ils sont très, très méchants. C'est une « fausse comédie ». Il s'est informé sur le traitement médiatique de tous les autres présidents, et il n'y a jamais rien eu de pareil, même pour Nixon qui, pourtant, a été très injustement traité. « Kellyanne, qui est impartiale, a consigné tout cela. Vous pouvez vérifier. »

L'important, poursuit-il, c'est que, le même jour, il a sauvé 700 millions de dollars par an en emplois qui devaient partir au Mexique, mais les médias préfèrent le décrire en peignoir, alors que « je n'en possède pas parce que je n'ai jamais porté de peignoir. Et je n'en porterai jamais parce que je ne suis pas ce genre de type ». Les médias sabotent son honorable maison. Mais Murdoch, « qui ne l'a jamais appelé, pas même une fois », lui téléphone maintenant sans arrêt. Cela veut bien dire quelque chose !

L'appel aura duré vingt-six minutes.

7

La Russie

Avant même que quoi que ce soit l'incrimine, on soupçonne Sally Yates. Le rapport de transition révèle que Trump n'aime pas cette avocate du département de la Justice, âgée de 56 ans, originaire d'Atlanta, qui a fait carrière à l'université publique de Géorgie. Elle est proposée au poste de Procureur général suppléant. Quelque chose en elle rappelle Obama. Sa manière de marcher et de se tenir. *Un air de supériorité.* C'est le type de femme à prendre immédiatement Trump à rebrousse-poil. Les supportrices d'Obama, celles de Hillary aussi, tout comme celles du département de la Justice partagent ce dédain.

Une ligne de partage majeure sépare Trump des fonctionnaires du gouvernement. Le Président peut comprendre les politiques, mais il a du mal avec les bureaucrates, leur psychologie, leurs aspirations. Il ne parvient pas à saisir ce qui les motive. Pourquoi veulent-ils, qui voudrait être fonctionnaire à vie ? « Ils touchent quoi au max ? Deux cent mille dollars ? Eh ben... » s'exclame-t-il avec une expression un peu étonnée.

Sally Yates aurait pu être « oubliée » pour le poste de Procureur général suppléant – elle serait restée à sa place pendant que le Procureur général désigné, Jeff Sessions, attendait sa confirmation –, mais ce ne fut pas le cas, et Trump en est furieux. Dorénavant, elle est la suppléante en exercice et elle a été confirmée par le Sénat, comme ce poste l'exige. Même si elle se considère comme une prisonnière en territoire ennemi, Yates a accepté cette fonction.

Étant donné le contexte, la curieuse note qu'elle présente au conseiller juridique de la Maison Blanche, Don McGahn, pendant la première semaine de gouvernement (avant son refus, durant la deuxième semaine, d'appliquer la loi sur l'immigration, ce qui mènera à son renvoi) semble non seulement inopportune mais suspecte.

Le conseiller à la sécurité nationale nouvellement confirmé, Michael Flynn, balaye d'un revers de main les articles du *Washington Post* mentionnant une conversation avec l'ambassadeur russe Sergueï Kisliak. C'était une simple visite de courtoisie, explique-t-il. Il assure à l'équipe de transition – parmi lesquels, le vice-président élu Mike Pence – que les sanctions de l'administration Obama contre les Russes n'ont pas été abordées durant la discussion, une affirmation que Pence réitère en public.

Sally Yates informe alors la Maison Blanche que la conversation entre Flynn et Kisliak a été captée au milieu d'une « collecte aléatoire » d'écoutes légales. Autrement dit, une mise sur écoute de l'ambassadeur de Russie a probablement été autorisée par la cour de surveillance du renseignement étranger et, incidemment, a enregistré Flynn.

Cette cour a été médiatisée par le passé, quand les révélations d'Edward Snowden en ont fait la bête noire des démocrates qui s'insurgeaient contre ces incursions dans la vie privée. Voilà qu'elle revient sur le devant de la scène mais, cette fois-ci, comme l'ami des démocrates qui espèrent se servir de ces écoutes « aléatoires » pour impliquer le camp de Trump dans une conspiration de grande ampleur avec la Russie.

Très vite, McGahn, Priebus et Bannon, qui avaient déjà des doutes sur la fiabilité et le discernement de Flynn – un « raté », selon Bannon –, discutent du message de Yates. Flynn est de nouveau interrogé sur sa conversation avec Kisliak ; on l'informe aussi qu'il en existe peut-être un enregistrement. Une fois de plus, Flynn se moque de ces insinuations.

À la Maison Blanche, on ridiculise les cancans de Yates, « comme si elle avait découvert que le mari de sa copine flirtait avec une autre et que, par principe, elle devait le dénoncer ».

Le plus inquiétant pour la Maison Blanche, c'est la facilité avec laquelle, dans une collecte aléatoire où les noms des citoyens américains sont censés être « masqués » – et où des procédures complexes sont requises pour les « démasquer » – Yates a su prendre Flynn la main dans le sac. Sa note semble confirmer que la fuite au *Washington Post* sur ces écoutes provient du FBI, du département de la Justice ou de sources issues de la Maison Blanche d'Obama. Le flot grandissant de fuites se déverse au *Times* et au *Post*, destinataires préférés des taupes.

La Maison Blanche finit par minimiser le problème Flynn, mais pas le dossier de Yates, qui pourrait devenir une menace. Le département de la Justice, avec ses nombreux fonctionnaires dévoués à Obama, écoute donc l'équipe Trump.

« Ce n'est pas juste, dit Kellyanne Conway, en exprimant le ressentiment du Président, assise dans son bureau du premier étage pas encore aménagé. C'est manifestement injuste, c'est très injuste. Ils ont perdu, ils n'ont pas gagné. C'est si injuste ! C'est pourquoi POTUS[1] refuse d'en parler. »

À la Maison Blanche, personne, pas même ceux dont c'est le rôle, ne souhaite parler de la Russie. Le sujet, à l'évidence, va embourber la première année, au moins, de l'administration Trump. Personne n'est prêt à y faire face.

« Il n'y a aucune raison d'en parler, déclare Sean Spicer, installé sur le divan de son bureau, les bras croisés. Il n'y a aucune raison d'en parler », répéte-t-il obstinément.

Pour sa part, le Président n'a pas employé, bien qu'il aurait pu, le mot « kafkaïen ». Il considère l'affaire russe comme absurde et inexplicable, sans aucun fondement. Ils se sont bien fait avoir.

Après avoir survécu au Pussygate pendant la campagne électorale, contre toute attente pour le premier cercle de Trump, l'équipe du Président doit maintenant affronter le dossier russe. Comparé au premier, c'est le scandale de la dernière chance. Mais ce qui semble injuste, c'est que la question reste sur le tapis et que, de

---

1. Acronyme de *President of United States*, président des États-Unis.

manière incompréhensible, l'opinion la prend au sérieux. Alors qu'au mieux, ce n'est... rien.

Ce sont les médias.

La Maison Blanche s'accoutume rapidement des scandales fomentés par les médias, mais ses occupants se sont habitués, aussi, à les voir désenfler. Celui-ci dure, et c'est frustrant.

De l'avis du cercle de Trump, s'il y a un seul commencement de preuve, pas seulement de la partialité des médias, mais de leur intention de nuire au Président, c'est ça, l'affaire de la Russie, ce que le *Washington Post* appelle « l'attaque russe contre notre système politique ». (« Si terriblement, terriblement injuste, sans preuve d'un seul vote truqué », selon Kellyanne Conway.) C'est insidieux. Pour eux, même s'ils ne le disent pas, cette affaire est comparable aux obscures manigances contre les Clinton, que les républicains aimaient mettre sur le dos des démocrates – Whitewater, Benghazi, le scandale des e-mails[1]. Soit un scénario obsessionnel provoquant des enquêtes, qui mènent à leur tour à d'autres enquêtes et à une couverture médiatique plus obsessionnelle encore à laquelle il n'y a pas moyen d'échapper. C'est la politique moderne : des conspirations sanglantes visant à détruire des hommes et des carrières.

Quand la comparaison avec le scandale du Whitewater est mentionnée devant Conway, celle-ci, au lieu d'approuver la thèse de la persécution, évoque aussitôt des éléments impliquant Webster Hubbell, un personnage souvent oublié de l'affaire Whitewater, et la culpabilité du cabinet d'avocats Rose de l'Arkansas, dont Hillary Clinton a été l'associée. Chacun crie au complot quand son propre camp est accusé, tandis que chacun croit bien réelle l'accusation qui touche le camp adverse.

---

1. Affaire des investissements de Bill et Hillary Clinton dans la Whitewater Development Corporation, société immobilière qui a fait faillite dans les années 1970 et 1980. Le 11 septembre 2012, Benghazi fut le théâtre d'une attaque de l'ambassade des États-Unis où trouvèrent la mort l'ambassadeur Chris Stevens et trois autres Américains. Dans le troisième scandale, Hillary Clinton, secrétaire d'État des États-Unis de 2009 à 2013, aurait utilisé son e-mail privé au lieu d'un compte e-mail professionnel sécurisé.

Quant à Bannon, qui a lui-même ourdi moult conspirations, il désamorce l'affaire russe avec des phrases toutes faites : « C'est juste une théorie du complot. L'équipe Trump est incapable de conspirer contre quoi que soit. »

Dans le dossier russe – quinze jours seulement après le début de la présidence –, chaque bord accuse l'autre de diffuser des *fake news*.

Toute la Maison Blanche croit que l'histoire a été cousue de fil blanc autour d'une thèse ridicule : *Nous avons truqué les élections avec l'aide des Russes, OMG*[1] *!* La sphère anti-Trump, et surtout ses médias – c'est-à-dire, *les* médias –, est persuadée qu'il existe une haute, sinon écrasante probabilité qu'il y ait *quelque chose* de significatif là-dedans, et des chances raisonnables d'en tirer les conséquences.

Les médias bien-pensants voient ce dossier comme le Saint-Graal ou la balle d'argent[2] qui détruirait Trump, tandis que la Maison Blanche l'appréhende avec complaisance comme un effort désespéré pour provoquer un scandale. Chacun peut tirer son épingle du jeu.

Les démocrates du Congrès ont tout à gagner en affirmant, comme pour Benghazi, qu'il n'y a pas de fumée sans feu (même s'ils soufflent activement sur les braises). Ils se servent des enquêtes pour promouvoir leur opinion minoritaire – et par la même occasion, s'auto-promouvoir.

Pour les républicains du Congrès, ces enquêtes sont une carte à jouer contre la rancune et l'imprévisibilité de Trump. Le défendre – ou en donner l'impression et, en réalité, peut-être le poursuivre en justice – offre aux républicains de nouveaux leviers dans leurs rapports avec lui.

La communauté du renseignement – avec sa myriade de fiefs, tous aussi méfiants à l'égard de Trump que de n'importe quel autre nouveau président – peut utiliser à volonté la menace de fuites au goutte à goutte pour préserver ses propres intérêts.

---

1. *Oh My God !* « Oh, mon Dieu ! »
2. Seule capable de tuer un loup-garou.

Le FBI et le département de la Justice vont examiner les preuves, mais aussi l'opportunité d'une telle affaire sur leur carrière. (« Le département de la Justice est plein à craquer de procureures comme Yates qui détestent Trump », a confié un conseiller de Trump, avec une vision curieusement machiste des défis à venir.)

Si la politique permet de tester la force, la perspicacité et le sang-froid de son adversaire, alors ce dossier, indépendamment des faits objectifs, présente des pièges dans lesquels beaucoup de gens peuvent tomber. En effet, à maints égards, ce qui pose problème n'est pas la Russie, mais la force, la perspicacité et le sang-froid requis, qualités qui semblent clairement manquer à Donald Trump. Rabâcher constamment qu'il y a peut-être eu un crime, même si ce n'est pas un vrai crime (et personne ne pointe encore un acte de collusion criminelle, ni aucune infraction avérée de la loi) peut entraîner une dissimulation qui pourrait se muer en crime. Ou déchaîner une tempête d'idiotie et de cupidité.

« Ils prennent tout ce que j'ai pu dire et le montent en épingle, se plaint le Président lors d'un coup de téléphone nocturne, durant sa première semaine à la Maison Blanche. On exagère tout, même mes exagérations ! »

Le 4 juillet 2016, Franklin Foer, l'ancien rédacteur en chef de la *New Republic* basé à Washington, fut le premier à parler d'un complot Trump-Poutine dans les pages de Slate. Son papier reflétait l'incrédulité qui soudain avait saisi les médias et l'intelligentsia politique : chose assez incompréhensible, Trump, le candidat pour rire, devenait plus ou moins sérieux. Et c'était peut-être justement à cause de son manque de sérieux, de sa nature « cash », ses fanfaronnades, ses faillites, ses casinos et ses concours de beauté qu'il avait échappé à tout examen minutieux. Pour les experts en trumpisme – ce que, après trente ans d'une attention soutenue, beaucoup de journalistes étaient devenus – les affaires immobilières new-yorkaises étaient louches, les entreprises d'Atlantic City étaient louches, la compagnie aérienne Trump était louche, la résidence de Mar-a-Lago, les terrains de golf et les hôtels, tout ça était louche. Aucun candidat raisonnable n'aurait pu survivre à l'exhumation d'une seule de ces affaires. Mais, de fait, un certain volume de corruption a été inscrit au bilan de la candidature de Trump. Après tout, c'était là le programme qu'il défendait. *Je ferai pour vous ce qu'un homme dur en affaires fait pour lui.*

Pour prendre la vraie mesure de sa corruption, il fallait la mettre en scène à plus grande échelle. Foer a eu une excellente idée pour cela.

Traçant les grands traits d'un scandale qui n'existait pas encore, Foer, sans rien qui ressemblait à des fusils fumants ou même à l'ombre d'une preuve, a rassemblé virtuellement les circonstances, les thématiques, les personnages qui allaient entrer en scène dans les dix-huit mois. (Au même moment, à l'insu du public, de la majorité des médias et des initiés, Fusion GPS recrutait l'ancien espion britannique Christopher Steel pour enquêter sur un éventuel lien entre Trump et le régime russe.)

Poutine cherchait à faire renaître la puissance russe, ainsi qu'à contrer les intrusions de l'Union européenne et de l'OTAN dans sa zone d'influence. Le refus de Trump de traiter Poutine comme un semi-voyou – voire son administration pour lui – signifiait *ipso facto* que Trump souhaitait un retour de la puissance russe et pourrait même le favoriser.

Pourquoi ? Que peut espérer en retour un politicien américain qui soutient publiquement – et flatte – Vladimir Poutine ? Pourquoi encourager ce que l'Occident voit comme de l'aventurisme russe ?

Théorie numéro 1 : Trump est attiré par les hommes forts et autoritaires. Foer a révélé au public une vieille fascination de Trump pour la Russie – il s'était même laissé duper par un sosie de Gorbatchev qui avait visité la Trump Tower dans les années 1980 – et ses nombreuses et inutiles « odes à Poutine ». Cet attrait suggère une certaine vulnérabilité, un « pacte avec le diable ». Favoriser des politiciens dont le pouvoir tient en partie à leur tolérance à la corruption vous rapproche de cette même corruption. De même, Poutine est attiré par les populistes à son image, d'où la question de Foer : « Pourquoi les Russes *ne voudraient-ils pas* fournir à Trump l'assistance furtive qu'ils ont prodiguée à Marine Le Pen, Berlusconi et d'autres ? »

Théorie numéro 2 : Trump est partie prenante d'intérêts et d'affaires internationales de seconde zone, alimentées par des flots d'argent douteux, la plupart provenant de Russie et de Chine, loin de tout contrôle politique. Le volume de cet argent sale permettrait de prendre la mesure des affaires commerciales de Trump qui demeurent à l'abri des regards indiscrets. (Là, deux théories contradictoires s'affrontent : il dissimule ces affaires parce qu'elles vont mal, ou pour masquer leur mauvaise réputation.) Parce que Trump est moins que solvable, Foer est de ceux, nombreux, qui pensent qu'il doit se tourner vers d'autres sources – de l'argent plus ou moins sale, ou de l'argent compromettant. (La façon dont ce processus peut fonctionner est, schématiquement, la suivante : un oligarque place de l'argent dans un fonds d'investissement plus ou moins légal pour le compte d'un tiers, qui, en contrepartie, investit chez Trump.) Trump nie catégoriquement avoir bénéficié de prêts ou d'investissements russes et personne n'a d'argent sale sur ses registres comptables.

Toujours selon cette théorie, Trump – jamais très scrupuleux concernant les références de ses subordonnés – s'entoure d'un grand nombre d'arrivistes vaquant à leurs propres affaires et, chose plausible, favorisant celles de Trump. Franklin Foer a identifié les personnages suivants au titre de membres d'un possible complot russe :

• Tevfik Arif, ancien fonctionnaire russe, patron du Bayrok Group, un intermédiaire dans les financements de Trump, qui occupe un bureau dans la Trump Tower ;

• Felix Sater (parfois écrit Satter), un immigré d'origine russe de Brighton Beach, Brooklyn, qui, après avoir purgé une peine de prison pour fraude dans une société de courtage dirigée par la mafia, est allé travailler pour Bayrock. Sa carte de visite le présente comme conseiller de Trump. (Quand, par la suite, le nom de Sater refera surface, Trump assurera à Bannon qu'il ne le connaît pas.)

• Carter Page, un banquier doté d'un portefeuille incertain qui, ayant passé du temps en Russie, se dit ex-consultant de la compagnie pétrolière d'État Gazprom. Il apparaît sur une liste dressée à la hâte des conseillers en politique étrangère de Trump. Le FBI l'a surveillé de près dans ce qui, selon le Bureau, était une tentative de recrutement des services russes. (Par la suite, Trump niera avoir jamais rencontré Page, mais le FBI se dira convaincu que les services russes ont bien ciblé Page dans l'espoir de l'enrôler.)

• Michael Flynn, l'ancien directeur de l'Agence du renseignement de la défense – limogé par Obama pour d'obscures raisons – devenu principal conseiller en politique étrangère de Trump puis conseiller à la sécurité nationale. Il accompagne Trump dans plusieurs étapes de la campagne électorale. Il a perçu 45 000 dollars pour une conférence donnée à Moscou et a été photographié lors d'un dîner avec Poutine.

• Paul Manafort, directeur de campagne de Trump, dont Foer a révélé qu'il avait été grassement rémunéré pour avoir conseillé Viktor Ianoukovytch, le candidat du Kremlin qui a remporté l'élection présidentielle d'Ukraine en 2010 avant d'être destitué en 2014. Manafort a fait affaire avec l'oligarque russe et vieil ami de Poutine, Oleg Deripaska.

Plus d'un an après, chacun de ces hommes alimentera le feuilleton quasi quotidien Russie-Trump.

Théorie numéro 3 : la thèse du Saint-Graal serait que Trump et les Russes – et peut-être même Poutine en personne – se soient ligués pour pirater le Comité national démocrate.

Théorie numéro 4 : celle de ceux qui le connaissent le mieux, celle que la plupart des partisans de Trump finissent par adopter. Trump est juste un baiseur de stars. Il exporte son concours de beauté en Russie parce qu'il croit que cela fera de Poutine son ami. Mais Poutine s'en fiche comme d'une guigne. Finalement, Trump se retrouve à un dîner de gala assis entre un gars qui a l'air de ne s'être jamais servi de couverts et Jabba le Hutt[1] en polo de golf. En d'autres termes, Trump – si stupide qu'ait pu être son fayotage et si suspect son comportement puisse-t-il sembler – demandait juste un peu de respect.

---

1. Gros alien proche de la limace, personnage de fiction de *Star Wars*, série de films de George Lucas.

Théorie 5 : les Russes, en possession d'informations compromettantes sur Trump, le font chanter. C'est un « candidat mandchou[1] ».

Le 6 janvier 2017, près de six mois après la publication de l'article de Foer, la CIA, le FBI et la NSA annoncent leur conclusion commune : « Vladimir Poutine a commandité une campagne d'influence en 2016 visant l'élection présidentielle américaine. » Du dossier Christopher Steele aux fuites régulières des services secrets, en passant par le témoignage et les déclarations de la direction des agences de renseignements américaines, un ferme consensus se dégage. Un lien scélérat, peut-être encore actif, a existé entre Trump, sa campagne, et le gouvernement russe.

Pourtant, il est encore possible de voir cette affaire comme un vœu pieux des opposants de Trump. « Le postulat sous-jacent de cette histoire, c'est que les espions disent la vérité, observe le journaliste Edward Jay Epstein, spécialiste du renseignement. Qui le savait ? » Et, en effet, l'inquiétude à la Maison Blanche ne porte pas sur le complot – peu plausible, voire grotesque – mais sur les informations qui risqueraient de mener aux calamiteuses affaires de Trump (et de Kushner). Face à ce danger, les membres de l'état-major haussent les épaules d'un air désespéré et se cachent les yeux, les oreilles et la bouche.

Tel est le consensus singulier et obsédant : non pas que Trump soit coupable de tout ce dont on l'accuse, mais qu'il le soit de bien d'autres choses. Il est toujours possible que le peu plausible mène au hautement crédible.

Le 13 février, au vingt-quatrième jour de la nouvelle administration, les liens entre le conseiller à la sécurité nationale Michael Flynn et la Russie sont officiellement confirmés.

Flynn – un général sans grande envergure, de surcroît assez dingue – n'a en réalité qu'un seul soutien à la Maison Blanche, le Président lui-même. Ils ont été très proches pendant la campagne

---

1. Référence au thriller éponyme de Richard London publié en 1959, l'histoire d'un homme politique américain qui se fait laver le cerveau par les communistes.

– un duo d'enfer. En raison de son amour des généraux, Trump pense même un moment faire de lui son vice-président. Post-investiture, la porte du bureau de Trump est toujours ouverte pour lui. Un privilège mal interprété par Flynn : il croit que son statut à la Maison Blanche repose sur l'appréciation personnelle du Président et que les flatteries de Trump sont le signe probant qu'il possède un lien intangible avec lui qui lui confère une certaine toute-puissance.

Grisé par les compliments de Trump durant la campagne, Flynn était devenu son singe savant. Quand d'anciens militaires passent des alliances avec des candidats politiques, ils se positionnent habituellement en experts ou grands sages. Mais Flynn était un partisan hystérique, partie intégrante du cirque itinérant de Trump, un des prédicateurs et bonimenteurs qui chauffaient ses meetings de candidat. Cet enthousiasme et cette loyauté l'aidaient à avoir l'oreille de Trump dans laquelle il déversait ses théories anti-services secrets.

Au début de la transition, quand Bannon et Kushner étaient encore de vrais frères siamois, ils partageaient la volonté de court-circuiter Flynn et son message souvent problématique. Sournoisement, Bannon aimait à souligner que le secrétaire à la Défense, Mattis, était un général quatre étoiles, et Flynn, seulement un trois étoiles. « J'aime bien Flynn, il me rappelle mes oncles, disait Bannon. Mais c'est ça le problème, il me rappelle mes oncles ! »

Bannon a contribué à ternir l'image de Flynn pour s'assurer un siège au conseil de sécurité nationale. Pour la plupart des membres de ce conseil restreint, l'obtention de ce siège par Bannon était le signal d'une stratégie de la droite nationaliste de prendre le pouvoir. Mais la présence de Bannon permettait aussi de surveiller l'impétueux Flynn, enclin à se mettre à dos presque tous les autres conseillers (Flynn ? « Un colonel en tenue de général », selon un haut responsable des renseignements.)

Flynn, comme tout l'entourage de Trump, est conquis par le sentiment surnaturel d'opportunité que, contre toute attente, provoque le fait d'être à la Maison Blanche. Et, fatalement, cette situation le rend plus grandiloquent.

En 2014, Flynn a été viré sans ménagement du gouvernement, ce qu'il a imputé à ses nombreux ennemis de la CIA. Il a alors mis toute son énergie à se lancer dans les affaires, en ralliant les rangs d'anciens hauts fonctionnaires qui tiraient bénéfice de leurs réseaux politiques dans les entreprises mondialisées. Et après avoir flirté avec plusieurs candidats républicains potentiels, il s'est attaché à Trump. Tous deux antimondialistes, Trump et Flynn pensaient que les États-Unis se faisaient rouler dans les transactions mondiales. Mais, *money is money*, et Flynn, qui, en tant que retraité, touchait quelques centaines de milliers de dollars annuels au titre de sa pension de général, n'a pas fait le difficile. Divers amis et conseillers lui ont pourtant recommandé de ne pas accepter d'émoluments de la part de la Russie ou de la Turquie où il officiait en tant que « consultant ».

De fait, c'est le genre de négligence dont tous ou presque se rendent coupables dans le monde de Trump, y compris le Président et sa famille. Ils évoluent dans des réalités parallèles et, tout en participant à une campagne présidentielle, ils vivent aussi dans le monde probable, celui dans lequel Donald Trump ne sera jamais président. Par conséquent, les affaires continuent.

Début février 2017, un avocat de l'administration Obama affilié à Sally Yates fait remarquer avec délectation et beaucoup de justesse : « C'est certainement une drôle de situation de mener sa vie sans penser être élu et de soudain l'être… et une occasion rêvée pour vos adversaires. »

L'administration est menacée par le nuage russe, mais aussi par le sentiment que la communauté du renseignement se méfie de Flynn, et met sur son dos l'animosité qu'elle éprouve à l'encontre de Trump. Flynn est la vraie cible. À la Maison Blanche, on a la sensation qu'un échange implicite est proposé : la tête de Flynn contre la bienveillance de la communauté du renseignement.

Au même moment, dans ce que d'aucuns voient comme un résultat direct de la fureur présidentielle suite aux insinuations sur la Russie – spécialement celles sur la *golden shower* –, le Président resserre ses liens avec Flynn, lui assurant à maintes reprises son soutien et répétant que les accusations sur la Russie, celles relatives à Flynn et à lui-même, sont « de la foutaise ». Après la démission de Flynn, un commentaire sur les doutes croissants de Trump à l'égard de son conseiller sera livré à la presse, mais c'est en fait tout l'inverse qui se produit : plus les doutes s'accumulent sur Flynn, plus le Président est certain qu'il est son allié le plus précieux.

La fuite fatale, celle qui a entraîné la chute de Flynn, semble émaner de ses ennemis au Conseil de Sécurité nationale (NSC) et non pas du département de la Justice.

Le mercredi 8 février, Karen DeYoung du *Washington Post* vient rendre visite à Flynn pour ce qui est censé être un entretien *off*. Ils se retrouvent, non pas dans son bureau, mais dans le salon le plus élégant du bâtiment du Bureau exécutif Eisenhower, à proximité de la Maison Blanche – le salon même où les diplomates japonais avaient attendu d'être reçus par le secrétaire d'État Cordell Hull alors que celui-ci prenait connaissance de l'attaque de Pearl Harbor.

Selon toute apparence, c'est un entretien de fond sans histoires, et De Young, avec son style à la Colombo, n'éveille aucun soupçon quand elle aborde la question de rigueur : « Mes collègues m'ont demandé de vous poser la question : avez-vous parlé des sanctions aux Russes ? »

Flynn déclare qu'il n'a pas eu ce genre de conversations, absolument aucune conversation, confirme-t-il encore. Peu après s'achève l'entretien auquel a assisté le responsable et porte-parole du conseil de Sécurité nationale, Michael Anton.

Mais plus tard le même jour, DeYoung appelle Anton pour lui demander l'autorisation de mentionner les dénégations de Flynn *on the record*. Anton n'y voit aucun inconvénient – après tout, la Maison Blanche souhaite que les dénégations de Flynn soient claires – et en avise Flynn.

Quelques heures plus tard, Flynn rappelle Anton, inquiet. Anton fait le test habituel : « Si vous saviez qu'un enregistrement de cette conversation avec les Russes pouvait faire surface, seriez-vous toujours sûr à cent pour cent ? »

Flynn tergiverse, et Anton, soudain soucieux, lui conseille, au cas où il n'était pas sûr de lui, de « rétropédaler ».

Le papier du *Post*, qui paraît le lendemain sous trois autres signatures – indiquant que l'entretien de DeYoung n'était pas le plus crucial –, contient de nouveaux détails sur la conversation téléphonique de Flynn avec l'ambassadeur Kisliak. Leur échange, affirme le *Post*, a bien porté sur la question des sanctions. L'article rapporte aussi les dénégations de Flynn – « il répéta deux fois "non" » – ainsi que son rétropédalage : « Mardi, Flynn, par la voix de son porte-parole, est revenu sur ses dénégations. Le porte-parole précise que Flynn lui a "confié que, bien qu'il ne se souvienne absolument pas avoir abordé les sanctions, il ne peut pas avoir la certitude que le sujet n'a jamais été évoqué". »

Après l'article du *Post*, Priebus et Bannon remettent Flynn sur le gril. Flynn prétend ne pas se souvenir de ce qu'il a dit. Si le sujet des sanctions est venu sur le tapis, leur assure-t-il, ils n'ont fait que l'effleurer. Curieusement, personne ne semble avoir vraiment écouté sa conversation avec Kisliak, ni en avoir vu une transcription.

Entre-temps, les hommes du vice-président, surpris par cette soudaine controverse, prennent ombrage, moins des possibles fausses déclarations de Flynn que du fait qu'ils n'ont pas été mis au courant. Mais le Président reste de marbre – ou, selon une autre version, « agressivement défensif » – et, pendant que la Maison Blanche fait les gros yeux, Trump choisit ce moment pour emmener Flynn à Mar-a-Lago passer son week-end avec Shinzo Abe, le Premier ministre japonais.

Ce samedi soir-là, étrange spectacle, la terrasse de Mar-a-Lago se transforme en salle de crise publique : le président Trump et le Premier ministre Abe discutent ouvertement de la réponse à donner au lancement d'un missile par la Corée du Nord, à quatre cent quatre-vingts kilomètres dans la mer du Japon. Posté derrière l'épaule du Président se trouve Michael Flynn. Si Bannon, Priebus et Kushner pensent que le sort de Flynn est dans la balance, le président ne semble pas partager leurs vues.

Pour l'état-major de la Maison Blanche, le souci sous-jacent est moins la mise à l'écart de Flynn que la relation du Président avec ce dernier. Dans quoi Flynn, par essence un espion en tenue militaire, a-t-il embringué le Président ? Qu'ont-ils pu concocter ensemble ?

Le lundi matin, Kellyanne Conway apparaît sur MSNBC pour prendre fermement la défense du conseiller à la Sécurité nationale. « Oui, dit-elle, le général Flynn a l'entière confiance du Président. » Et même si beaucoup y voient le signe que Conway n'est pas dans le coup, c'est aussi la preuve qu'elle a parlé directement au Président.

Une réunion à la Maison Blanche ce matin-là est sur le point de convaincre Trump de renvoyer Flynn. Il s'inquiète de l'impact qu'aurait le renvoi de son conseiller à la Sécurité nationale après vingt-quatre jours à peine. Et il refuse catégoriquement de blâmer Flynn d'avoir parlé avec les Russes, y compris des sanctions. Selon Trump, le limogeage de son conseiller l'associera à un complot, alors qu'il n'y a rien de tel. Sa fureur n'est pas dirigée contre Flynn, mais contre l'écoute téléphonique « aléatoire » qui l'a épinglé. Renouvelant sa confiance à son conseiller, Trump insiste pour que Flynn participe au déjeuner du lundi avec le Premier ministre canadien, Justin Trudeau.

Le repas est suivi d'une nouvelle réunion sur le scandale. Des détails complémentaires de la conversation téléphonique y sont apportés, ainsi que de plus en plus de précisions sur l'argent qui aurait été versé à Flynn par diverses entités russes. La théorie selon laquelle les fuites des services secrets ayant entraîné le scandale russe seraient dirigées contre Flynn suscite aussi un intérêt croissant. Finalement, une nouvelle logique se fait jour voulant que Flynn ne soit pas limogé à cause de ses contacts russes, mais parce qu'il aurait menti à leur sujet au vice-président. C'est une invention commode de la hiérarchie : en réalité Flynn n'a rien dit au vice-président Pence, et certains soutiennent qu'il est beaucoup plus puissant que ce dernier.

Cette nouvelle logique convainc Trump, il finit par admettre que Flynn doit partir.

Pourtant, le Président ne lui retire pas sa confiance. Au contraire, les ennemis de Flynn sont les siens. Et la Russie est une arme pointée sur sa tête. Bien qu'il doive à contrecœur se séparer de Flynn, ce dernier reste son homme.

Flynn, évincé de la Maison Blanche, devient le premier lien direct établi entre Trump et la Russie. Et selon ce qu'il peut dire et à qui, il est désormais potentiellement la personne la plus puissante de Washington.

8

L'organigramme

Steve Bannon, l'ancien officier de Marine, comprend au bout de quelques semaines qu'en réalité la Maison Blanche est une base militaire. Le bureau gouvernemental se cache derrière une façade résidentielle et quelques salons de réception, au sommet d'une installation sécurisée sous commandement militaire. Le contraste est frappant : hiérarchie et organisation militaire en arrière-plan, chaos parmi les occupants civils temporaires à l'avant-scène.

On a du mal à trouver une entité plus opposée à la discipline militaire qu'une organisation à la Trump. Celle-ci ne repose pas sur une véritable structure ascendante ou descendante, mais juste sur un personnage au sommet, et tous les autres qui font des pieds et des mains pour attirer son attention. Elle ne s'intéresse pas aux tâches à effectuer mais seulement aux réactions – ce qui capte l'attention de Trump occupe celle de tout le monde. C'était le fonctionnement à la Trump Tower, cela l'est désormais à la Maison Blanche.

Le Bureau ovale a été utilisé par ses précédents occupants comme le symbole ultime du pouvoir, une apogée cérémonielle. Mais, dès son arrivée, Trump a apporté une collection de drapeaux de guerre pour l'encadrer quand il est assis à son bureau. L'Ovale devient vite le décor du « bordel » quotidien de Trump. Il est probable qu'il soit plus accessible que ses prédécesseurs. Presque tous les débats dans le bureau du président sont interrompus par un long défilé de subalternes, et tout le monde se bat pour assister à la prochaine réunion. Des gens rôdent autour sans objectif clair : Bannon trouve toujours une raison ou une autre pour étudier ses dossiers dans un coin afin d'avoir le dernier mot, Priebus garde un œil sur Bannon, et Kushner surveille en permanence les autres. Trump, lui, aime garder Hicks, Conway et, souvent, son ancien complice de *The Apprentice*, Omarosa Manigault – pourvu d'un titre déroutant à la Maison Blanche – en permanence avec lui. Comme toujours, Trump veut un public conquis d'avance, il encourage le plus de gens possible à tenter d'être au plus près de lui. Avec le temps, il s'amuse des lèche-bottes les plus zélés.

Une bonne gestion réduit la taille des egos, mais dans la Maison Blanche de Trump, on a souvent l'impression que rien ne se passe, que la réalité n'existe pas en dehors de la présence du Président. Sans lui, tout semble sens dessus dessous. S'il arrive quelque chose, et qu'il n'est pas présent, il s'en moque et sa réaction se limite à un bref regard insistant. Cela explique pourquoi le recrutement dans la West Wing et dans l'exécutif est très lent. Étoffer la bureaucratie ne fait partie ni de ses objectifs ni de ses intérêts. Les visiteurs sont décontenancés par le manque de personnel au sein de la West Wing. Après le salut militaire solennel d'un Marine en tenue à la porte, ils découvrent une entrée sans réceptionniste et cherchent leur chemin dans ce maquis qu'est le sommet du pouvoir du monde occidental.

Trump, lui-même ancien cadet de l'académie militaire – même s'il ne fut pas l'un de ses membres les plus enthousiastes –, prône un retour à la compétence et aux valeurs de l'armée. En réalité, il tient surtout à préserver son droit à défier ou ignorer sa propre structure. Ne pas avoir d'organisation stricte est la façon la plus efficace d'éviter les personnes qui la composent et de les dominer. Ainsi, sa cour de militaires admirée de tous, comme James Mattis, H. R. McMaster et John Kelly, travaille pour une administration inadaptée aux principes de commandement de base.

Depuis les premiers temps de la présidence Trump, la West Wing est gérée malgré l'annonce quasi-quotidienne du départ de celui censé en avoir la charge, le chef de cabinet, Reince Priebus. Il garde son poste pour une unique raison : il ne l'occupe pas depuis assez longtemps pour être viré. Mais personne, dans le premier cercle de Trump, ne doute qu'il sera démis de ses fonctions dès que son départ n'embarrassera plus trop le Président. Ainsi en déduit-on que personne n'a besoin de lui prêter attention. Priebus, qui pendant la transition doutait déjà de tenir jusqu'à l'investiture, se demande une fois en poste s'il pourra supporter ce calvaire pendant le délai, déjà peu respectable, d'une année. Il réduit finalement ses attentes à six mois.

Le Président, en l'absence de toute rigueur organisationnelle, agit souvent en qualité de chef de cabinet ou bien élève le poste d'attaché de presse à une fonction essentielle. Trump se charge parfois lui-même de la revue de presse, dictant des commentaires, téléphonant aux journalistes. Les membres de sa famille, eux, agissent dans n'importe quel domaine de leur choix. Quant à Bannon, il monte de grandes opérations de réalité alternative ou lance des initiatives importantes dont lui seul a connaissance. Ainsi, il est facile pour Priebus de penser qu'il n'a aucune raison d'être là, au centre d'une organisation justement dépourvue de centre.

En même temps, le Président paraît apprécier de plus en plus Priebus parce qu'il peut faire de lui ce qu'il veut. Ce dernier supporte les attaques de Trump sur sa taille et sa stature avec affabilité ou stoïcisme. Il est le punching-ball idéal quand tout va mal et il ne rend pas les coups, au grand plaisir de Trump.

« J'adore Reince, dit le Président, avare de compliments. Qui d'autre voudrait sa place ? »

Pour les trois hommes mis *de facto* sur un pied d'égalité dans la West Wing – Priebus, Bannon, Kushner –, seul un mépris réciproque les empêche de se liguer les uns contre les autres.

Durant les premiers jours de la présidence, la situation est claire pour tout le monde : ces trois hommes se battent pour diriger la Maison Blanche, pour être le vrai chef de cabinet derrière le trône. Et, bien sûr, Trump lui-même ne veut céder de pouvoir à personne.

Dans ce désordre émerge une jeune femme de 32 ans, Katie Walsh.

Walsh, chef de cabinet adjointe de la Maison Blanche, représente, du moins à ses propres yeux, un certain idéal républicain : irréprochable, vive, méthodique, efficace. Bureaucrate intègre, charmante, mais l'air toujours sévère, Walsh est un bel exemple des nombreux professionnels de la politique chez qui la compétence et les facultés d'organisation transcendent l'idéologie. « Je préfère, dit-elle, appartenir à une organisation présentant une chaîne de commandement claire avec laquelle je ne suis pas d'accord qu'à une organisation chaotique qui correspondrait mieux à mes opinions. » Walsh est une figure washingtonienne, issue du marigot. Son rôle consiste à privilégier les objectifs de Washington, coordonner son personnel et rassembler ses ressources humaines. Une personne organisée qui fait profil bas, ne dit jamais n'importe quoi. Voilà comment elle se voit.

« Chaque fois qu'on participe à une réunion avec le Président, il y a au moins soixante-cinq choses à faire avant, explique-t-elle. Quel membre du cabinet faut-il prévenir de la présence de telle personne, quel habitué du site Internet The Hill doit être consulté, le Président a-t-il besoin d'une synthèse politique, et si oui, qui a cette synthèse et à qui doit-il la donner ?... Oh ! et, au fait, il faut se renseigner sur le gars qui fait la synthèse. Ensuite, il faudra la donner aux responsables de la com' et voir s'il s'agit d'un récit national ou régional, et fait-on à partir de ça des anayses, donne-t-on des chiffres pour la télé nationale et la presse... et tout cela se passe avant d'en venir au service des affaires politiques et des relations publiques... Enfin, pour chaque personne qui a rendez-vous avec le Président, il faut expliquer aux autres pourquoi elles n'ont pas eu ce privilège, sinon elles vont ressortir d'ici en colère contre les autres... »

Walsh incarne ce que la politique est censée être – ou ce qu'elle a été. Une occupation soutenue, entretenue et ennoblie par une classe politique professionnelle. La politique, manifeste dans la monotonie et la tristesse propres à l'uniforme washingtonien, résolument anti-mode, est une affaire de procédure et de tempérament. L'éclat est passager. Il ne peut durer longtemps.

Sortie d'un lycée de filles catholique de Saint-Louis (elle porte toujours à son cou une croix de diamants) et bénévole pour les campagnes politiques locales, Katie Walsh a fait ses études à l'université George-Washington – les facultés de la région étant parmi les fournisseurs les plus fiables de jeunes talents du marigot (le service public n'est pas vraiment une discipline que l'on enseigne dans les universités de la *Ivy League*). Les trois quarts des organisations politiques et gouvernementales ne sont pas dirigés, pour le meilleur et le pire, par des titulaires de mastères en gestion, mais par des jeunes gens qui ont su se distinguer par leur zèle, leur ambition et leur idéal du service public (une anomalie de la politique républicaine conduit des individus motivés par le secteur public à se retrouver à travailler à sa réduction). Les carrières progressent à condition d'apprendre sur le terrain, de bien s'entendre avec le reste du milieu et de jouer le jeu.

En 2008, Walsh devient directrice régionale des finances de la campagne de McCain pour le Midwest – spécialisée dans le marketing et la finance à George-Washington, elle est habilitée à signer les chèques. Puis elle passe directrice adjointe des finances du Comité sénatorial national républicain, ensuite directrice adjointe des finances, puis directrice titulaire des finances du Comité national républicain, et, enfin, avant la Maison Blanche, secrétaire générale du Comité national républicain et bras droit de son président, Reince Priebus.

Rétrospectivement, on peut déceler quel moment clé a permis le sauvetage de la campagne de Trump. Il se trouve moins dans l'intervention du milliardaire Robert Mercer et l'arrivée de Bannon et Conway à la mi-août, que dans l'acceptation de s'appuyer sur le Comité national républicain (le RNC). Ce dernier connaît le terrain et possède une banque de données nationales. Fin août, avec l'accord de Kushner, Bannon et Conway concluent un marché avec le RNC, ce nœud de vipères du marigot. Ce malgré les allégations répétées de Trump : ils s'étaient débrouillés jusque-là sans le RNC, alors pourquoi ramper devant lui maintenant ?

Presque immédiatement, Walsh devient une figure-clé de la campagne, une personne dévouée qui centralise les informations et fait partir les trains à l'heure. Sans des gens comme elle, peu d'organisations peuvent fonctionner. Effectuant la navette entre le siège du RNC à Washington et la Trump Tower, elle est l'intendante générale qui met les ressources politiques nationales à la disposition de la campagne.

Si Trump lui-même est une source de perturbation dans les derniers mois de la course et pendant la transition, son équipe de campagne (notamment parce qu'il n'a d'autre choix que d'inclure le RNC) est incroyablement plus réactive et unie que celle de Hillary Clinton, alors même que cette dernière dispose de ressources autrement plus importantes. Face à la catastrophe et à une humiliation prétendument certaine, l'équipe de Trump se ressaisit – avec Priebus, Bannon et Kushner dans le rôle du trio de choc.

Mais la camaraderie ne survit jamais longtemps au sein de la West Wing.

Pour Katie Walsh, il est clair que l'objectif commun de la campagne et l'urgence de la transition seront abandonnés dès que l'équipe Trump entrera à la Maison Blanche. Ils ont géré Trump, maintenant, c'est lui qui va les gérer. Mais le Président, tout en s'écartant de façon radicale de normes et de traditions gouvernementales vieilles de plusieurs générations, manque d'idées précises sur la manière de transformer son venin en politique, et n'a pas d'équipe capable de s'unir derrière lui.

Dans la plupart des lieux de pouvoir, la politique et l'action ruissellent du haut vers le bas. L'état-major tâche d'exécuter les désirs du Président – ou, à tout le moins, ce que le chef de cabinet suppose être les désirs présidentiels. Dans la Maison Blanche de Trump, la politique remonte vers le haut, comme le montre l'exemple du décret sur l'immigration inspiré par Bannon. Tout est dans la manière de suggérer ce que le Président pourrait vouloir, en espérant qu'il s'imagine y avoir déjà songé lui-même.

Trump observe Walsh, possède un ensemble de convictions et de pulsions, dont la plupart l'obsèdent depuis de nombreuses années. Elles peuvent se révéler contradictoires les unes avec les autres et peu d'entre elles se conforment aux conventions législatives ou politiques. En conséquence, Walsh, comme tous les autres, doit traduire cet ensemble de désirs et d'obsessions en un programme, processus qui repose sur de nombreuses conjectures. C'est, selon Walsh, « comme essayer de deviner ce que veut un enfant ».

Mais émettre des suggestions constitue, peut-être, le problème central de la présidence de Trump et façonne tous les aspects de sa politique et de son leadership. Le Président ne traite pas l'information d'une manière conventionnelle. Et parfois, il ne la traite pas du tout.

Trump ne lit pas, même à la va-vite. Ce qui est imprimé pourrait aussi bien ne pas exister. Certains se demandent s'il n'est pas quasi illettré, d'autres soulignent que Trump peut lire les gros titres et les articles le concernant, de même que les potins et les ragots de la page 6 du *New York Post*. D'autres croient qu'il est dyslexique. Une chose est sûre, sa capacité d'attention est limitée. D'autres encore concluent qu'il ne lit pas parce qu'il n'est pas obligé de le faire et que – là se situe l'un de ses atouts populistes – s'il ne lit pas, c'est qu'il regarde la télévision.

Non seulement il ne lit pas, mais il n'écoute pas non plus. Il préfére monopoliser la parole. Et a foi en sa propre expertise – aussi pauvre ou hors sujet soit-elle – plus qu'en celle de n'importe qui d'autre.

Par conséquent, il s'agit de convaincre l'administration que l'on peut se fier à un homme, certes ignorant, mais sûr de ses instincts et prises de position, même si elles changent fréquemment.

Autre élément-clé de la Maison Blanche de Trump : l'expertise, cette vertu de gauche, est surfaite. Après tout, il arrive souvent que des gens ayant travaillé dur pour améliorer leur savoir prennent les mauvaises décisions. Alors peut-être l'instinct est-il aussi bon, et même meilleur, pour aller au cœur des questions, pour voir la forêt derrière l'arbre. Peut-être. *Espérons-le.*

Bien sûr, personne ne le croit vraiment, sauf le Président lui-même.

La première vérité, qui l'emporte sur son impétuosité, ses excentricités et ses connaissances limitées, c'est que personne ne devient président des États-Unis – cet exploit qui équivaut à faire passer un chameau par le chas d'une aiguille – sans une finesse et une ruse hors pair. *Pas vrai ?* Durant les premiers jours à la Maison Blanche, c'est l'hypothèse de l'état-major, partagée par Walsh et tous les autres : Trump doit savoir ce qu'il fait, il a beaucoup d'intuition.

Mais il faut aussi prendre en compte l'envers, la face cachée de son intuition prétendument infaillible, et on ne peut pas l'ignorer : souvent sûr de lui, Trump est aussi souvent paralysé, bafouillant d'inquiétantes contre-vérités. Sa réaction instinctive est de se répandre en invectives, de se comporter comme si ses tripes dictaient son action en termes clairs et persuasifs.

Durant la campagne, il devient une sorte de champion. Son équipe s'extasie devant sa volonté de rester en mouvement, de remonter dans son avion, d'en descendre et d'y remonter encore, enquillant meeting après meeting, avec la fierté d'en faire plus que tous les autres. Le double d'Hillary ! Il ridiculise toujours le rythme de sénateur de son adversaire. Il *performe*. « Cet homme n'arrête jamais d'être Donald Trump », note Bannon dans un compliment un peu sournois.

C'est au cours des premiers briefings avec les services secrets, organisés aussitôt après sa désignation comme candidat à la présidentielle, que sa nouvelle équipe de campagne émet des signaux d'alarme : Trump semble incapable de comprendre des informations provenant de tiers. À moins qu'il ne s'y intéresse pas. Il déteste qu'on demande formellement son attention. Il fait de l'obstruction face à tout document écrit et se montre récalcitrant devant toute explication. « C'est un gars qui a vraiment détesté l'école, analyse Bannon. Et ce n'est pas maintenant qu'il va commencer à l'aimer ! »

Si inquiétant soit-il, le mode de fonctionnement de Trump présente aussi une chance pour son entourage immédiat : en le comprenant, en observant ses manies et ses réflexes, que ses adversaires dans les affaires ont appris à utiliser à leur avantage, ils pourraient le canaliser, le *faire bouger*. Néanmoins, si on peut le remuer un jour, personne ne sous-estime les difficultés qu'il a, le lendemain, à continuer à bouger dans la même direction.

L'une des manières d'appréhender ce que veut Trump, sa position et la nature de ses intentions – ou, du moins, des intentions dont on peut le convaincre qu'elles sont bien les siennes – implique une analyse de texte incroyablement fine de ses discours bruts de décoffrage, de ses remarques fortuites et de ses tweets impulsifs pendant la campagne.

Bannon révise avec opiniâtreté l'« œuvre » de Trump pour bien comprendre ses réflexions intimes et politiques. Une partie de l'autorité de Bannon à la Maison Blanche tient à sa qualité de gardien des promesses du Président, soigneusement consignées sur son panneau blanc. Pour certaines d'entre elles, Trump se souvient avec ferveur les avoir faites. Pour d'autres, il n'en a aucune réminiscence, mais il est heureux d'admettre les avoir dites. Bannon joue le disciple et promeut Trump au rang de gourou – ou d'un dieu aux voies impénétrables.

Cette conjoncture aboutit à une autre rationalisation, une vérité *à la Trump* : « Le Président a été très clair sur le message qu'il voulait transmettre au peuple américain, dit Walsh. C'est un excellent communicant. » En même temps, elle reconnaît que ce qu'il veut n'est pas toujours intelligible. D'où une nouvelle rationalisation : Trump est un « inspirateur non opérationnel ».

Kushner, comprenant que le panneau blanc de Bannon représente davantage son propre programme que celui de Trump, finit par se demander quelle part de ce texte est de Bannon. Il passe au crible les mots de son beau-père, mais n'arrive à rien et renonce.

Mick Mulvaney, l'ancien représentant de la Caroline du Sud à présent à la tête du Bureau de la gestion et du budget est en charge de la préparation du budget qui sous-tendra le programme de la Maison Blanche. Lui aussi se rabat sur les verbatim de Trump. Le livre de Bob Woodward sorti en 1994, *The Agenda*, est un compte-rendu détaillé des dix-huit premiers mois de Clinton à la Maison Blanche, dont les trois quarts portent sur l'élaboration du budget. On y voit le nouveau président consacrer le plus clair de son temps à une profonde réflexion et à des discussions sur la répartition des ressources. Dans le cas de Trump, ce type d'engagement est inconcevable. L'élaboration d'un budget, ce n'est pas un souci pour lui.

« Les deux premières fois où je suis allé à la Maison Blanche, quelqu'un a dû répéter : "Voici Mick Mulvaney, le directeur du budget" », raconte Mulvaney. Et selon lui, Trump, trop dispersé pour être utile, a tendance à interrompre le travail avec des questions sans pertinence semblant émaner d'un rapport de lobbyiste ou relevant de la lubie d'une association libertaire. Si Trump s'intéresse à quelque chose, il en a généralement une idée précise, mais fondée sur des informations partielles. Si le sujet ne l'intéresse, pas, il ne veut entendre ni idée ni information le concernant. Par conséquent, l'équipe du budget de Trump se voit contrainte de revenir aux discours du Président en quête des thématiques politiques pouvant être rattachées à un programme budgétaire.

Walsh, installée bien en vue du Bureau ovale, se situe à l'épicentre du flux d'informations entre le Président et son état-major. En sa qualité de planificatrice de l'emploi du temps de Trump, sa mission est d'organiser l'orientation de ce flux vers le Président en fonction des priorités définies par la Maison Blanche. Walsh devient le véritable intermédiaire entre les trois hommes qui travaillent dur à attirer l'attention du Président : Bannon, Kushner, Priebus.

Chacun des trois voit en Trump une page blanche – ou gribouillée. Et chacun, réalise Walsh avec une incrédulité croissante, a sa manière à lui, radicalement différente de celle des deux autres, de remplir ou de corriger cette page. Bannon est le militant de l'altright, Kushner, le démocrate new-yorkais, et Priebus, le républicain classique. « Steve veut expulser un million de gens du pays, abroger la loi sur les soins de santé et instaurer un paquet de tarifs douaniers qui vont complètement détruire notre commerce extérieur. Jared, lui, veut s'occuper de la traite des êtres humains et de la protection du planning familial. » Priebus, enfin, voudrait que Donald Trump incarne un autre type de républicain.

Pour Walsh, Steve Bannon dirige la Maison Blanche de Steve Bannon, Jared Kushner celle de Michael Bloomberg, et Reince

Priebus celle de Paul Ryan. On dirait Pong, ce jeu vidéo des années 1970 dans lequel une balle blanche est renvoyée de droite à gauche, comme au tennis de table.

Priebus – longtemps censé être le maillon faible, ce qui permettait à Bannon et à Kushner d'être, à différents moments, les véritables chefs de cabinet – se transforme en petit chien de garde. Chez Bannon l'anti-classique et Kushner le démocrate, le trumpisme représente une tendance politique sans lien avec le républicanisme classique. Priebus, entre les deux, défend comme un cerbère le classicisme.

Bannon et Kushner sont plus qu'agacés quand ils réalisent que le discret Priebus a son propre agenda : il fait sienne la prédiction du président du Sénat, Mitch McConnell, selon laquelle « ce président signera tout ce qu'on lui soumettra ». Il tire également avantage de l'inexpérience politique et législative de la Maison Blanche et délocalise au Congrès le travail de préparation des lois.

Au cours des premières semaines de l'administration Trump, Priebus fait le nécessaire pour que le président de la Chambre des représentants, Paul Ryan, bête noire de Trump pendant la campagne, soit reçu à la Maison Blanche avec un groupe de présidents de comités de la Chambre. Lors de la réunion, le Président déclare allègrement qu'il a peu de temps à accorder aux comités et qu'il se réjouit donc qu'un autre en ait à sa place. Ryan, désormais, a libre accès au Président – un Président si profondément ennuyé par la stratégie et les procédures législatives qu'il donne carte blanche pour qu'on s'en charge à sa place.

Presque personne ne représente les thèses de Bannon. L'essence du bannonisme est un isolationnisme radical associé à un protectionnisme protéiforme et un à keynesianisme résolu. Ces principes que Bannon attribue au trumpisme vont à l'encontre du républicanisme. Qui plus est, Ryan, en théorie « l'as de la politique », est considéré par Bannon comme lent d'esprit sinon incompétent – la cible parfaite de ses persiflages. Cependant, si le Président a adopté sans réserve le duo Priebus-Ryan, il ne peut pas non plus se passer de Bannon.

L'unique compétence de Bannon – parce qu'il s'est familiarisé avec les mots du Président plus que le Président lui-même, – consiste à savoir manipuler le Président. Il fait croire à Trump, en tout fausse modestie, qu'il est son disciple. Bannon ne prône pas le débat interne, ne fournit pas de ligne politique et déteste les présentations PowerPoint. Il est le talk show personnel de Trump. Le Président peut le brancher comme une radio à tout moment et aime écouter le récit tonique des déclarations et des vues de son conseiller. Il peut aussi le débrancher, Bannon reste alors silencieux.

Kushner n'a ni l'imagination politique de Bannon ni les relations institutionnelles de Priebus. Mais il fait partie de la famille du chef, ce qui lui confère une certaine autorité. En outre, il a son statut de milliardaire. Il a entretenu des liens avec un large éventail de fortunes new-yorkaises et internationales, des relations et des vieux amis de Trump et, souvent, des gens dont le Président aurait aimé qu'ils l'apprécient davantage. À cet égard, Kushner devient à la Maison Blanche le porte-parole du statu quo démocrate. Il ressemble à ce que l'on appelait jadis un républicain à la Rockefeller. Aujourd'hui, il pourrait être un démocrate à la Goldman Sachs. Lui – et peut-être plus encore Ivanka – est diamétralement opposé à Priebus, le républicain des évangélistes et des conservateurs de la Sun Belt[1], et à Bannon, le perturbateur anti-parti, populiste et alt-right.

Chacun dans leur coin, ces trois hommes suivent leur propre stratégie. Bannon fait son possible pour retourner Priebus et Kushner et reprendre son combat en faveur du trumpisme/bannonisme. Priebus, qui se plaint déjà des « néophytes en politique et des relations de Trump », sous-traite son programme à Ryan et au Congrès. Et Kushner, qui suit l'une des courbes d'apprentissage les plus accélérées de l'histoire de la politique, continue à faire parfois preuve d'une naïveté déroutante quand il dit aspirer à devenir l'un des acteurs les plus avertis du monde, prônant la modération et la prudence. Chacun a ses partisans, opposés à ceux des autres.

---

1. « La ceinture du soleil » composée des États du sud et de l'ouest des États-Unis.

Les amis de Bannon veulent passer en force. Ceux de Priebus se focalisent sur les opportunités du calendrier républicain. Ceux de Jared et d'Ivanka encouragent le Président imprévisible à faire semblant d'être modéré et rationnel.

Et, au milieu, il y a Trump.

« Les trois messieurs qui dirigent le pays », comme les appelle Walsh, servent tous Trump à leur manière. Walsh sait que Bannon inspire le Président et lui fixe un objectif. Le tandem Priebus-Ryan promet de mettre en œuvre ce qui, aux yeux de Trump, ressemble aux tâches spécifiques d'un gouvernement. Kushner, quant à lui, sélectionne les hommes riches qui discutent avec son beau-père en soirée et presse souvent ces derniers de mettre le Président en garde à la fois contre Bannon et Priebus.

Les trois conseillers sont entrés en conflit quinze jours à peine après la débâcle causée par le décret anti-immigration et le « travel ban ». Cette rivalité trouve sa source dans des différences de style, de philosophie et de caractères. Mais elle résulte aussi de l'absence d'organigramme ou de hiérarchie efficace. Pour Walsh, son quotidien relève de la mission impossible : à peine reçoit-elle un ordre de l'un des trois qu'elle a droit à un contre-ordre du deuxième ou du troisième.

« Je prends une conversation pour argent comptant et me débrouille avec, se justifie-t-elle. J'annonce ce qui est au programme du jour, reçois les gens de la com' pour élaborer un plan médiatique et j'informe l'exécutif et le Bureau des relations publiques. Et puis Jared demande : "Pourquoi avez-vous fait ça ?" Je lui réponds : "Parce que nous avons eu une réunion il y a trois jours avec vous, Reince et Steve, où vous avez donné votre aval.

— Mais ça ne voulait pas dire que je voulais que ce soit au programme, ce n'était pas l'objet de cette conversation", poursuit Kushner. Et peu importe ce qui est dit : Jared donnera son accord, et puis ce sera saboté et Jared ira voir le Président pour dire : "Vous voyez, c'était l'idée de Reince ou celle de Steven." »

Bannon se concentre sur une succession de décrets présidentiels qui doivent permettre à la nouvelle administration d'avancer sans avoir à patauger au Congrès. Mais le processus est contrecarré par Priebus, qui cultive l'idylle Trump-Ryan et gère l'agenda républicain, lequel à son tour est contrarié par Kushner, tout entier dévoué à la bonhomie présidentielle et aux tables rondes de PDG, parce qu'il sait combien le Président les apprécie (et combien Kushner aussi, les apprécie, souligne Bannon). Au lieu de faire face aux conflits, le trio reconnaît que ces derniers sont quasiment insolubles. Les trois hommes refusent d'affonter la réalité en s'évitant mutuellement.

Ils ont trouvé, chacun à sa manière et avec son astuce personnelle, un moyen de s'adresser au Président et de communiquer avec lui. Bannon privilégie le rapport de force à la va-te-faire foutre ; Priebus rapporte les flatteries des dirigeants du Congrès ; quant à Kushner, il transmet l'approbation des grands patrons d'entreprises. Ces traits particuliers sont chacun si puissants que le Président, comme à son habitude, préfère ne pas faire de distinction entre eux. Ils sont ce qu'il attend de la présidence et ne comprend pas pourquoi il ne pourrait pas les avoir tous. Il veut créer une fracture, il veut qu'un Congrès républicain lui donne des décrets à signer, et enfin il veut l'amour et le respect des patrons et de l'élite new-yorkaise. Certains à la Maison Blanche comprennent que les décrets présidentiels de Bannon sont une manière de répondre à la proximité du parti incarnée par Priebus, et que les patrons de Kushner sont atterrés par ces décrets et opposés à une bonne partie du programme républicain. Si le Président le comprend aussi, cela ne l'inquiète pas particulièrement.

Étant parvenus à une sorte de paralysie de l'exécutif dès le premier mois de l'administration – chacun de ces trois conseillers a autant d'ascendant sur le Président que les autres, et tous, par moments, l'exaspèrent – Bannon, Priebus et Kushner mettent au point leur propre technique pour influencer Trump et évincer les autres.

L'analyse et le débat ne marchent pas plus que le PowerPoint avec le Président. Ce qui fonctionne, c'est : qui dit quoi à Trump et quand ? Si, à l'instigation de Bannon, Rebekah Mercer l'appelle, cela produit son petit effet. Priebus peut compter sur l'appui de Paul Ryan. Et si Kushner fait appeler Murdoch, c'est noté. Chaque nouvel appel annule le précédent.

Cette paralysie de l'exécutif mène les trois conseillers à adopter une autre manière efficace d'atteindre le Président : les médias. Chacun d'eux divulgue des informations confidentielles. Bannon et Kushner évitent soigneusement l'exposition médiatique. Deux des membres les plus puissants du gouvernement sont, pour l'essentiel, complètement silencieux, fuient presque toutes les interviews et jusqu'aux débats politiques classiques de la télévision du dimanche matin. Mais les deux hommes s'occupent du bruit de fond de pratiquement tous les reportages sur la Maison Blanche. Au début, avant de se tirer dans les pattes, Bannon et Kushner étaient solidaires dans leurs offensives individuelles contre Priebus. Le vecteur préféré de Kushner est *Morning Joe*, une des émissions matinales que regarde régulièrement le Président. Le havre naturel de Bannon, ce sont les médias de l'alt-right – « les magouilles Breitbart de Bannon », aux dires de Walsh. Dès la fin de leur premier mois en exercice, Bannon et Kushner ont bâti chacun un réseau de chambres d'écho de première qualité, ainsi qu'un réseau secondaire pour contrebalancer le poids du premier. La Maison Blanche montre simultanément une extrême hostilité envers la presse et une grande facilité à organiser des fuites. Sur ce point, au moins, l'administration Trump garantit une transparence historique.

Les fuites constantes sont souvent imputées à des sous-fifres ou à des fonctionnaires. Fin février, Sean Spicer organise une réunion de tout le personnel – les téléphones portables sont déposés à la porte – au cours de laquelle l'attachée de presse brandit des menaces d'écoutes téléphoniques aléatoires et des avertissements sur l'usage de messageries cryptées. Chacun accuse tous les autres d'être à l'origine des fuites.

Tout le monde fait fuiter des informations.

Un jour, Kushner accuse Walsh de baver sur son compte. Elle le met au défi : « Mes relevés téléphoniques contre les tiens, ma messagerie contre la tienne. »

Mais la plupart des fuites, en tout cas les plus juteuses, viennent de plus haut – sans parler de la personne qui occupe l'échelon suprême.

Véritable moulin à paroles, le Président geint et s'apitoie beaucoup sur son sort. Pour tous, il est clair que s'il a une bonne étoile pour le guider c'est son désir d'être aimé. Il ne comprend jamais pourquoi personne ne l'aime, ou pourquoi il est si difficile d'être aimé par tout le monde. Une visite de syndicalistes de la sidérurgie ou de PDG à la Maison Blanche suffit à le rendre heureux toute la journée. Le Président échange des compliments avec ses visiteurs, puis cette bonne humeur s'aigrit dans la soirée après plusieurs heures de télévision. Alors il prend son téléphone et, dans ses divagations non sécurisées avec des amis ou d'autres, conversations qui durent en moyenne trente ou quarante minutes et peuvent se prolonger plus encore, il s'épanche. Quelques-uns des experts auto-proclamés de Trump – et tout le monde est un expert de Trump – affirment que le Président est décidé à « empoisonner le puits » de ces fuites, ce qui suscite un climat de suspicion, de mécontentement et de menaces.

Quand le Président téléphone après dîner, ses propos sont souvent décousus. D'une manière paranoïaque ou sadique, il spécule sur les défauts et les faiblesses de chaque membre de son état-major. Bannon est déloyal (sans compter qu'il est fringué comme une merde). Priebus est un faible (sans oublier qu'il est petit, un nain). Kushner, un lèche-bottes. Spicer est stupide (et il a une sale gueule). Conway est une pleurnicheuse. Jared et Ivanka n'auraient jamais dû venir à Washington.

Ses correspondants, parce qu'ils trouvent la conversation singulière, inquiétante ou contraire à la raison et au bon sens, ne tiennent pas souvent compte de la nature confidentielle de ces appels. Par conséquent certaines informations sur la Maison Blanche circulent librement. En réalité, elles portent moins sur ses rouages internes que sur les élucubrations du Président qui change de sujet presque aussi vite qu'il s'exprime. Des thèmes récurrents ponctuent toutefois son récit : Bannon va être viré, Priebus aussi, Kushner a besoin de sa protection contre les méchants.

Si Bannon, Priebus et Kushner se livrent une guerre quotidienne, celle-ci est exacerbée par une sorte de campagne permanente de désinformation sur leur compte, alimentée par le Président lui-même. Éternel insatisfait, il voit chaque membre de son cercle restreint comme un enfant à problème dont le sort repose entre ses mains. « Nous sommes des pécheurs et il est Dieu », dit l'un. « Nous le servons à son grand déplaisir », ajoute un autre.

Dans la West Wing de chaque administration depuis au moins Clinton et Gore, le vice-président occupe un pouvoir indépendant. Et pourtant le vice-président Mike Pence – le plus réservé de cette administration dont la durée est un sujet de pari national – est un fantoche, une présence souriante semblant résister à son propre pouvoir, à moins qu'il ne soit incapable de l'exercer.

« Je préside aux enterrements et coupe les rubans des inaugurations », confie-t-il à un ancien collègue du Congrès. Ce constat le cantonne au rôle d'un vice-président je-m'en-foutiste à l'ancienne, peut-être par crainte de contrarier son patron.

Katie Walsh, au milieu de ce chaos, voit le bureau du vice-président comme un havre de paix. Le personnel de Pence n'est pas seulement connu à l'extérieur pour l'empressement avec lequel il rappelle ses correspondants et la facilité avec laquelle il semble accomplir ses tâches au sein de la West Wing. Il est aussi composé de personnes qui s'apprécient mutuellement et travaillent à un objectif commun : éliminer autant que possible les frictions autour du vice-président.

Pence commence presque toutes ses allocutions par ces mots : « Je vous transmets les salutations de notre quarante-cinquième président des États-Unis, Donald J. Trump... » – un salut destiné davantage au Président qu'à son public.

Il se perçoit comme un politicien sans charisme, passe-murailles et peine à exister dans l'ombre de Donald Trump. Peu de fuites proviennent de son côté de la Maison Blanche. Ceux qui travaillent pour Pence lui ressemblent. Ils ne sont pas bavards.

Pence a trouvé la solution pour servir un président qui ne supporte pas la moindre comparaison : une extrême modestie.

« Pence, dit Walsh, n'est pas idiot. »

Pourtant, c'est ainsi que les autres habitués de la West Wing le jugent, un homme d'une intelligence assez limitée. Et s'il n'est pas futé, il ne peut pas faire concurrence au pouvoir.

Du côté Jarvanka, Pence est une source d'amusement. Il apparaît extraordinairement content d'être le vice-président de Donald Trump, heureux de jouer le rôle d'un second qui ne va pas hérisser le poil du Président. Derrière son opportune modestie, les Jarvanka reconnaissent la main de la femme de Pence, Karen. Il joue si bien son rôle que sa soumission a fini par paraître suspecte à certains.

Le camp de Priebus, auquel Walsh appartient, voit Pence comme l'un des rares grands personnages de la West Wing qui traite Priebus en chef de cabinet. Pence ressemble souvent à un simple subordonné, un de ces preneurs de notes toujours présents dans les réunions.

Du côté de Bannon, Pence n'engrange que du mépris. « Pence est semblable au mari d'*Ozzie & Harriet*[1], un non-événement », lance un proche de Steve.

Même si beaucoup le voient comme un homme susceptible d'assumer un jour la présidence, il est perçu comme le vice-président le plus faible depuis des décennies, un costume vide qui ne sert à rien dans l'effort quotidien pour contrôler le Président et stabiliser la West Wing.

Durant ce premier mois, l'incrédulité et même l'angoisse de Walsh face aux événements de la Maison Blanche la conduisent à songer à démissionner. Un compte à rebours commence, jusqu'au jour où elle sait qu'elle ne pourra plus en supporter davantage – ce qui l'amène à la fin mars. Pour Walsh, fière professionnelle de la politique, le chaos, les rivalités et le manque d'intérêt et de concentration du Président sont tout bonnement incompréhensibles.

---

1. *The Adventures of Ozzie and Harriet*, sitcom américaine diffusée entre 1952 et 1966 sur ABC.

Début mars, elle va trouver Kushner et lui demander :

« Énumérez-moi les trois choses sur lesquelles le Président désire se concentrer. Quelles sont les trois priorités de la Maison Blanche ?

— Oui, dit Kushner, sans répondre à sa question. Il nous faudrait sans doute avoir cette conversation. »

9

Le grand rendez-vous des conservateurs

Le 23 février, alors qu'il fait 24 °C à Washington, le Président
se réveille en se plaignant que la Maison Blanche est surchauffée.
Mais, pour une fois, ses doléances ne sont pas le sujet du jour. La
préoccupation principale des membres de la West Wing est d'organiser une noria de covoiturages pour se rendre à la CPAC, la
Conservative Political Action Conference[1], le rassemblement annuel
des militants du mouvement conservateur, qui, ayant dépassé les
capacités d'accueil des hôtels de Washington, s'est délocalisée
au Gaylord National Resort & Convention Center, sur le front de
mer de National Harbor, dans le Maryland. La CPAC, à droite
du centre droit et tâchant de tenir le cap, entretient depuis longtemps de mauvais rapports avec Trump qu'elle considère comme
un conservateur improbable, sinon un charlatan. Elle estime aussi
que Bannon et Breitbart ont dérivé vers un conservatisme outrancier. Pendant plusieurs années, Breitbart a organisé à proximité
de la conférence un forum concurrent, surnommé *The Uninvited*[2].

La Maison Blanche de Trump compte dominer la conférence
cette année, et tout le monde veut être là pour ce grand événement.
Le Président, prévu au programme du deuxième jour, prendra la
parole à l'occasion de la première année de son mandat, à l'instar

---

1. Conférence d'action politique conservatrice, grand rendez-vous politique considéré comme un baromètre pour le choix du candidat républicain à la présidentielle
américaine.
2. « Les Exclus ».

de Ronald Reagan, alors que les deux Bush, qui se méfiaient de la CPAC et de ses activistes conservateurs, avaient snobé ce rassemblement.

Kellyanne Conway, spécialiste des ouvertures de colloque, est accompagnée de son assistante, de ses deux filles et d'une baby-sitter. Bannon fait sa première apparition publique en tant que conseiller du Président. Son entourage inclut Rebekah Mercer, donatrice influente de Trump et actionnaire de Breitbart News, sa fille, et Allie Hanley, aristocrate de Palm Beach, philantrope, conservatrice et amie de Mercer. (La hautaine Hanley, qui n'a jamais rencontré Bannon, juge ce dernier « peu soigné ».)

Il est prévu que Bannon soit interviewé lors de la séance de l'après-midi par le président de la CPAC, Matt Schlapp, une personnalité à l'amabilité forcée qui a l'air de vouloir soutenir Trump. Quelques jours auparavant, Bannon a décidé d'inviter Priebus à leur entretien, un geste personnel de bonne volonté, une démonstration publique d'unité, et le signe d'une alliance naissante contre Kushner.

Dans la ville voisine d'Alexandria, en Virginie, Richard Spencer, le président du National Policy Institute, décrit par certains comme un « think-tank alt-right blanc », considère, au grand dam de la Maison Blanche, la présidence de Trump comme une victoire personnelle. Il prépare son déplacement à la CPAC, un moment de gloire autant pour lui que pour l'équipe de Trump. Spencer – qui, en 2016, avait déclaré « Faisons la fête comme en 1933 ! », l'année où Hitler accéda au pouvoir – a provoqué un tollé avec ses saluts « *Heil Trump* » largement évoqués dans la presse, puis a joué au martyr après avoir reçu un coup de poing de la part d'un contestataire, scène immortalisée sur YouTube.

La CPAC, organisée autour de ce qui reste du mouvement conservateur après la défaite apocalyptique de Barry Goldwater en 1964, a fini par sauver et faire triompher la droite. Elle s'est éloignée des adeptes de la John Birch Society[1] et de la droite

---

1. Association d'extrême droite américaine fondée à Indianapolis en 1958, en mémoire de John Birch, militaire et missionnaire protestant tué par des communistes chinois en 1945.

raciste afin d'embrasser la doctrine conservatrice de Russell Kirk et William F. Buckley. Elle a soutenu le désengagement de l'État et les réformes de dérégulation des années Reagan, puis a adopté les positions de la droite – anti-avortement, anti-mariage gay, plus un penchant vers les évangélistes – et s'est associée avec les médias conservateurs, les premières radios de droite et, plus tard, Fox News. De cet assemblage, elle a tiré un argumentaire fourre-tout sur la pureté, le synchronisme et la supériorité intellectuelle du conservatisme. Parmi les distractions amusantes de la conférence, qui attire de nombreux jeunes gens souvent moqués par les médias de gauche, on peut citer les cours de catéchisme conservateur.

Mais après son essor dans les années 1990 lié à la présidence Clinton, la CPAC a commencé à se fissurer sous le mandat de George W. Bush. La chaîne Fox News est devenue le point névralgique du conservatisme américain. Les néoconservateurs de Bush et la guerre en Irak ont été de plus en plus contestés par les libertariens et d'autres factions (entre autres les paléo-conservateurs) ; tandis que les traditionnalistes ont été menacés par une nouvelle génération de conservateurs. Durant les années Obama, la droite est tétanisée par le Tea Party et un nouveau média iconoclaste, Breitbart News, exclu des précédentes conférences de la CPAC.

En 2011, jurant fidélité au clan conservateur, Trump fait pression pour obtenir la parole et, suite à des rumeurs autour d'une contribution financière substantielle, se voit accorder une plage de quinze minutes. Si la CPAC est censée tenir une certaine ligne de droite, elle est aussi attentive aux propos d'un large éventail de personnalités conservatrices, dont, au fil des ans, Rush Limbaugh, Ann Coulter et diverses vedettes de Fox News. Un an avant la réélection d'Obama, Trump relève de cette catégorie. Mais, quatre ans plus tard, on le voit d'un autre œil. Au cours de l'hiver 2016, lors des primaires républicaines à l'issue encore incertaine, Trump – considéré à la fois comme un apostat républicain et un amuseur public – décide de ne pas se rendre à la CPAC, de crainte de recevoir un accueil déplaisant.

En 2017, suite à son nouvel alignement avec le tandem Trump-Bannon, la tête d'affiche de la CPAC est le champion de la droite alternative Milo Yiannopoulos[1], un provocateur britannique gay, lié à Breitbart News. Yiannopoulos, dont la position, proche de celle d'un provocateur gauchiste de 1968, consiste à braver le « politiquement correct » et les conventions sociales, est l'une des figures conservatrices les plus déconcertantes du moment. Il est probable que la CPAC l'a choisi pour mettre à l'honneur Bannon et la Maison Blanche en vertu du lien implicite qui existe entre eux : Yiannopoulos fut en effet un protégé de Bannon. Mais quand, deux jours avant l'ouverture de la CPAC, un blogueur conservateur découvre une vidéo de Yiannopoulos semblant justifier la pédophilie à l'occasion d'étranges festivités, la Maison Blanche fait savoir qu'il doit s'en aller.

La présence de la Maison Blanche à la CPAC – incarnée par le Président, Bannon, Conway, la secrétaire à l'Éducation Betsy DeVos et le conseiller excentrique de politique étrangère et ancien rédacteur de Breitbart, Sebastian Gorka – semble faire oublier le cafouillage de Yiannopoulos. La CPAC a toujours cherché à regonfler le charisme de tous ces hommes politiques ennuyeux en les starifiant. Désormais, c'est Trump et tous ceux qui gravitent autour de lui qui trônent en haut de l'affiche. Avec sa famille, devant une salle comble, Conway est interviewée dans le style d'Oprah Winfrey[2] par Mercedes Schlapp – femme de Matt Schlapp, la CPAC étant aussi une affaire de famille –, chroniqueuse au quotidien conservateur *Washington Times* qui rejoindra plus tard le personnel en charge de la communication de la Maison Blanche. L'interview intimiste de Conway met en valeur les opinions d'une femme qui a réussi. C'est le type d'entretien auquel elle aurait eu droit à la télévision ou sur le câble, pense-t-elle, si elle n'avait pas été une républicaine de Trump et auquel ont eu droit ses prédécesseurs démocrates, comme Valerie Jarrett.

---

1. Journaliste et entrepreneur britannique né le 18 octobre 1983. Il fonde *The Kernel*, un magazine en ligne sur les nouvelles technologies. Bien qu'ouvertement homosexuel, Yiannopoulos qualifie l'homosexualité d'« aberration ».

2. Animatrice, actrice, et productrice américaine de télévision et de cinéma, elle est surtout connue pour son talk-show, *The Oprah Winfrey Show*. Elle est pressentie pour être la prochaine candidate démocrate.

Au moment où Conway explique sa position singulière sur le féminisme antiféministe, Richard Spencer déboule dans le centre où se tient la conférence dans l'espoir de participer à la table ronde intitulée « L'alt-right n'est pas de droite », une discrète tentative de la CPAC pour réaffirmer ses valeurs traditionnelles. Spencer qui, depuis la victoire de Trump, s'est engagé à plein temps dans le militantisme et les interventions médiatiques, espère poser la première question. Mais à peine arrivé, alors qu'il paye ses 150 dollars de frais d'accréditation, il attire l'attention d'un journaliste, puis d'un autre, le cercle grandit, et face à cette bousculade spontanée, Spencer improvise une conférence de presse. Comme Yiannopoulos et, à maints égards, comme Trump et Bannon, Spencer incarne les incohérences du mouvement conservateur moderne. Il est plus raciste que conservateur et il soutient avec enthousiasme le système public de santé. Et l'accueil qu'il reçoit, loin d'être un hommage au conservatisme, constitue une nouvelle tentative des médias de gauche de dénigrer celui-ci. Dès lors, des agents des services de sécurité de la CPAC, la police de l'ironie conservatrice, fendent la petite foule d'une trentaine de personnes qui s'est formée autour de Spencer.

« Vous n'êtes pas le bienvenu ici, annonce l'un des gardiens. On veut vous expulser, on veut que vous arrêtiez. On veut vous mettre dehors…

— Waouh ! s'exclame Spencer. Est-ce possible ?

— Ça suffit la parlote, riposte le garde. C'est une propriété privée ici, et la CPAC veut vous expulser. »

Délesté de son accréditation, Spencer est reconduit à l'extérieur du périmètre de la CPAC, qui se tient dans l'hôtel où, installé au salon de l'atrium, il envoie textos et mails aux réseaux sociaux et aux journalistes de sa liste de contacts.

Ce que Spencer veut démontrer, c'est que sa présence à la CPAC n'était pas vraiment plus gênante ou incohérente que celle de Bannon, ou même d'ailleurs de Trump. C'était peut-être lui qu'on expulsait, mais d'un point de vue plus large, à travers lui c'étaient les conservateurs qui se retrouvaient expulsés de leur propre mouvement par de nouveaux acteurs, dont Bannon et Trump, que

Spencer nomme les identitaires, porteurs des « intérêts, valeurs, coutumes et cultures des Blancs ».

Spencer est, pense-t-il, le vrai trumpiste, et le reste de la CPAC, des déviants.

Dans le salon vert, après l'arrivée de Bannon, de Priebus et de leurs équipes, Bannon – chemise et veston sombres, pantalon blanc – se tient à côté de la scène et discute avec son assistante, Alexandra Preate. Sur sa chaise de maquillage, Priebus se laisse patiemment tartiner de fond de teint, de poudre et de gloss.

« Steve…, dit Priebus alors qu'il se lève, désignant sa chaise.

— Ça va », répond Bannon, levant la main pour esquisser encore un de ces petits gestes censés le distinguer de Reince Priebus et de tous ces politicards maquillés.

L'importance de cette première apparition publique de Bannon ne doit pas être sous-estimée. Elle intervient après des jours et des jours d'agitation dans la West Wing, une couverture du magazine *Time*, des spéculations incessantes sur son pouvoir et ses intentions. Il est devenu, du moins dans l'esprit des médias, le mystère central de la Maison Blanche de Trump. Pour Bannon lui-même, c'est lui qui a pensé et soigneusement orchestré ce moment. Son moment de gloire. Il a gagné sa bataille de la West Wing, songe-t-il, il a imposé sa supériorité à la fois sur Priebus et sur ce crétin de gendre du Président. Et il va maintenant s'emparer de la CPAC. Mais, pour le moment, il fait comme si de rien n'était alors qu'il est incontestablement le héros du jour. Ne pas se laisser maquiller n'est pas juste le moyen de se distinguer de Priebus, de le rabaisser, c'est aussi une manière de dire qu'en bon soldat, il se jette dans la bataille à découvert.

« Vous savez ce qu'il pense, même quand vous ne savez pas ce qu'il pense, avance Alexandra Preate. C'est un peu comme un enfant sage dont tout le monde sait qu'il est méchant. »

Lorsque les deux hommes surgissent sur l'estrade et apparaissent sur les grands écrans de télévision, le contraste entre eux ne pourrait pas être plus saisissant. Le maquillage donne à Priebus un teint de cire, il a l'air d'un petit garçon dans son costume avec son pin's. Bannon, le soi-disant ennemi des médias, monopolise la caméra. C'est une star de musique country, un Johnny Cash. Il gratifie Priebus d'une puissante poignée de main, puis s'étale tranquillement dans son fauteuil alors que Priebus ne pose que le bout des fesses sur le sien.

Priebus ouvre la séance par les banalités d'usage. Bannon prend le relais.

« Je tiens à vous remercier de m'avoir enfin invité à la CPAC.

— Nous avons décidé de dire que tout le monde fait partie de notre famille conservatrice », déclare Matt Schlapp, résigné, avant de souhaiter ensuite la bienvenue au « fond de la salle » où se pressent des centaines de reporters chargés de couvrir l'événement.

— C'est le parti d'opposition ? » demande Bannon, en mettant sa main en visière au-dessus de ses yeux.

Schlapp en vient à la question arrangée :

« Nous avons lu pas mal de choses sur vous deux. Hum…

— Tout est véridique, interrompt Priebus.

— Je parie que tout n'est pas vrai, reprend Schlapp. Je parie qu'il y a des choses écrites qui ne sont pas exactes. Je vous demande à tous les deux : quelle est l'idée la plus fausse que l'on se fait sur la Maison Blanche sous Donald Trump ? »

Bannon affiche un sourire narquois, sans répondre.

Priebus veut témoigner de sa proximité avec Bannon. Ce dernier, dont les yeux papillotent, lève le micro comme s'il s'agissait d'une trompette et raconte une blague sur le confortable bureau de Priebus – deux divans et une cheminée – et le sien, plus spartiate.

Priebus continue :

« C'est, ah !… c'est vraiment… quelque chose que vous avez tous contribué à bâtir, ce qui arrive, quand on se rassemble, et ce que montre cette élection, et ce qu'a montré le Président Trump, et ne nous faisons pas d'illusion, je peux vous parler des données et du terrain, et Steve peut vous parler des grandes idées, mais la vérité sur ce sujet c'est Donald Trump, le Président Trump, qui a rassemblé le parti et le mouvement conservateur. Et je vous dis que si le parti et le mouvement conservateur sont unis (Priebus frappe ses deux poings l'un contre l'autre) comme Steve et moi, rien ne peut les arrêter. Le Président Trump est le seul homme, il est le seul, et je peux vous le dire après avoir regardé seize personnes s'entretuer, c'est Donald Trump qui peut rassembler ce pays, ce parti et ce mouvement. Et Steve et moi on le sait et on le vit tous les jours, et notre boulot c'est de gérer l'agenda du Président Trump et de l'inscrire noir sur blanc. »

Pendant que Priebus retrouve son souffle, Bannon prend le relais.

« Je pense que si vous regardez le parti d'opposition (tendant la main vers le fond de la salle) et comment ils ont caricaturé la campagne, comment ils ont caricaturé la transition, et maintenant encore comment ils caricaturent l'administration, ils ont tout faux. Je veux dire que le tout premier jour où Kellyanne et moi avons commencé, nous avons tendu la main à Reince, Sean Spicer, Katie… C'est la même équipe, vous savez, qui, tous les jours, bossait sur la campagne, la même qui a fait la transition, et si vous vous rappelez, la campagne a été la plus chaotique, c'est ce qu'ont dit les médias, la plus chaotique, la plus désorganisée, la moins professionnelle. On ne savait absolument pas ce qu'ils faisaient, et puis on les a vus tous crier et pleurer la nuit du 8 novembre. »

À la Maison Blanche, Jared Kushner, qui suit les événements d'abord de manière distraite, puis avec plus d'attention, sent soudain la colère monter en lui. À fleur de peau, sur la défensive, sur ses gardes aussi, il ressent le discours de Bannon comme étant dirigé contre lui. Bannon vient d'imputer la victoire de Trump à tout le monde, sauf lui. Kushner a la certitude qu'on le nargue.

Quand Schlapp demande aux deux hommes d'énumérer les exploits des trente derniers jours, Priebus rame, puis se rabat sur le juge Gorsuch et le décret de dérégulation, « toutes choses, dit-il, avec lesquelles… (il marque une pause, se battant avec les mots)… quatre-vingts pour cent des Américains sont d'accord. »

Au bout d'un bref silence, comme s'il attendait que la situation se clarifie, Bannon lève le micro :

« Je décompose ça en trois verticales, trois colonnes. La première, la souveraineté et la sécurité nationale, c'est vos services
de renseignement, votre département de la Défense, votre sécurité intérieure. La deuxième, c'est ce que j'appelle le nationalisme
économique, et c'est Wilbur Ross, secrétaire au Commerce, Steve
Mnuchin au Trésor, Robert Lighthizer, représentant pour le Commerce extérieur, Peter Navarro et Stephen Miller qui réfléchissent à
la manière dont nous allons reconstruire nos échanges commerciaux
autour de la planète. La troisième, grosso modo, c'est la déconstruction de l'État administratif… (Bannon marque une nouvelle pause ;
sa phrase, une première dans la politique américaine, soulève de
vifs applaudissements.) La manière de gouverner de la gauche
progressiste, c'est que, s'ils n'arrivent pas à passer au Congrès, ils
confient le bébé simplement sous forme de règlement à une agence
gouvernementale. Tout ça va être déconstruit. »

Schlapp pose une nouvelle question préparée cette fois sur les
médias.

Priebus s'en empare, parle et marmonne un moment pour ne
rien dire et finit sur une note positive :

Nous réussirons tous ensemble.

Levant son micro une fois encore à la manière de Joshua de
Dark Angel[1], et avec un grand geste de l'autre main, Bannon
déclare :

« Cela ne va pas seulement s'améliorer, cela va empirer tous
les jours (rengaine apocalyptique qu'il sert à tout-va) et voilà
pourquoi… La logique interne a du sens, parce que les médias
mondialistes globalistes et corporatistes sont catégoriquement
opposés, oui catégoriquement opposés, à un agenda économique
nationaliste tel que celui de Donald Trump. Et voilà pourquoi ça
va empirer : parce qu'il va continuer à respecter son agenda. Et
comme les conditions économiques continuent de s'améliorer, ainsi
que la situation de l'emploi, ils nous combattront encore. Si vous
pensez qu'ils vont vous rendre votre pays sans lutter, vous vous

---

1. Être masculin transgénique mi-homme mi-chien dans la deuxième saison de
la série de James Cameron.

trompez lourdement. Ce sera un combat de tous les jours. C'est la raison pour laquelle je suis fier de Donald Trump. Toutes les occasions qu'il a eues de flancher, tous ces gens qu'il a vus venir à lui en disant : "Oh, un peu de modération…" (Une nouvelle pierre à Kushner.) Tous les jours, dans le Bureau ovale, il nous dit, à Reince et à moi : "Je me suis engagé devant le peuple américain, je lui ai fait cette promesse pendant la campagne. Et je vais tenir parole." »

Et enfin, la dernière question convenue à l'avance :

« Ce mouvement pour Trump peut-il se combiner avec ce qui se passe à la CPAC et dans d'autres mouvances conservatrices depuis cinquante ans ? Est-ce une promesse d'union… et cela va-t-il sauver le pays ?

— Eh bien, nous devons nous serrer les coudes dans l'équipe, répond Priebus. Il faut que nous unissions tous nos efforts pour que cela arrive. »

Bannon commence sa réponse en parlant lentement, fixant son public sous le charme, captivé.

« J'ai dit qu'un nouvel ordre politique se dessine et qu'il est encore en formation. Si vous regardez la diversité d'opinions présente dans cette salle, que vous soyez populiste, conservateur partisan d'un désengagement de l'État, libertarien ou protectionniste, nous avons des opinions éclectiques et parfois divergentes, mais je reste persuadé que le cœur de nos convictions, c'est que nous sommes une nation avec une économie, pas une économie faisant simplement partie d'un marché mondial aux frontières ouvertes, que nous sommes une nation possédant une culture et une raison d'être. Je suis persuadé que c'est ce qui nous rassemble. Et c'est ce qui va unir ce mouvement qui va de l'avant. »

Après un instant d'hésitation, Bannon abaisse son micro et reçoit un tonnerre d'applaudissements.

À la Maison Blanche, Kushner est fou de rage. Il pense qu'il y a quelque chose d'insidieux dans l'usage que Bannon fait des mots « frontières », « global », « culture » et « union », persuadé qu'ils sont dirigés contre lui.

Kellyanne Conway s'inquiète de plus en plus du manque de sommeil et des traits tirés de son président de 70 ans. Selon elle, c'est son agitation permanente qui porte l'équipe. En campagne, il voulait toujours ajouter de nouvelles étapes et de nouveaux discours. Il avait doublé son temps pour convaincre. Hillary travaillait à mi-temps, il travaillait deux fois plus. Il se nourrissait de l'énergie des foules. Maintenant qu'il vit seul à la Maison Blanche, il semble perdre pied.

Mais aujourd'hui, il est de retour. Il est passé sous la lampe à bronzer et a éclairci ses cheveux. Lorsque le Président se réveille ce matin, avec 25 °C en plein hiver (ce qui n'étonne pas le climatosceptique) le deuxième jour de la CPAC, il semble différent, rajeuni. À l'heure convenue, dans la salle de bal bouclée du Gaylord Resort, remplie de toutes les obédiences conservatrices – avec Rebekah Mercer et sa fille au premier rang – et de centaines de représentants des médias debout dans une galerie, le Président apparaît sur l'estrade, sans la précipitation énergique que prisent les télévisions. Il marche lentement, d'un pas légèrement chaloupé sur les accords de *I'm Proud to Be an American*[1]. Il se dirige vers l'estrade en homme politique fort, qui profite du moment, et applaudit avec le public. Il prend la pose de l'artiste et s'approche lentement du podium, formant le mot « Merci » avec ses lèvres, la cravate pourpre pendant au-dessus de sa ceinture.

C'est la cinquième communication de Trump à la CPAC. Steve Bannon aime non seulement se voir comme le créateur de Donald Trump, mais il lui semble aussi trouver une preuve de légitimité dans le fait que, depuis 2011, Trump vient à la CPAC apporter le même message. Ce n'est pas un nul, c'est un messager. Ce pays, c'est la pagaille, comme il aime à le répéter. Ses dirigeants sont faibles, sa grandeur n'est qu'un souvenir. La seule différence, c'est qu'en 2011 il lisait ses discours et ne faisait que quelques improvisations occasionnelles, maintenant il improvise sur tout.

---

1. Morceau de l'album *American Patriot*, Lee Greenwood, 1992.

« Mon premier grand discours a été pour la CPAC, commence le Président. Il y a sans doute cinq ou six ans. Mon premier grand discours politique. Vous étiez déjà là. J'ai adoré ça ! J'ai adoré le public, j'ai adoré le vacarme. Ils ont sorti ce sondage où j'ai explosé. Je n'étais même pas dans la course. Mais ça m'a donné une idée ! Et je me suis senti un peu concerné en voyant ce qui se passait dans ce pays, alors j'ai dit On y va. C'était très excitant. Je suis entré en scène à la CPAC. J'avais très peu de notes et encore moins de préparation. (De fait, il a lu son discours de 2011 sur une feuille de papier.) Alors quand on a pratiquement pas de notes et aucune préparation, et puis qu'on part et que tout le monde est excité… J'ai dit, je crois que j'aime ce boulot. »

Ce premier préambule cède la place à un deuxième.

« Je veux que vous sachiez tous que nous combattons les *fake news*. C'est truqué, faux. Il y a quelques jours, j'ai traité les *fake news* d'ennemi du peuple. Comme les gens n'ont pas de sources, ils se contentent de les inventer. J'ai vu un article, récemment, où ils disaient que neuf personnes avaient confirmé. Où sont les neuf personnes ? Je ne crois même pas qu'il y en ait eu une ou deux. Neuf personnes. Et je leur ai dit laissez-moi tranquille. Je connais ces gens. Je sais à qui ils parlent. Il n'y a jamais eu neuf personnes. Mais ils parlent de neuf… »

Juste après le début de son allocution de quarante-huit minutes, il improvise déjà, à coups de répétitions.

« Ils sont peut-être aussi mauvais en sondages. Ou peut-être ne sont-ils pas réglos. C'est l'un ou l'autre. Ils sont très intelligents, ils sont très rusés. Et ils sont très malhonnêtes… Juste pour conclure (alors qu'il allait en fait parler trente-sept minutes de plus) c'est un sujet très sensible et ils ne sont pas contents quand nous dénonçons leurs mensonges. Ils disent qu'on ne peut pas critiquer leur couverture malhonnête à cause du premier amendement[1]. Vous savez, ils

---

1. Premier amendement à la Constitution des États-Unis, 1791 : « Le Congrès n'adoptera aucune loi relative à l'établissement d'une religion, ou à l'interdiction de son libre exercice ; ou pour limiter la liberté d'expression, de la presse ou le droit des citoyens de se réunir pacifiquement ou d'adresser au gouvernement des pétitions pour obtenir réparation des torts subis. »

invoquent (il prend une voix de fausset) *le premier amendement.* Moi, j'adore le premier amendement. Personne ne l'adore plus que moi. Personne. »

Tous les membres de l'équipe de Trump gardent un visage prudemment impassible. Quand ils se décrispent, c'est comme s'ils avaient observé un délai de rigueur, ou que les rires et les applaudissements de la foule les y avaient autorisés. Toutefois, ils n'ont pas l'air de savoir si le Président en a fini avec ses digressions incongrues.

« Au fait, vous qui êtes là, la salle est bourrée, il y a des queues longues de six blocs (en réalité, personne ne faisait la queue devant l'entrée du bâtiment), je vous le dis parce que vous ne le lirez pas dans la presse. Mais il y a des queues dans la rue.

« Il y a une seule allégeance qui nous unit tous, l'allégeance à l'Amérique, l'Amérique… Nous saluons tous avec fierté le même drapeau américain… et nous sommes tous égaux… égaux aux yeux de Dieu Tout-Puissant… Nous sommes égaux… et je voudrais remercier au passage la communauté évangéliste, la communauté chrétienne, les communautés religieuses, les rabbins et les prêtres et les pasteurs, les hommes d'Église, parce que leur soutien, comme vous le savez, a atteint des records, en chiffres absolus, mais aussi en pourcentages… un incroyable raz-de-marée et je ne vous décevrai pas… aussi longtemps que nous aurons confiance les uns dans les autres et foi en Dieu, alors il n'y a aucun objectif qui soit hors de notre portée… Il n'y a pas de rêve trop grand… pas de tâche trop lourde… nous sommes américains et l'avenir nous appartient… L'Amérique rugit. Elle va être plus grande, meilleure et plus forte que jamais auparavant… »

Dans la West Wing, certains se demandent combien de temps il va tenir, s'il peut maîtriser à la fois le temps et son langage. De l'avis général, une éternité. Le son de sa voix, son absence d'inhibition, le fait qu'une présentation et une pensée linéaires soient le dernier de ses soucis, l'étonnement que cette approche aléatoire semble susciter, et son stock toujours renouvelé de libres associations – tous ces éléments laissent penser qu'il a pour seules limites le temps disponible et la capacité d'attention des autres.

Les moments d'improvisation de Trump sont toujours existentiels, plus pour ses assistants que pour lui. Il s'exprime sans complexe et avec plaisir, se prenant pour un bon humoriste, un animateur public, tandis que tout son entourage retient son souffle. S'il se produit un cafouillage quand ses remarques partent dans tous les sens, son état-major doit recourir à la méthode Stanislavski pour trouver la parade. Il faut une discipline rigoureuse pour ne pas admettre ce qui saute aux yeux de tous.

Alors que le Président achève son discours, Richard Spencer, qui, moins de quatre mois après l'élection de Trump, est devenu le militant d'extrême droite le plus célèbre depuis George Lincoln Rockwell[1], retourne s'asseoir dans l'atrium du Gaylord Resort pour débattre de ses affinités avec Donald Trump – et, croit-il, vice versa.

Spencer, curieusement, est l'une des rares personnes à tenter de voir dans le trumpisme une doctrine intellectuelle. Entre ceux qui prennent Trump à la lettre mais pas au sérieux, et ceux qui ne le suivent pas à la lettre mais le prennent au sérieux, il y a Richard Spencer. Lui, il le suit par conviction. Si Trump et Bannon sont les poissons pilotes d'un nouveau mouvement conservateur, lui, Spencer – le propriétaire de altright.com et, pense-t-il, le représentant le plus pur du mouvement – est leur poisson pilote extrémiste, qu'ils le veuillent ou non.

Soutenant des thèses proches de l'hitlérisme, ainsi que la plupart des journalistes ont pu le constater, Spencer est comme une drogue pour la presse de gauche venue en masse à la CPAC. Il est un exemple parmi d'autres de la politique anormale de Trump.

S'il s'est fait connaître par des contributions dans des publications conservatrices, il n'est pas officiellement reconnu comme un républicain ou un conservateur. C'est un provocateur, mais sans la poigne ou le mordant que déploient dans les dîners mondains une Ann Coulter ou un Milo Yiannopoulous. Alors qu'eux sont des réactionnaires d'opérette, lui en est un vrai – un authentique

---

1. Chef du parti néonazi américain dans les années 1960.

raciste ayant reçu une bonne éducation, dans les universités de Virginie, de Chicago et de Duke[1].

C'est Bannon qui lui a mis le pied à l'étrier en déclarant publiquement que Breitbart est « la plate-forme de l'alt-right » – mouvement que Spencer affirme avoir fondé ou dont il possède du moins le nom de domaine.

« Je ne pense pas que Bannon ou Trump soient des identitaires ou des partisans de l'alt-right », explique Spencer, qui campe juste devant l'entrée de la CPAC, au Gaylord Resort. Ils ne sont pas, comme Spencer, des racistes philosophes (ce qui est différent des racistes épidermiques). « Mais ils sont ouverts à ces idées. Et ouverts aux gens qui sont ouverts à ces idées. Nous ajoutons du piment. »

Spencer a raison. Trump et Bannon, avec Jeff Sessions[2] qui fait également partie de l'équipe, se sont rapprochés plus que n'importe quel politicien d'envergure nationale depuis les années 1960 d'une idéologie raciste.

« Trump a dit des trucs que les conservateurs n'auraient jamais pensés... Ses critiques sur la guerre d'Irak, son bashing de la famille Bush, je ne pouvais pas croire qu'il le ferait... mais il l'a fait... Qu'ils aillent au diable ! Si, en bout de ligne, une bonne famille blanche et protestante produit Jeb et W.[3], alors, clairement, c'est un signe évident de déni... Et maintenant ils épousent des Mexicaines... La femme de Jeb... Il a épousé sa femme de ménage ou je ne sais qui.

« Dans son discours à la CPAC de 2011, Trump demande explicitement un assouplissement des restrictions d'immigration pour les Européens... pour que nous refondions une Amérique qui serait beaucoup plus stable et plus belle... Aucun autre politicien conservateur ne dirait ces choses... mais, d'un autre côté, presque tout le monde les a pensées... alors c'est fort de les dire. Clairement, un processus de normalisation est en cours.

---

1. Université de recherche privée très renommée, située à Durham en Caroline du Nord.

2. Membre du Parti républicain, sénateur fédéral de l'Alabama, puis Procureur général des États-Unis dans l'administration de Donald Trump depuis 2017.

3. Jeb et George W. Bush.

« Nous sommes l'avant-garde de Trump. La gauche dira que Trump est un nationaliste et un quasi-raciste ou un raciste qui ne dit pas son nom. Les conservateurs, parce qu'ils sont si prétentieux, disent, eux : Oh, non, bien sûr que non, c'est un constitutionnaliste, ou ce que vous voulez. Nous, partisans d'une droite alternative, nous dirons : il est nationaliste et il est "racialiste". Son mouvement est un mouvement blanc. »

L'air très satisfait, Spencer marque un silence, puis reprend : « Nous lui accordons notre autorisation. »

Non loin de là, dans l'atrium du Gaylord Resort, Rebekah Mercer s'est installée avec sa fille scolarisée à domicile et Allie Hanley, son amie mécène des conservateurs. Les deux femmes sont d'accord pour dire que le discours du Président à la CPAC l'a montré sous son meilleur jour, plein de grâce et tout à fait charmant.

10

Goldman Sachs

À la Maison Blanche, le clan Jarvanka voit ses efforts sapés par les rumeurs répandues par Bannon et ses alliés. Jared et Ivanka, toujours désireux de se montrer adultes, se sentent blessés par ces attaques. Kushner est désormais persuadé que Bannon ferait n'importe quoi pour leur nuire. Une affaire personnelle. Après des mois passés à défendre Bannon contre les insinuations des médias de gauche, Kushner conclut que Bannon est antisémite. Il s'agit d'un problème de fond. Un sujet compliqué et frustrant, difficile à démêler avec son beau-père – parce qu'une des accusations de Bannon contre Kushner, le spécialiste de l'administration sur le Moyen-Orient, c'est qu'il n'est pas assez engagé dans la défense d'Israël.

Après les élections, le présentateur de Fox News, Tucker Carlson, fait remarquer en privé au président, sur un ton joyeux mais sournois, qu'en confiant avec désinvolture le portefeuille d'Israël à son gendre – qui, selon Trump, va instaurer la paix au Moyen-Orient –, il ne lui a pas fait un cadeau.

« Je sais », répond Trump, appréciant le trait d'humour.

Les Juifs et Israël forment un curieux non-dit chez Trump. Son père, un grossier personnage, proférait souvent des propos antisémites. Au sein de l'immobilier new-yorkais, une fracture existait entre les Juifs et les non-Juifs et les Trump appartenaient au camp le plus faible. Les Juifs représentaient le haut du panier et Donald Trump, davantage encore que son père, était perçu comme un parvenu. Il mettait son nom sur ses immeubles, ce qui paraissait vulgaire, et pourtant, imposer sa marque sur les bâtiments s'est révélé une avancée significative dans le marketing de l'immobilier et fut son plus grand fait d'armes comme promoteur. Trump a grandi et monté son affaire à New York, la plus grande métropole juive du monde. Il a construit sa réputation dans les médias new-yorkais, l'industrie la plus juive, et comprend bien la dynamique clanique qui s'y exerce. Son mentor est Roy Cohn, un Juif mi-mondain, mi-voyou. Il a courtisé d'autres personnalités qu'il considère comme des « Juifs durs » (un compliment à ses yeux) : Carl Icahn, le milliardaire de fonds spéculatifs ; Ike Perlmutter, l'investisseur milliardaire qui a acheté et revendu Marvel Comics ; Ronald Perelman, le président de Revlon ; Steven Roth, le magnat de l'immobilier new-yorkais et Sheldon Adelson, le roi des casinos. Trump a adopté un ton de vieil oncle juif des années 1950 (du genre coriace) avec tout un assortiment de mots yiddish – il a déclaré qu'Hillary Clinton avait été *schlong* à la primaire de 2008 –, qui lui confèrent une expressivité inattendue. Désormais, sa fille, première dame *de facto*, est, grâce à sa conversion, la première résidente juive de la Maison Blanche de Trump.

Tout au long de la campagne et, aujourd'hui, à la Maison Blanche, les appartés sur les Juifs sont nombreux, leur estime pour David Duke[1] est ambiguë tout comme leur désir apparent de retoucher l'histoire de la Shoah. À un stade encore précoce de la campagne, le gendre de Trump, dont la bonne foi est contestée par ses propres employés au *New York Observer*, a cherché à épauler son beau-père et a rédigé une défense de Trump pour tenter de prouver qu'il n'était pas antisémite. Jared fut ensuite réprimandé par plusieurs membres de sa propre famille, visiblement inquiets de la direction que prenait le trumpisme et de l'opportunisme du gendre.

Sans oublier le flirt de Trump avec le populisme européen. Dès qu'il en a l'occasion, Trump semble s'aligner et approuver l'extrême droite européenne et ses positions antisémites. Enfin, Bannon se transforme parfois en pseudo-humoriste antisémite. On ne peut

---

1. Homme politique américain, militant de la suprématie blanche.

nier qu'agacer les Juifs de gauche ne déplaît pas à la droite américaine.

Kushner l'opportuniste, par le passé, a repoussé toutes les invitations à soutenir les organisations juives traditionnelles. À chaque fois qu'il a été sollicité, le rejeton milliardaire a toujours refusé sa contribution. C'est pourquoi personne n'est plus perplexe que les organisations juives américaines devant la soudaine ascension de Jared devenu grand protecteur d'Israël. Désormais, l'élite juive, les respectés et les éprouvés, les mandarins et leurs sbires, doivent faire la cour à Jared Kushner... qui, à peine quelques minutes auparavant, était un parfait inconnu pour eux.

Pour Trump, confier Israël à Kushner, ce n'est pas seulement un test, c'est un test juif : le président le distingue pour sa judéité, il l'en récompense, mais lui impose aussi une tâche impossible du fait de cette même judéité. Il utilise le cliché de la supériorité des Juifs dans les négociations. « Henry Kissinger dit que Jared va être le nouveau Henry Kissinger », répète souvent Trump, un compliment ambigu.

Bannon, pour sa part, n'hésite pas à cuisiner Kushner sur Israël, ce curieux examen de conscience de la droite. Bannon peut critiquer certains Juifs – les mondialistes, cosmopolites, démocrates Davos-compatibles comme Kushner – parce que plus on est à droite, plus on est en phase avec Israël. Netanyahou, le Premier ministre israélien, est un vieil ami de la famille Kushner, mais quand il s'est rendu à New York à l'automne pour y rencontrer Trump et Kushner, il n'a pas manqué de consulter également Bannon.

Sur Israël, Bannon s'est associé à Sheldon Adelson, titan de Las Vegas, important donateur de la droite et, dans l'esprit du Président, le Juif le plus dur des durs (c'est-à-dire le plus riche). Adelson dénigre régulièrement les motivations et les talents de Kushner. Trump, à la grande satisfaction de Bannon, ne cesse de répéter à son gendre de consulter Sheldon – et, donc, Bannon – concernant la stratégie à adopter pour Israël.

Bannon, qui veut l'étiquette de champion d'Israël, déroute Kushner, élevé dans une famille de Juifs orthodoxes. Ses lieutenants les plus proches à la Maison Blanche, Avi Berkowitz et Josh Raffel, sont eux aussi des Juifs orthodoxes. Le vendredi après-midi, toutes les affaires de Kushner à la Maison Blanche s'arrêtent avant le coucher du soleil pour laisser place au respect du Shabbat.

Pour Kushner, la défense d'Israël par la droite de Bannon, embrassée par Trump, ressemble à un combat de ju-jitsu anti-sémisme directement dirigé contre lui. Bannon veut donner à Kushner un rôle de faible et de médiocre – de cocu, dans le langage de la droite alternative.

Alors Kushner se venge en introduisant à la Maison Blanche ses Juifs coriaces – ceux de Goldman Sachs.

Kushner a insisté pour que le président de la banque Goldman Sachs, Gary Cohn, dirige le Conseil économique national et devienne le principal conseiller économique du Président. Le choix de Bannon s'était porté sur le présentateur et journaliste conservateur de CNBC, Larry Kudlow. Mais pour Trump, le cachet Goldman éclipse même une personnalité télévisuelle.

C'est un moment à la *Richie Rich*[1]. Kushner fut stagiaire un été chez Goldman quand Cohn était directeur du négoce de matières premières. Ce dernier est devenu président de la banque en 2006. Une fois Cohn dans l'équipe de Trump, Kushner ne manque aucune occasion de rappeler que le président de Goldman Sachs travaille pour lui. Bannon, suivant la personne qu'il veut offenser, soit parle de Kushner comme du stagiaire de Cohn, soit remarque que Cohn œuvre désormais pour son ancien stagiaire. Le Président, quant à lui, invite continuellement Cohn à ses réunions, surtout avec les dirigeants étrangers, dans le seul but de leur présenter l'ancien président de Goldman Sachs.

Bannon se vante d'être le cerveau de Trump, une fanfaronnade qui irrite le président. Mais Kushner voit en Gary Cohn un meilleur cerveau pour la Maison Blanche : non seulement c'est une

---

1. Film américain réalisé par Donald Petrie en 1994, d'après la BD du même nom. Le héros, Richie Rich, est proclamé « l'enfant le plus riche du monde ». Mais en grandissant, il se rend vite compte qu'il y a une chose que l'argent ne peut acheter : des copains.

meilleure stratégie politique que Cohn soit le cerveau de Kushner plutôt que celui de Trump, mais son intronisation est une riposte parfaite au chaos managérial de Bannon. Cohn est la seule personne de la West Wing à avoir géré une grosse organisation (Goldman Sachs compte trente-cinq mille employés). Et, sans trop vouloir insister – même si Kushner ne se gêne pas pour le faire –, Bannon est parti de Goldman en ayant à peine atteint le statut de cadre moyen alors que Cohn, appartenant à la même génération, a poursuivi son ascension jusqu'au plus haut niveau de l'entreprise, empochant des millions de dollars au passage. Cohn, un démocrate « mondialiste-cosmopolite » habitant Manhattan, qui a voté pour Hillary Clinton et échange régulièrement avec l'ancien sénateur démocrate du New Jersey et gouverneur Jon Corzine, apparaît immédiatement comme l'antithèse de Bannon.

Bannon l'idéologue le confirme : Cohn est son exact opposé, un négociant qui fait ce que font les négociants, ils tâtent le terrain et vont dans le sens du vent. « Demander à Gary Cohn de prendre position est aussi vain que de vouloir clouer des papillons sur un mur », commente Katie Walsh.

Cohn commence à définir une future Maison Blanche centrée sur le monde des affaires et engagée à orienter le centre droit vers des positions plus modérées. Dans cette nouvelle configuration, Bannon est marginalisé et Cohn, qui ne pense rien de bien de Priebus, devient une sorte de chef de cabinet en disponibilité. Pour lui, l'avenir est un large boulevard. Tout devrait se passer comme prévu car Priebus est un poids léger et Bannon un plouc incapable de gérer quoi que ce soit.

Quelques semaines après l'arrivée de Cohn dans l'équipe de transition, Bannon met son véto au projet de Cohn d'agrandir le Conseil économique national de trente nouveaux membres. Kushner, de son côté, s'oppose au projet de Bannon de confier à David Bossie[1] la constitution et la direction de son staff. Bannon raconte l'anecdote suivante (vraisemblablement proche de la vérité et très populaire chez Goldman Sachs) : Cohn, déjà désigné futur patron

---

1. Directeur de campagne adjoint de Donald Trump.

de la banque, en aurait été viré après avoir fâcheusement essayé de prendre le pouvoir, comme Haig – en 1981, alors secrétaire d'État, Alexander Haig avait tenté de faire valoir que le pouvoir lui revenait après la tentative d'assassinat contre Reagan – alors que le PDG de Goldman, Lloyd Blankfein, suivait un traitement contre le cancer. Selon la version de Bannon, Kushner a acheté de la marchandise avariée. La Maison Blanche apparaît comme la planche de salut professionnelle de Cohn. Pourquoi, sinon, aurait-il intégré l'administration Trump ? (Une bonne partie de ces spéculations a été rapportée à la presse par Sam Nunberg, l'ancien factotum de Trump qui sert maintenant Bannon. Nunberg ne mâche pas ses mots sur ses intentions : « J'explose Gary dès que je peux ! »)

Démontrant le pouvoir des liens du sang et celui, aussi, de Goldman Sachs, les démocrates Kushner-Cohn dominent la scène, alors que Washington se trouve sous le contrôle des républicains, et que la West Wing est tenue par une droite virulente, sinon antisémite. Cet exploit est dû en partie à Kushner qui fait preuve d'une pugnacité inattendue. Il n'aime pas les conflits – dans sa famille, son père en avait le monopole. Il n'affronte ni Bannon ni son beau-père. Stoïque, il commence à se voir comme le dernier homme modéré, l'incarnation de la modestie, le ballast nécessaire au navire. Un exploit particulier met en évidence ce constat : l'accomplissement de la mission que lui a confiée son beau-père, celle qu'il considère de plus en plus comme son destin. Oui, il *instaurerait* la paix au Moyen-Orient.

« Il va faire la paix au Moyen-Orient », dit souvent Bannon d'une voix pénétrée et d'un air inexpressif, ce qui déclenche l'hilarité de tous ses partisans.

D'un côté, Kushner se révèle un peu dingue et tout à fait ridicule. De l'autre, c'est un homme, épaulé par sa femme et par Cohn, qui se sait chargé d'une mission sur la scène mondiale.

C'est, là encore, une autre bataille à remporter ou à perdre. Bannon considère que Kushner et Cohn (ainsi qu'Ivanka) vivent dans une autre réalité, souvent déconnectés de la véritable révolution trumpiste. Kushner et Cohn, eux, voient en Bannon un homme non seulement destructeur, mais aussi autodestructeur. Ils sont certains qu'il s'autodétruira avant de les détruire.

Dans la Maison Blanche de Trump, observe Henry Kissinger, « c'est une guerre entre les Juifs et les non-Juifs ».

Pour Dina Powell, l'autre recrue de Goldman dans la West Wing, le principal problème de ceux qui travaillent à la Maison Blanche est l'opinion négative que suscite le fait d'être associés à la présidence Trump. Powell présidait auparavant la Fondation Goldman Sachs, la branche philanthropique de la banque. Vedette à Davos, la grande prêtresse des réseaux relie entre eux les puissants de ce monde. Elle se situe au croisement de l'image et de la fortune, dans un monde de plus en plus sensible à la richesse personnelle et aux grandes marques.

Ses ambitions personnelles, et la force de persuasion d'Ivanka lors de leurs brèves rencontres à New York et à Washington, conduisent Powell à ignorer ses doutes : elle monte à bord du navire. Elle fait le pari, politiquement risqué mais à fort rendement, qu'en s'alignant sur Jared et Ivanka, en travaillant à proximité de Cohn, son ami et allié de Goldman, elle pourrait s'emparer de la Maison Blanche avec eux. Il s'agit d'un plan tacite, rien de plus, l'idée que Cohn ou Powell – et très probablement les deux au cours des quatre ou huit années suivantes – finiront par occuper le poste de chef de cabinet. Les récriminations continuelles du Président envers Bannon et Priebus, notées par Ivanka, encouragent ce scénario.

Ce qui motive Powell, et ce n'est pas un détail, c'est le sentiment, partagé par Jared et Ivanka – et jugé convaincant par Cohn –, que la Maison Blanche s'offre à eux. Pour les deux anciens banquiers, la proposition de rejoindre l'administration Trump sort du cadre de l'opportunisme pour se muer en une forme de devoir. Ce serait leur mission, en collaborant avec Jared et Ivanka, de les aider à gérer et à façonner une Maison Blanche actuellement en passe d'incarner l'inverse de la raison et de la modération. Ils peuvent contribuer à sauver l'exercice du pouvoir et aussi faire un grand bond en avant personnel.

Pour Ivanka, qui se consacre à la cause des femmes à la Maison Blanche, l'image de Dina Powell contrebalance celle de Kellyanne Conway, qu'Ivanka et Jared dédaignent. Conway, qui garde la faveur du Président et reste toujours sa thuriféraire préférée dans les émissions télévisées, a publiquement déclaré que l'administration avait un visage, le sien. Pour Ivanka et Jared, ce visage est horrible. Les pires pulsions du Président semblent être rapportées par Conway, sans filtre. Elle fait siennes la colère, l'impulsivité et les fautes de langage du président. Alors qu'un conseiller du président est censé atténuer et interpréter ses idiosyncrasies, Conway les exprime, les multiplie, les théâtralise. Elle prend au pied de la lettre la demande de loyauté de Trump. De l'avis d'Ivanka et de Jared, Conway est une femme entêtée, hostile, encline à dramatiser, tandis que Powell serait, espèrent-ils, une invitée avisée et circonspecte des émissions politiques du dimanche matin.

Fin février, après la débandade du premier mois dans la West Wing, la campagne de sape menée par Jared et Ivanka à l'encontre de Bannon donne ses premiers résultats. Le couple reçoit les retours de ses interventions auprès de Joe Scarborough et de Rupert Murdoch, notamment. Dans le même temps, l'irritation du président et sa frustration concernant l'importance supposée de Bannon à la Maison Blanche se sont renforcées. Pendant les semaines qui suivent la couverture du magazine *Time* consacrée à Bannon, Trump y fait allusion avec amertume dans chacune de ses conversations. « Quand quelqu'un d'autre que lui fait la couverture de *Time*, raconte Roger Ailes, cela signifie seulement pour Trump que quelqu'un a pris sa place. » Scarborough pimente ses potins en évoquant avec ironie « le président Bannon ». Murdoch sermonne continuellement Trump sur la bizarrerie et l'extrémisme de Bannon qu'il associe à Ailes : « Ils sont fous tous les deux. »

Kushner fait aussi valoir au Président – qui a la phobie de toute faiblesse liée à l'âge – que Bannon, avec ses 63 ans, ne tiendra pas le coup sous la pression qui pèse sur les collaborateurs de la Maison Blanche. Bannon travaille entre seize et dix-huit heures par jour, sept jours sur sept et, par peur de manquer une injonction présidentielle ou craignant que quelqu'un d'autre ne s'en charge, il se considère d'astreinte toute la nuit. Au fil des semaines, son état semble se détériorer, aux yeux de tous. Il a le visage bouffi, les jambes enflées, les yeux larmoyants, une apparence négligée, des moments d'inattention.

Au début du deuxième mois de la mandature de Trump, le camp Jared-Ivanka-Gary-Dina se consacre au discours que le Président doit prononcer devant le Congrès réuni en séance plénière le 28 février.

« Réinitialisation, déclare Kushner. On réinitialise tout. »

L'occasion est idéale. Trump prononcera le discours qui défilera devant lui sur un prompteur. Il sera aussi largement diffusé avant la séance. De plus, l'assistance, bien élevée, ne le poussera pas dans ses retranchements. Les manipulateurs sont sous contrôle. Et pour cette occasion ce sont Jared-Ivanka-Gary-Dina qui sont à la manœuvre.

« Steve s'attribuera tout le mérite de ton discours s'il contient ne serait-ce qu'un seul mot de son cru », dit Ivanka à son père. Elle sait bien que le mérite, plus que le contenu, est sa préoccupation majeure, et son avertissement lui garantit que Trump ne laissera pas Bannon y toucher.

« Le discours Goldman », comme le surnomme Bannon.

L'introduction, largement rédigée par Bannon et Stephen Miller, choque Jared et Ivanka. Mais l'une des particularités de la Maison Blanche de Trump, qui aggrave ses problèmes de communication, réside dans l'absence d'une équipe chargée d'écrire les discours. Bannon, homme cultivé et sachant bien s'exprimer, n'écrit rien lui-même, et Stephen Miller se cantonne à mentionner les points importants. Ensuite, tous les coups sont à peu près permis. Il n'existe pas de message cohérent parce qu'il n'y a personne pour le formuler. Encore un exemple du mépris de cette administration pour la matière politique.

Ivanka s'empare du brouillon et s'empresse d'y intégrer des contributions du camp Jarvanka.

Devant le Congrès, le 28 février, le Président se comporte exactement comme les Jarvanka l'espéraient. Voilà un Trump optimiste, un Trump vendeur, un Trump inoffensif, un Trump en soldat heureux. Jared, Ivanka et tous leurs alliés jugent la soirée magnifique, tombent d'accord pour dire que, finalement, au milieu de toute cette pompe – *Mr. Speaker, the President of the United States* –, Trump a vraiment l'air présidentiel. Et pour une fois, même les médias sont d'accord.

Les heures qui suivent sont les meilleures de Trump à la Maison Blanche. Les journalistes entrevoient ce jour-là une présidence différente. Ce discours aurait même soulevé une crise de conscience chez certains d'entre eux. Ce président aurait-il été gravement incompris ? Les médias, les médias tendancieux, sont-ils passés à côté d'un Donald Trump bien intentionné ? Ce dernier montre-t-il enfin sa bonne nature ? Le Président passe presque deux jours entiers à ne rien faire d'autre sinon savourer sa bonne presse. Il atteint, enfin, un doux rivage (avec des indigènes reconnaissants sur la plage). Le succès de ce discours conforte Jared et Ivanka dans leur stratégie, et Ivanka dans la compréhension de son père : il veut juste qu'on l'aime. Et, enfin, il confirme la pire crainte de Bannon : Trump, au fond, c'est de la guimauve.

Trump au soir de la séance plénière n'est pas seulement un nouveau Trump, il est aussi la preuve qu'il existe dans la West Wing un nouveau groupe d'experts (qu'Ivanka compte rejoindre officiellement quelques semaines plus tard). Jared et Ivanka, assistés de leurs conseillers de Goldman Sachs, changent le message, le style et les thématiques de la Maison Blanche. « Tendre la main » devient le nouveau mantra.

Bannon se tire une balle dans le pied en jouant les Cassandre auprès de tous ceux qui l'écoutent encore. Il clame que seul un désastre peut découler de cette attitude lénifiante envers des ennemis mortels. Il faut continuer à croiser le fer, on se leurre si l'on croit un compromis possible. La vertu de Donald Trump – selon Bannon – réside dans le fait que l'élite cosmopolite ne l'acceptera jamais. Et en dépit des efforts de son entourage pour le faire briller, il reste malgré tout Donald Trump.

11

Sur écoutes

Avec trois écrans de télévision dans sa chambre à la Maison Blanche, le Président peut choisir lui-même ses programmes. Mais pour la presse écrite, il dépend de Hope Hicks. Elle a été l'une de ses collaboratrices juniors pendant l'essentiel de sa campagne et sa porte-parole (même si, comme il le rappelle volontiers, Trump est son propre porte-parole). Chacun s'accorde à dire que la jeune femme a été mise sur la touche par la bande de Bannon, la faction Goldman Sachs, ainsi que par Reince Priebus et son équipe du RNC. Les hauts responsables de la Maison Blanche la considèrent trop jeune et inexpérimentée – les journalistes couvrant la campagne se souviennent surtout de ses mini-jupes – et la tiennent pour une béni-oui-oui ayant toujours peur de commettre une erreur, peu sûre d'elle et recherchant sans cesse l'approbation du Président. Trump vient souvent à son secours – « Où est Hope ? » – et la tire du néant dans lequel les autres s'efforcent de la consigner. À la stupéfaction générale, Hicks demeure sa collaboratrice la plus proche. Il se repose entièrement sur elle pour la tâche peut-être la plus importante de la Maison Blanche : interpréter les articles de presse de la manière la plus positive, et le protéger des commentaires impossibles à présenter sous un jour favorable.

Le lendemain du discours de « réinitialisation » devant le Congrès, le 28 février 2017, Hope Hicks doit affronter une situation délicate. Les premières réactions sont plutôt positives, mais le *Washington Post*, le *New York Times* et le *New Yorker* apportent ce jour-là, matin du 1er mars, un horrible bouquet de très mauvaises nouvelles. Heureusement, les trois articles n'ont pas encore été mentionnés par les télévisions, ce qui laisse à Hicks un bref répit. Durant la plus grande partie de la journée, la jeune femme elle-même ne semble pas mesurer l'étendue des dégâts.

L'article du *Washington Post* s'appuie sur une fuite venue du département de la Justice (la source est un « ancien haut fonctionnaire », donc probablement quelqu'un de l'administration Obama) et affirme, suite aux fuites du mois de janvier[1], que le nouveau Procureur général, Jeff Sessions, a rencontré à deux reprises l'ambassadeur de Russie, Sergueï Kisliak.

Lorsque l'information est présentée au Président, celui-ci ne voit pas où est le problème. « Et alors ? » demande-t-il.

Eh bien, lui explique-t-on, Sessions a affirmé le contraire au moment de la confirmation de sa nomination par le Sénat.

Lors de cette audience de confirmation du 10 janvier, a été interrogé par Al Franken, ancien humoriste devenu sénateur démocrate du Minnesota, l'interroge. Franken avait l'air de chercher ses mots et de mener l'entretien à tâtons. Il commençait, s'interrompait, construisait laborieusement ses phrases. On lui a fait passer une question soulevée par le dossier Steele qui venait d'être révélé, et il a fini par déclarer :

> Ces documents affirmeraient également que, je cite : « Il existait un échange continu d'informations, au cours de la campagne, entre les représentants de Trump et des intermédiaires du gouvernement russe. »
> Une fois de plus, je précise que je vous le rapporte tel que c'est sorti, pour que vous soyez informé. Mais si c'est la vérité, c'est évidemment très grave et s'il existe le moindre élément indiquant que quelqu'un d'affilié à la campagne Trump a été en communication avec le gouvernement russe au cours de cette campagne, que ferez-vous ?

Au lieu de répondre à l'interrogation détournée de Franken – « Que ferez-vous ? » – par un facile « Bien sûr, nous enquêterons et toute action illégale fera l'objet de poursuites », Sessions, désarçonné, répond à une question qui ne lui est pas posée.

---

1. Voir le chapitre « La Russie », p. 115 et sv.

Sénateur Franken, je n'ai pas connaissance de telles activités. On m'a nommé à une ou deux occasions représentant de la campagne, mais je n'ai pas eu, je n'ai pas été en communication avec les Russes, voilà tout ce que je peux vous dire.

La question que se pose le Président est de savoir pourquoi il serait mauvais de parler avec les Russes. Il n'y a pas de mal à ça, insiste-t-il. Comme souvent, il est difficile de le détourner de son idée pour l'orienter vers le fond du problème : un possible mensonge devant le Congrès. L'article du *Post*, à supposer qu'il l'ait compris, ne l'inquiète pas outre mesure. Tout comme Hope Hicks, il ne voit dans cette histoire qu'une manœuvre hasardeuse pour tenter d'épingler Sessions. Et puis de toute manière, Sessions a bien dit qu'il n'avait pas rencontré les Russes en tant que *représentant de la campagne*. Donc il ne l'a pas fait. Point barre.

« *Fake news* », conclut Trump, utilisant sa réplique fourre-tout.

Quant à la sale histoire racontée par le *Times*, telle que Hicks la lui présente, elle apparaît au Président comme une bonne nouvelle. Nourri de témoignages anonymes issus de l'administration précédente (*encore* des sources estampillées Obama), l'article ajoute une nouvelle dimension aux soupçons toujours croissants de connexion entre la campagne Trump et les Russes afin d'influer sur l'élection américaine :

> Plusieurs alliés des États-Unis, dont les Britanniques et les Néerlandais, ont fourni des informations faisant état de rencontres, dans plusieurs villes d'Europe, entre des officiels russes – et d'autres individus proches du président <u>russe</u>, <u>Vladimir V. Poutine</u> – et des collaborateurs du président élu Trump, selon trois anciens hauts fonctionnaires américains qui ont requis l'anonymat pour évoquer ces renseignements issus des services secrets.

Et :

> De leur côté, les agences de renseignement américaines ont intercepté des communications d'officiels russes, certaines au sein même

du Kremlin, dans lesquelles étaient évoqués des contacts avec des collaborateurs de Trump.

Plus loin, dans l'article :

M. Trump a nié tout contact entre sa campagne et des officiels russes, et est allé jusqu'à laisser entendre que les agences de renseignement américaines avaient fabriqué de toutes pièces des documents suggérant une tentative d'ingérence du gouvernement russe dans l'élection présidentielle. M. Trump a accusé l'administration Obama d'avoir fait du battage autour d'un scénario russe dans le but de discréditer la nouvelle administration.

Et enfin, le nœud du problème :

Dans la Maison Blanche d'Obama, les déclarations de M. Trump alimentaient chez certains la crainte que des renseignements puissent être dissimulés ou détruits – ou leurs sources révélées – après la passation de pouvoir. Il s'ensuivit une vague de préservation des données, soulignant la profonde angoisse avec laquelle la Maison Blanche et les agences de renseignement américaines en étaient venues à considérer la menace que représentait Moscou.

Ce qui confirme une thèse centrale chez Trump : depuis la défaite de sa candidate, la précédente administration, non contente de fouler aux pieds la tradition démocratique qui consiste à aplanir le terrain pour le vainqueur, complote avec la communauté du renseignement pour miner ce même terrain. L'article suggère que des documents secrets ont été généreusement distribués entre les agences de renseignement afin de faciliter les fuites, et, dans le même temps, protéger leurs auteurs. Ces renseignements, selon la rumeur, proviennent du bureau de Susan Rice et rassemblent les listes des contacts de l'équipe Trump avec la Russie. Selon une technique empruntée à WikiLeaks, ces documents ont été dupliqués sur une douzaine de serveurs éparpillés en différents lieux. Sans cette vaste distribution, il aurait été facile d'identifier le petit groupe de mouchards. Mais l'administration Obama a considérablement brouillé les pistes.

C'est une bonne nouvelle, non ? N'est-ce pas la preuve, demande le Président, qu'Obama et les siens ont juré sa perte ? L'article du *New York Times* est lui-même une fuite à propos d'une fuite – et il démontre clairement l'existence d'un *deep state*.

Hope Hicks, comme toujours, soutient le point de vue de son patron. Le crime, c'est la fuite, et le coupable, l'administration Obama. Le département de la Justice, le Président n'en doute pas, va ouvrir une enquête sur l'ancien Président et sa clique. Enfin.

Hope Hicks apporte aussi au Président un long papier du *New Yorker*. Co-signé par trois auteurs – Evan Osnos, David Remnick et Joshua Yaffa –, il explique l'agressivité des Russes par l'émergence d'une nouvelle guerre froide. Remnick, le rédacteur en chef du *New Yorker*, promeut depuis l'élection cette vision radicale : l'arrivée de Trump au pouvoir met en péril les normes démocratiques.

Cette analyse longue de 13 500 mots établit opportunément un lien entre la mortification géopolitique de la Russie, les ambitions de Poutine, les talentueux hackers du pays, l'autoritarisme de Trump et la méfiance des services américains envers Poutine et la Russie. Il offre les clés d'un nouveau récit, aussi cohérent et apocalyptique que celui de l'ancienne guerre froide, sauf que cette fois-ci, la vraie bombe atomique, c'est Trump lui-même. L'une des sources fréquemment citées est Ben Rhodes, un conseiller d'Obama que les trumpistes considèrent responsable d'un grand nombre de fuites, sinon l'un des architectes des efforts acharnés de l'administration précédente pour mouiller Trump et son équipe dans des histoires de collusion avec Poutine et la Russie. Pour de nombreuses personnes à la Maison Blanche, Rhodes est l'incarnation même du *deep state*. Chaque fois qu'une fuite est attribuée à d'« anciens et actuels hauts responsables », ils pensent que Rhodes est l'ancien en contact avec les actuels.

Si l'article n'est qu'une récapitulation des craintes suscitées par Poutine et Trump, il fait aussi état, dans une parenthèse reléguée en bas de page, d'une rencontre en décembre à la Trump Tower entre Jared Kushner et Sergueï Kisliak, l'ambassadeur de Russie, en présence de Michael Flynn.

Hicks passe à côté de ce détail. C'est Bannon qui, plus tard, le signale au Président.

Trois membres de l'administration Trump – l'ancien conseiller à la Sécurité nationale, l'actuel Procureur général, et le gendre et principal conseiller du Président – sont désormais directement reliés au diplomate russe.

Jared et Ivanka, de plus en plus conscients d'une menace, finissent par soupçonner Bannon d'avoir divulgué cette rencontre entre Kushner et Kisliak.

Peu de nominations, dans l'administration Trump, paraissaient plus parfaitement adaptées, plus pertinentes que celle de Jeff Sessions à la tête du département de la Justice. Selon lui, sa mission de Procureur général consiste à contenir, circonscrire et démanteler l'interprétation de la loi fédérale qui, depuis trois générations, mine la culture américaine et fait offense à sa propre fonction au sein de celle-ci. « C'est l'œuvre de sa vie », affirme Steve Bannon.

Et Sessions ne va pas mettre son job en péril pour cette ridicule histoire avec les Russes et pour cette galerie de grotesques affidés de Trump chaque jour plus nombreux. Dieu seul sait ce que mijotent ces types. Rien de bon, sans doute. Le mieux est de ne rien avoir à faire avec ça.

Sans consulter le Président ni personne à la Maison Blanche, Sessions décide de s'éloigner le plus possible de cette source d'ennuis. Le 2 mars, au lendemain de l'article du *Post*, il refuse de prendre la responsabilité d'une éventuelle enquête concernant la Russie.

Cette nouvelle fait l'effet d'une bombe au cœur de la Maison Blanche. Sessions est censé protéger Trump de toute enquête trop agressive dans l'affaire russe. Le Président ne voit tout simplement pas la logique d'une telle décision. Il se répand en imprécations devant des amis : pourquoi Sessions refuse-t-il de le protéger ? Qu'a-t-il à y gagner ? Pense-t-il qu'il y a du vrai dans ces histoires ? Sessions devrait faire son boulot !

Trump a de bonnes raisons de redouter le département de la Justice. Il a une source personnelle, un interlocuteur fréquent, qui le tient au courant de ce qui s'y passe – et il le fait mieux que Sessions lui-même, pense-t-il.

À cause de l'affaire russe, l'administration Trump se trouve engagée dans un va-et-vient compliqué avec la bureaucratie. Le Président va lui-même chercher à l'extérieur du gouvernement des informations sur ce qui se passe à l'intérieur. Sa source, un ami de longue date, possède ses propres informateurs au département de la Justice – bon nombre des riches et puissants amis du Président ont tout intérêt à savoir ce qui s'y passe – et lui peint le sombre tableau d'un département de la Justice et d'un FBI déchaînés dans leurs efforts pour avoir sa peau. On y prononce le mot « trahison », assure-t-il.

Le département de la Justice, précise la source, est plein de femmes qui haïssent Trump. Une armée de juristes et de fins limiers aux ordres de l'ancienne administration. « Ils veulent que le Watergate ait l'air d'un Pissgate en comparaison » – autrement dit : du pipi de chat. Une comparaison déroute Trump : il croit que son ami fait allusion au dossier Steele et à ses *golden showers*.

Après la récusation du Procureur général, le Président, dont la réaction instinctive à tout problème est de virer quelqu'un sur-le-champ, pense que le mieux est de se débarrasser de Sessions. Par ailleurs, il ne doute pas de ce qui est en jeu. Il sait d'où viennent ces histoires liées à la Russie, et si les sbires d'Obama croient pouvoir s'en tirer comme ça, ils vont tomber de haut. Il va exposer leurs turpitudes au grand jour !

Parmi les nouveaux bienfaiteurs qui se pressent autour de Jared Kushner se trouve Tony Blair, l'ancien Premier ministre britannique. Ils se sont connus en 2010 sur les rives du Jourdain alors qu'ils assistaient au baptême de Grace et de Chloé Murdoch, les deux filles que Rupert Murdoch a eues avec sa femme de l'époque, Wendi. Jared et Ivanka ont aussi vécu à Park Avenue dans le même immeuble que les Murdoch (pour ces derniers, il s'agissait d'une location temporaire dans un immeuble appartenant à Trump, le temps que leur triplex sur la 5e Avenue soit rénové, ce qui prit trois ans). Durant cette époque, Ivanka Trump devint l'une des amies les plus proches de Wendi. Par la suite, Murdoch a accusé Blair – le parrain de Grace – d'avoir une liaison avec sa femme et d'être à l'origine de leur rupture. Après son divorce, Wendi est restée l'amie des Trump.

Mais, depuis leur arrivée à la Maison Blanche, ironie de l'histoire, Jared et Ivanka sont ardemment courtisés par Blair comme par Murdoch. Cruellement dépourvu de réseaux dans les nombreux domaines qui sont les siens, Kushner est à la fois sensible à ces attentions, et en demande de conseils. Blair, qui mène à présent nombre d'affaires philanthropiques, diplomatiques et commerciales au Moyen-Orient, se montre particulièrement désireux d'aider Jared à piloter certaines de ses initiatives dans la région.

En février, il lui rend visite à la Maison Blanche.

Lors de ce voyage, Blair, devenu une sorte de diplomate free-lance, cherche à prouver son utilité auprès de l'administration, et fait part à Kushner d'une information des plus croustillantes. Il laisse entendre que les Anglais auraient placé l'équipe de campagne de Trump sous surveillance, interceptant les conversations téléphoniques et autres communications, voire peut-être celles de Trump lui-même. Comme Kushner le comprend, c'est la théorie du goy du shabbat appliquée au renseignement. Pendant le shabbat, les juifs pratiquants ne peuvent pas allumer les lumières ni demander à quelqu'un de le faire. En revanche, s'ils expriment l'opinion qu'il serait plus facile d'y voir clair avec de la lumière, et si un non-juif passant par là a la bonne idée de l'allumer, cela ne pose pas de problème. De même, si l'administration Obama n'a pas ouvertement demandé aux Britanniques d'espionner la campagne de Trump, elle aurait pu leur faire comprendre à quel point ce serait utile.

S'agit-il d'une rumeur, d'une conjecture, d'une théorie person-nelle ou d'un renseignement fiable ? En tout cas, pendant que cette idée tourne et mijote dans la tête du Président, Kushner et Bannon se rendent au quartier général de la CIA, à Langley, pour s'entretenir avec Mike Pompeo et sa directrice adjointe Gina Haspel, histoire de vérifier tout ça. Quelques jours plus tard, la CIA, non sans langue de bois, rapporte que l'information est erronée : il s'agit d'un « malentendu ».

La politique semble être devenue, bien avant Trump, comparable à une liaison fatale. C'est un jeu à somme nulle : quand un camp gagne, un autre perd. La victoire de l'un signe la mort de l'autre. L'ancienne conception de la politique comme un marchandage, l'idée que l'autre possède une chose que vous voulez – un vote, un appui, un bon vieux parrainage – et que la question est celle du coût, est passée de mode. À présent, c'est une bataille entre le bien et le mal.

Curieusement, pour un homme qui a pris la tête d'un mouvement fondé sur le ressentiment et la vengeance, Trump est (ou croit être) un politicien à l'ancienne mode, du genre « trouvons une solution », « gratte-moi le dos, et je gratte le tien ». Il se voit comme le plus grand des tacticiens, sachant toujours ce que veut l'adversaire.

Steve Bannon incite fortement Trump à invoquer Andrew Jackson comme modèle du populisme et fait provision de livres (qui n'ont jamais été ouverts) sur cet ancien président. Mais la véritable référence de Trump, au fond, est Lyndon Johnson. Un grand homme, capable de faire tomber des têtes, de passer des marchés et de soumettre les moins forts à sa volonté. Faire en sorte qu'à la fin chacun obtienne quelque chose, et que le meilleur négociateur en obtienne un peu plus.

Mais à présent, au bout de plus de sept semaines à la tête du pays, Trump se trouve en fâcheuse posture, une situation aussi inédite qu'accablante. Jamais auparavant un président (sauf peut-être Bill Clinton) n'a été ainsi assiégé par ses ennemis. Pis, les dés sont pipés en sa défaveur. Le marécage bureaucratique, les agences de renseignement, des juges injustes, des médias menteurs, tous sont ligués contre lui. Pour son état-major, c'est un sujet de conversation à part entière avec lui : le possible martyre de Donald Trump.

Pendant ses appels téléphoniques vespéraux, il revient inlassablement sur cette injustice envers lui, et sur ce que lui a dit Tony Blair – et bien d'autres. Tout colle. C'est un complot contre lui.

L'entourage de Trump a conscience de son instabilité et s'en alarme. Selon le niveau des attaques quotidiennes, ses réactions peuvent devenir totalement irrationnelles. Il est alors seul dans sa colère et impossible à approcher. Son état-major gère ces heures sombres en acquiesçant à tout, quoi qu'il dise. Hope Hicks, elle aussi, approuve absolument tout ce que dit son patron.

À Mar-a-Lago, le 3 mars au soir, Donald Trump regarde une interview de Paul Ryan par Bret Baier sur Fox. Baier interroge le président de la Chambre des représentants sur un rapport publié par le site d'informations en ligne Circa – propriété de Sinclair, un groupe de presse conservateur – alléguant que la Trump Tower aurait été placée sous surveillance pendant la campagne.

Le 4 mars, Trump se met à tweeter dès l'aube :

> Scandaleux ! J'apprends qu'Obama a mis « mes lignes sur écoutes » dans la Trump Tower juste avant la victoire. Rien trouvé. Du maccarthysme ! (4h35)

> Est-ce légal qu'un président en fonction « pose des micros » lors d'une course à la présidentielle avant une élection ? Déjà débouté en justice. ON TOUCHE LE FOND ! (4h49)

> Le Président Obama est tombé bien bas pour mettre mes lignes téléphoniques sur écoutes pendant le sacro-saint processus électoral. C'est du Nixon/Watergate. Sale type (ou malade) ! (5h02)

À 6h40, il réveille Priebus au téléphone. « Vous avez vu mon tweet ? Cette fois, il est grillé ! » Puis il lui fait écouter une rediffusion de l'émission de Baier.

Trump ne s'embarrasse pas de détails, ni même de la moindre velléité de précision. Tout chez lui n'est que pure exclamation publique, une fenêtre ouverte sur sa douleur et son sentiment de frustration. Avec ses fautes d'orthographe et ses réminiscences des années 1970 – les « micros » évoquent des agents du FBI planqués dans une camionnette sur la 5ᵉ Avenue –, cette histoire frise le burlesque. Les médias, les agents de renseignement et des démocrates au comble de la joie s'accordent à penser que cette série de tweets sur les écoutes est celle qui expose de la manière la plus crue l'affligeante ignorance du Président.

D'après CNN, « deux anciens officiels de haut niveau ont immédiatement rejeté les accusations de Trump. "C'est n'importe quoi", a commenté un ancien agent du renseignement. » À la Maison Blanche, on pense que ce « n'importe quoi » vient de Ben Rhodes.

Ryan, pour sa part, assure à Priebus qu'il ne savait pas de quoi parlait Baier et que cette interview n'est que foutaise.

Si cette histoire d'écoutes n'est pas tout à fait vraie, elle incite l'équipe à trouver quelque chose qui peut l'être vraiment. La Maison Blanche déterre fébrilement un vieil article de Breitbart News comportant un lien vers un papier de Louise Mensch, une ancienne femme politique britannique vivant aux États-Unis, qui était devenue le Jim Garrison[1] féminin des liens suspects entre Trump et la Russie.

L'équipe tente aussi de coller sur le dos de l'administration Obama ces écoutes abusives, mais au bout du compte, il s'agit d'un nouvel exemple – pour certains, le plus extrême – de la difficulté qu'a le Président à fonctionner dans un monde politique terre à terre, procédurier et soumis aux liens de cause à effet.

C'est un moment décisif. Jusque-là, le cercle de Trump s'était montré partant pour le soutenir. Mais après les tweets sur les écoutes, tout le monde, sauf peut-être Hope Hicks, adopte une prudence penaude, voire un état de perpétuelle incrédulité.

Sean Spicer, par exemple, répète chaque jour son mantra, si ce n'est chaque heure : « Des conneries pareilles, ça ne s'invente pas. »

---

1. Procureur américain qui a conduit, en secret, une contre-enquête sur l'assassinat de John F. Kennedy.

12

Révoquer et remplacer

Quelques jours après l'élection, Steve Bannon annonce au président élu – encore une « embrouille à la Breitbart », comme le dit Katie Walsh en haussant un sourcil sceptique – que ça y est, ils ont suffisamment de voix pour remplacer Paul Ryan au perchoir de la Chambre des représentants par Mark Meadows, président du Freedom Caucus, un groupe parlementaire inspiré par le Tea Party et soutien de Trump de la première heure. Son épouse s'était attiré le respect de l'équipe Trump en faisant campagne dans la Bible Belt juste après la diffusion de la fameuse vidéo du Pussygate.

Le limogeage de Ryan – son humiliation, disons-le – est, presque autant que la victoire à la présidentielle, le symbole de ce que Bannon cherche à accomplir et de la proximité entre le bannonisme et le trumpisme. Depuis le début, la détestation de Paul Ryan est un élément central de la campagne de Breitbart News en faveur de Donald Trump. L'adoubement de Trump par le site, et l'engagement personnel de Bannon dans la campagne quatorze mois après son lancement, sont en partie liés au fait que le candidat a fait fi du bon sens politique pour mener la charge contre Ryan et ses parrains du Parti républicain. Mais les deux hommes n'ont pas la même vision de Ryan.

Selon Breitbart, la rébellion du Tea Party a chassé l'ancien président de la Chambre des représentants, John Boehner, et cette assemblée est en bonne voie pour devenir le centre du nouveau républicanisme radical. Mais ce mouvement a subi un coup d'arrêt le jour où Paul Ryan accéda au perchoir. Ancien colistier de Mitt Romney et personnage capable de conjuguer conservatisme fiscal et rectitude républicaine, Ryan est officiellement proclamé meilleur et ultime espoir du Parti républicain. (Bannon transforme ce cliché en éléments de langage pour les trumpistes : « Ryan a été fécondé in vitro par la Heritage Foundation. ») Si la rébellion du Tea Party a poussé le Parti républicain vers la droite, Ryan est le butoir qui l'empêche d'aller plus loin dans cette direction. Le nouveau président de la Chambre affiche sa solidité adulte, il est une figure de grand frère, loin de l'immaturité débridée et l'hyperactivité pathologique du Tea Party. Une figure de martyr aussi, en résistant stoïque au trumpisme.

Pendant que l'establishment républicain chante les vertus d'un Ryan mature et sagace, l'aile Tea Party-Bannon-Breitbart monte une campagne *ad hominem* d'un Ryan détaché de la cause, stratège inepte et leader incompétent. Il est pour ce mouvement un objet de moqueries : l'archétype du costume vide, une vaste blague, une honte.

L'antipathie de Trump envers Ryan est plus personnelle. Il n'a pas d'avis particulier sur ses compétences politiques, et ne s'est jamais vraiment intéressé à ses prises de position. Son point de vue est tout autre : Ryan l'a insulté à maintes reprises, il n'a cessé de parier contre lui. Ryan a incarné le sentiment d'horreur et d'incrédulité que Trump inspire à l'establishment républicain. Cerise sur le gâteau : il s'est même forgé une stature morale en se payant la tête de Trump. Au printemps 2016, Ryan restait encore une alternative à Trump dans la course à l'investiture. À ce stade, il en était l'unique. Un seul mot de lui, pensaient de nombreux républicains, et la convention bascule en sa faveur. Mais son calcul, qu'il croyait malin, a été de laisser son adversaire remporter l'investiture. Ryan apparaîtra alors comme la figure incontournable pour prendre les rênes du parti après la défaite historique de Trump dans les urnes et l'inévitable purge de l'aile Tea Party-Trump-Breitbart qui s'ensuivrait.

Au lieu de quoi l'élection l'a laminé, du moins aux yeux de Steve Bannon. Non seulement Trump a sauvé le Parti républicain, mais il lui a offert une majorité puissante. Le rêve de Bannon se réalise de A à Z. Le mouvement du Tea Party, avec Trump comme remarquable figure de proue, arrive au pouvoir – quelque chose qui se rapproche du pouvoir absolu. Il a le Parti républicain dans sa poche. Briser Paul Ryan en public est l'étape suivante, évidente et nécessaire.

Sauf que le mépris de Bannon et la rancune de Trump poussent les deux hommes dans des directions différentes. Si Bannon considère Ryan comme réticent et incapable de porter le nouveau projet Bannon-Trump, le Président, lui, voit dans ce Ryan sévèrement remis à sa place quelqu'un d'agréablement abject, soumis, et utile. Bannon veut éradiquer l'establishment républicain, Trump se satisfait de le voir courber l'échine.

« C'est un type intelligent, rapporte Trump après sa première conversation avec le président de la Chambre une fois l'élection passée. Quelqu'un de très sérieux. Tout le monde le respecte. »

Ryan, « atteignant un niveau de flagornerie et de fayotage si spectaculaire qu'il était pénible de le regarder », d'après un haut conseiller de Trump, parvient à retarder sa propre exécution. Alors que Bannon plaide la cause de Meadows, Trump tergiverse, puis finit par décider non seulement de ne pas pousser Ryan vers la sortie, mais au contraire de faire de lui son homme, son partenaire. Dans un parfait exemple des effets bizarres et imprévisibles que peut avoir l'alchimie personnelle sur Trump – et la facilité avec laquelle il peut changer d'avis – le Président est maintenant prêt à soutenir ardemment les positions de Ryan. Tout le contraire de ce qui était prévu.

« Je crois que nous n'avions pas anticipé que le président lui donnerait carte blanche, doit reconnaître Katie Walsh. Le Président et Paul étaient si éloignés pendant la campagne, pour arriver ensuite à une telle idylle où le Président se fait une joie de tout lui passer. »

Bannon n'est pas vraiment étonné par ce revirement ; il est bien placé pour savoir qu'il est facile de baratiner un baratineur. Il constate aussi que le rapprochement avec Ryan en dit long sur l'état d'esprit du Président. Ryan a accepté de s'incliner devant Trump, mais Trump aussi accepte de s'incliner devant sa propre angoisse, celle de ne pas savoir grand-chose sur la fonction présidentielle.

Si je peux compter sur Ryan pour s'occuper du Congrès, se dit-il, eh bien ouf, c'est déjà ça de pris.

Trump s'intéresse peu, voire pas du tout, à l'objectif central des républicains : révoquer l'Obamacare. Septuagénaire en surpoids affligé de diverses phobies physiques (par exemple, il ment sur son poids pour éviter d'être catalogué comme obèse), il est personnellement rebuté par les questions de couverture de santé et de traitements médicaux. Les détails de cette réforme contestée le barbent au plus haut point ; son attention commence à se disperser dès le début de toute discussion sur le sujet. Il ne pourrait pas énumérer les mesures de l'Obamacare – sinon se moquer d'Obama qui avait promis que chacun pourrait garder son médecin – et il serait bien incapable d'expliquer la moindre différence, positive ou négative, entre les systèmes de santé pré et post-Obamacare.

Avant son accession à la présidence, il n'a probablement jamais eu de sa vie la moindre conversation un peu sérieuse à propos de la couverture de santé. « Personne dans le pays, ni sur terre, n'a jamais moins pensé à l'assurance maladie que Donald », affirme Roger Ailes. Prié de s'exprimer, lors d'une interview de campagne, sur la nécessité de remplacer l'Obamacare, il se montre pour le moins hésitant : « C'est un sujet important, mais il y a des tas de sujets importants. C'est peut-être dans le top dix. Probablement. Mais la concurrence est rude. Donc on ne peut pas en être sûr. Ça pourrait être douze. Ou ça pourrait être quinze. En tout cas dans le top vingt, c'est sûr. »

C'est d'ailleurs un débat qui l'éloigne de nombreux électeurs : alors que Barack Obama et Hillary Clinton veulent discuter du système de protection sociale, Trump, lui, ne le souhaite absolument pas.

Il préfère sans doute l'idée que davantage de gens soient couverts, plutôt que moins. Il est même, bon an mal an, plutôt plus favorable à l'Obamacare qu'à sa révocation. D'ailleurs, il a fait une série d'audacieuses promesses dans le style d'Obama, allant jusqu'à dire que sous le plan Trumpcare à venir (on l'a fortement découragé d'utiliser cette appellation – les sages de la politique lui disent qu'il s'agit de l'un des rares sujets auquel il ferait mieux de ne pas accoler son nom), personne ne perdrait sa couverture maladie, et que les conditions d'assurance qui préexistaient continueraient de prévaloir. De fait, il est probablement plus favorable que n'importe quel autre républicain à une couverture de santé assurée par des fonds publics. « Pourquoi Medicare ne peut pas simplement couvrir tout le monde ? » demande-t-il un jour à ses conseillers qui prennent tous grand soin de ne pas réagir à cette hérésie.

Bannon tient bon la barre, en soulignant sévèrement que l'Obamacare est un point de rupture pour les républicains, et que, détenant la majorité au Congrès, ils ne peuvent pas retourner solliciter les voix de leurs électeurs sans se conformer à ce pilier du catéchisme du parti. L'abrogation, selon lui, est leur engagement, et le résultat le plus satisfaisant, cathartique même. Ce serait aussi le plus simple à obtenir, puisque pratiquement tous les républicains se sont engagés publiquement à voter pour. Mais dans le même temps, comprenant que le régime d'assurance-maladie est le point faible de l'attractivité du bannonisme-trumpisme vis-à-vis de l'Amérique d'en bas, il veille à se mettre en retrait dans le débat. Plus tard, c'est à peine s'il fera l'effort d'expliquer comment il s'est lavé les mains de ce pataquès, se contentant de dire : « Je ne me suis pas engagé à propos de la couverture santé parce que ce n'est pas mon truc. »

C'est Ryan qui, avec sa formule « révoquer et remplacer », brouille les lignes et conquiert Trump. Révoquer satisferait la ligne dure des républicains, tandis que remplacer satisferait les promesses impromptues lancées par Trump. Même si le Président et Ryan n'entendent certainement pas la même chose par « révoquer et remplacer », il s'agit d'un slogan bien pratique, avec un semblant de sens sans signification bien définie.

La semaine qui suit l'élection, Ryan, accompagné de Tom Price – représentant de la Géorgie au Congrès et orthopédiste, devenu l'expert santé du président de la Chambre – se déplace jusqu'à la propriété de Trump à Bedminster, dans le New Jersey, pour un briefing sur la révocation-remplacement. Les deux hommes résument pour Trump – qui n'arrête pas de parler d'autre chose et d'essayer d'orienter la conversation vers le golf – sept années de réflexion législative républicaine à propos de l'Obamacare et de ses alternatives. Comme toujours, Trump est heureux d'approcher quelqu'un qui semble en savoir plus que lui sur un sujet dont il n'a cure, ou simplement sur un de ces détails qu'il ne peut se résoudre à étudier de près. *Great !* dit-il, *formidable !*, ponctuant toutes les phrases par la même exclamation, impatient d'abréger la réunion. Sur-le-champ, il accepte avec joie de laisser Ryan piloter la loi sur la réforme de la santé et de bombarder Price au poste de secrétaire à la Santé.

Kushner, qui reste largement absent du débat, semble en public accepter le fait qu'une administration républicaine doit en découdre avec l'Obamacare. En privé, il laisse entendre que, personnellement, il était à la fois contre la révocation seule et contre la révocation-remplacement. Sa femme et lui adhèrent à l'opinion démocrate traditionnelle : l'Obamacare est un moindre mal, les problèmes qui persistent peuvent être réglés à l'avenir. D'un point de vue stratégique, ils auraient préféré que l'administration engrange quelques victoires plus faciles avant de s'engager dans cette bataille difficile voire impossible à gagner. En outre, le frère de Kushner, Josh, dirige une compagnie d'assurance santé dépendante de l'Obamacare.

Une fois de plus, donc, la Maison Blanche se divise par rapport à tout le spectre politique, Bannon adoptant la position radicale de la base, Priebus s'alignant sur Ryan en soutien à la direction du parti, et Kushner affichant des vues démocratiques modérées sans y voir de contradiction. Quant à Trump, il essaie tout simplement de se dépatouiller d'un problème qui ne l'intéressait pas spécialement.

Bons vendeurs, Ryan et Priebus promettent aussi au Président de le débarrasser d'autres soucis. La réforme de l'assurance-maladie, selon le plan de Ryan, est une sorte de solution miracle. La loi que le président de la Chambre se fait fort d'entériner devant le Congrès financerait les réductions d'impôt que Trump a garanties, lesquelles, à leur tour, rendraient possibles tous ces investissements dans les infrastructures sur lesquels il s'était engagé.

Sur cette base – cette théorie des dominos devrait porter triomphalement l'administration Trump jusqu'au-delà des vacances du mois d'août, et faire de son mandat l'un des plus réformateurs des temps modernes –, Ryan garde sa place au perchoir, et le Président, conscient de son inexpérience et de celle de son équipe pour rédiger un projet de loi, a tout simplement sous-traité le dossier – et à un ancien ennemi juré, qui plus est.

En voyant Ryan lui voler l'initiative législative pendant la période de transition, Bannon vit un instant de realpolitik anticipée. Si le Président compte céder au président de la Chambre les réformes majeures, il est temps d'organiser la contre-attaque, et de fomenter de nouvelles « embrouilles à la Breitbart ». Kushner, pour sa part, devient de plus en plus zen – il faut bien suivre les lubies du Président, dit-il. Quant à Donald Trump, trancher entre plusieurs approches contradictoires n'est clairement pas son genre. Il se contente d'espérer que les décisions difficiles se prendront toutes seules.

Bannon ne méprise pas seulement l'idéologie de Ryan, il n'a aucun respect non plus pour sa façon de faire. À son avis, ce qu'il faut à la nouvelle majorité républicaine, c'est un homme de la trempe de John McCormick, le président de la Chambre démocrate de l'époque de son adolescence, qui avait cornaqué le programme législatif de la Grande Société sous le président Johnson. McCormick et d'autres démocrates des années 1960 étaient les héros politiques de Bannon. Sans oublier Tip O'Neill dans ce panthéon : catholique irlandais issu de la classe ouvrière, il était philosophiquement séparé des aristocrates et des notables, sans aucune aspiration à les rejoindre. Bannon vénère ces politicards de la vieille école. Il en a le physique : visage tavelé, bajoues, œdème. Et il hait les politiciens modernes. Ils manquent non seulement de talent, mais aussi d'âme et d'authenticité. Ryan, lui, reste toujours l'enfant de chœur catholique irlandais qu'il fut. En grandissant, il n'est pas devenu voyou, ni policier ni prêtre – ni véritablement politicien.

Ryan n'est pas un acharné du comptage des voix. Il raisonne à courte vue, sans grandes capacités d'anticipation. Son cœur va à la réforme fiscale, et pour ce qu'il en voit, le chemin de cette réforme passe par celle de l'assurance-maladie. Cependant, cette question l'intéresse si peu que, à peine chargé du dossier par la

Maison Blanche, il sous-traite à son tour la rédaction du projet de loi aux compagnies d'assurances et aux lobbyistes de Washington.

Ryan essaye de se comporter comme un John McCormick ou un Tip O'Neill, assurant avec autorité qu'il maîtrise parfaitement l'élaboration de la loi. « C'est dans la poche », comme il l'assure au Président lors de ses multiples coups de fil quotidiens. La confiance que Trump place en lui est de plus en plus élevée, et le Président semble penser qu'il a acquis une sorte de maîtrise totale du Capitole. Il a eu des inquiétudes au début, mais maintenant il est rassuré. « C'est dans la poche. » La Maison Blanche, pratiquement sans effort, est à la veille d'une grande victoire, fanfaronne Kushner, le succès attendu lui faisant oublier son antipathie pour le projet.

Les craintes de débâcle apparaissent brusquement début mai. Katie Walsh, que Kushner décrit maintenant comme « difficile et irascible », commence à sonner l'alarme. Mais ses tentatives d'impliquer personnellement le président afin qu'il aille chercher les voix sont bloquées par Kushner dans une série de face-à-face de plus en plus tendus. À partir de là, tout part à vau-l'eau.

Trump parle encore avec dédain du « machin russe – un gros tas de rien ». Mais le 20 mars, le directeur du FBI, James Comey, témoigne devant le House Intelligence Committee – la commission du Congrès chargée de surveiller les activités des agences de renseignement. Il livre toute l'histoire dans un joli paquet cadeau :

> Le département de la Justice m'a donné le feu vert pour confirmer que le FBI, dans le cadre de notre mission de contre-espionnage, enquête actuellement sur les tentatives d'ingérence du gouvernement russe dans l'élection présidentielle de 2016. Cela comprend une investigation sur la nature de tous les liens entre des individus associés à la campagne Trump et le gouvernement russe, et sur une éventuelle coordination entre la campagne et les efforts de la Russie. Comme toute enquête de contre-espionnage, celle-ci comprendra également une analyse visant à déterminer si des crimes ont été commis. Cette enquête étant ouverte et en cours, et classée secrète, je ne peux en dire davantage sur nos actions ni sur les personnes dont nous examinons la conduite.

Certes, mais il en dit assez. Il convertit les rumeurs, les fuites, les théories, les insinuations et le brassage d'air – jusque-là c'était tout, avec en plus l'espoir d'un scandale – en une enquête officielle sur la Maison Blanche. Les efforts pour salir cette version – l'étiquette « *fake news* », l'argument « J'ai la phobie des microbes » du président se défendant contre les rumeurs de *golden showers*, le renvoi hautain de subalternes et de parasites, l'affirmation plaintive, à défaut d'être vraie, qu'aucun crime n'avait été ne fût-ce que suggéré, les allégations d'écoutes par Obama –, tout cela a échoué. Comey en personne réfute toute idée d'écoutes illégales. Dès le soir de sa prestation, il est évident pour tout le monde que l'intrigue russe, loin de s'essouffler, a une longue vie devant elle.

Kushner, qui n'oublie pas les démêlés de son père avec la Justice, est particulièrement inquiet de voir Comey s'intéresser à la Maison Blanche. « Faire quelque chose à propos de Comey » devient chez lui un leitmotiv ; « Qu'est-ce qu'on va faire de lui ? », une question récurrente qu'il pose sans cesse au Président.

Et pourtant, c'est aussi – comme Bannon, sans trop de succès, s'efforce de l'expliquer en interne – un problème structurel. Il s'agit là d'un coup de l'opposition. On peut toujours s'étonner publiquement de la férocité, de la créativité et de la perversité des attaques, mais pas que l'ennemi cherche à cogner. C'est bien joué, mais loin de l'échec et mat, et il faut continuer la partie en sachant qu'elle promet d'être longue. Le seul moyen de la remporter, avance-t-il, est d'adopter une stratégie fondée sur la discipline.

Sauf que le Président, aiguillonné par sa famille, est un obsessionnel, pas un stratège. Pour lui, il n'y a pas un problème à résoudre, mais un homme à abattre : Comey. Dépourvu de subtilité, il fonce sur l'adversaire. Comey était déjà une énigme pour Trump avant cette affaire : il avait d'abord refusé de lancer des poursuites du FBI contre Hillary Clinton dans l'affaire des e-mails, puis, en octobre, amplifié les chances de Trump, tout seul, sans rien demander à personne, avec une lettre déclarant qu'il allait rouvrir l'enquête.

Dans leurs interactions personnelles, Trump a toujours trouvé Comey rébarbatif – aucune faconde, aucun jeu. Mais le Président, qui se croit invariablement irrésistible, est convaincu que Comey admire *sa* faconde et *son* jeu. Lorsque Bannon et d'autres veulent l'inciter à virer Comey sans délai – une idée à laquelle Kushner est opposé, et donc un point en plus, pour Bannon, sur la liste des mauvais conseils du gendre –, le Président répond : « Ne vous en faites pas, il me mange dans la main. » Il ne doute pas de pouvoir charmer et flatter le directeur du FBI pour l'amener à de meilleurs sentiments, voire à la soumission pure et simple.

Certains séducteurs ont une perception presque surnaturelle des signaux envoyés par ceux qu'ils cherchent à séduire ; d'autres essaient de séduire tout le monde sans distinction et, statistiquement, y parviennent assez fréquemment. C'est l'approche de Trump avec les femmes – content en cas de succès, indifférent en cas d'échec (et souvent persuadé d'avoir séduit malgré toutes les apparences contraires). Il en va de même avec James Comey.

Au cours de leurs multiples rencontres depuis sa prise de fonctions – l'accolade présidentielle du 22 janvier ; leur dîner du 27, au cours duquel Comey s'est vu demander de rester à la tête du FBI ; leur conversation de la Saint-Valentin, après que Trump eut fait sortir tous les autres témoins, y compris Sessions, qui a autorité sur Comey –, Trump est sûr d'avoir posé tous les bons jalons. Il a la certitude que si Comey comprend que lui, Trump, le soutient (c'est-à-dire lui permet de rester en poste), Comey le soutiendra aussi.

Et à présent, ce témoignage. Cela n'a aucun sens. Ce qui *fait* sens pour Trump, c'est que Comey veuille tirer la couverture à lui. La soif d'attention médiatique, ça, il comprend. Eh bien soit : si Comey le cherche, il va le trouver.

Du coup, le système de santé, un dossier déjà assommant – et qui le devient plus encore si, comme cela paraît de plus en plus probable, Ryan échoue à faire passer le projet de loi –, perd tout attrait comparé à l'éclat de Comey, et sa fureur, son hostilité, l'amertume que Trump et sa famille lui prêtent désormais.

Le problème majeur, c'est Comey. Le faire tomber, c'est la solution. Avoir sa peau, la mission.

La Maison Blanche enrôle Devin Nunes, président du House Intelligence Committee, dans une grotesque machination pour discréditer Comey et donner du poids à la théorie des écoutes. Le projet ne tarde pas à sombrer dans un ridicule absolu.

Bannon, se désolidarisant à la fois de la réforme de l'assurance-maladie et du dossier Comey, commence à suggérer aux journalistes de s'intéresser non pas à la santé, mais à la Russie. C'est un tuyau qu'il faut décoder : on ne comprend pas clairement s'il s'efforce de détourner l'attention de la débâcle imminente du projet de loi sur la santé, ou s'il veut y ajouter cette périlleuse variable afin d'alimenter une atmosphère de chaos qui, en général, lui profite.

Mais Bannon est sans équivoque sur un point. À mesure que l'affaire russe avance, conseille-t-il à la presse, gardez un œil sur Kushner.

À la mi-mars, la présidence fait appel à Gary Cohn pour essayer de sauver le projet de loi sur la santé qui bat de l'aile. Il se peut qu'il vive cela comme une forme de bizutage, sa maîtrise des questions de législation étant encore plus limitée que celle de presque tout le monde à la Maison Blanche.

Le matin du vendredi 24 mars, jour où la Chambre des représentants doit se prononcer sur le projet de loi, le site d'information Politico indique que les chances qu'il soit mis au vote sont jouées à « pile ou face ». Lors de la réunion matinale de l'état-major, Cohn, à qui l'on demande une évaluation de la situation, répond promptement : « Je crois que ça relève du pile ou face. »

« C'est ce que tu crois ? Sans blague ! » pense Katie Walsh.

Bannon, qui rejoint Walsh dans son impitoyable mépris envers les choix faits par la Maison Blanche, passe à la presse une série de coups de fil pour descendre en flammes Kushner, Cohn, Priebus, Price et Ryan. D'après lui, on peut compter sur Kushner et Cohn pour courir se planquer au premier coup de feu. (De fait, Kushner a passé l'essentiel de la semaine au ski.) Priebus régurgite les éléments de langage et les justifications de Ryan. Price, le supposé gourou de la couverture de santé, se révèle un imposteur, il se lève pendant les réunions pour ne bredouiller que des absurdités.

L'ennemi c'est eux : ils font tout pour que l'administration perde la majorité en 2018, ouvrant la voie à une destitution du Président.

Comme analyse, c'était du pur Bannon : d'un côté une apocalypse politique certaine et immédiate, de l'autre la perspective d'un demi-siècle de régime trumpo-bannoniste.

Persuadé de connaître le chemin de la victoire, très conscient de son âge et des limites des opportunités qui s'offrent à lui et – pour des raisons obscures – se voyant comme un intrigant politique de talent, Bannon cherche à tracer une frontière entre les croyants et les vendus, entre l'être et le néant. Pour réussir, il lui faut isoler les factions Ryan, Cohn et Kushner.

Bannon tient mordicus à faire passer en force un vote sur le projet de loi de réforme de la santé – même en sachant la défaite inévitable. « Je veux que ce soit inscrit au bilan du mandat de Ryan au perchoir », dit-il. Comprendre : un bilan accablant, un échec cuisant.

Le jour du vote, le vice-président Mike Pence est envoyé au Capitole vendre une dernière fois le projet devant le Freedom Caucus de Meadows. Les hommes de Ryan pensent que Bannon incite en secret Meadows à résister, alors que plus tôt dans la semaine il a fermement ordonné au Freedom Caucus de voter pour le projet de loi – « un numéro absurde à la Bannon », d'après Walsh. À 15 h 30, Ryan appelle le Président pour l'informer qu'il lui manque quinze à vingt voix et qu'il vaut mieux annuler le scrutin. Bannon, soutenu par un Mick Mulvaney devenu la cheville ouvrière de la Maison Blanche au Capitole, continue d'exiger un vote immédiat. Une défaite ici serait une défaite majeure pour les leaders du Parti républicain. Ce qui convient parfaitement à Bannon : qu'ils se plantent.

Mais le Président s'incline. Face à cette singulière occasion de faire porter le chapeau à la direction du parti, et de la désigner comme étant le véritable problème, Trump se dégonfle, soulevant chez Bannon une rage pas si muette que ça. Ryan révélera par la suite que c'est le Président qui lui a demandé d'annuler le vote.

Pendant le week-end, Bannon appelle de nombreux journalistes pour leur dire – en *off*, mais à peine : « Je ne vois pas Ryan tenir encore bien longtemps. »

Après l'annulation du vote, ce vendredi-là, Katie Walsh, furieuse et écœurée, informe Kushner qu'elle veut partir. Elle dit voir dans cet épisode le navrant naufrage de la Maison Blanche de Trump, elle s'exprime sans ambages sur les rivalités et les aigreurs, auxquelles s'ajoutent une incompétence généralisée et des missions très mal définies. Kushner, comprenant qu'il faut la discréditer immédiatement, laisse échapper l'idée qu'elle a elle-même organisé des fuites et doit donc être poussée vers la sortie.

Le dimanche soir, Walsh dîne avec Bannon dans son refuge de Capitol Hill, l'ambassade Breitbart, dîner au cours duquel il l'implore en vain de rester. Le lundi, elle règle les détails avec Priebus – elle ira travailler en partie pour le RNC et en partie pour le lobby « Trump (c)(4) ». Le jeudi, elle n'est plus là.

Au bout de seulement dix semaines, l'administration Trump perd, après Michael Flynn, sa seconde figure – celle dont le poste consistait à réellement faire avancer les choses.

13

Les conflits intérieurs de Bannon

Lui aussi se sent prisonnier, confie-t-il à Katie Walsh quand elle vient lui annoncer son départ.

Au bout de dix semaines, l'emprise de Steve Bannon sur le programme de Trump, ou du moins sur Trump lui-même, se réduit comme peau de chagrin. Son vague à l'âme est à la fois lié à son ancrage catholique – le goût pour l'autoflagellation d'un homme qui pense vivre à un niveau de moralité plus élevé que les autres – et fondamentalement misanthrope. Pour cet asocial vieillissant, s'entendre avec les autres exige un immense effort, et souvent les choses se passent mal. Par-dessus tout, il est malheureux à cause de Donald Trump dont les piques cruelles, toujours violentes, même quand elles semblent lancées en passant, deviennent insupportables quand l'homme se retourne vraiment contre vous.

« J'ai détesté faire campagne, j'ai détesté la transition, je déteste être à la Maison Blanche », avoue-t-il un soir à Reince Priebus. En cette soirée étonnamment chaude pour le début du printemps, il l'a rejoint dans son bureau. Les portes-fenêtres sont ouvertes sur le patio arboré où Priebus et lui, désormais grands amis et alliés dans leur antipathie pour Jarvanka, ont installé une table.

Cependant, Bannon reste convaincu de ne pas se trouver à la Maison Blanche pour rien. Il a la certitude que c'est lui qui a amené tous les autres à cette place – une certitude qu'il est incapable de garder pour lui, ce qui n'arrange pas sa cote auprès du Président. Plus important : il est le seul, parmi ceux qui viennent travailler tous les jours, à le faire en s'engageant réellement pour faire changer le pays. Le transformer rapidement, radicalement et réellement.

L'idée d'un électorat divisé – États bleus et États rouges, deux courants de valeurs opposées, mondialistes contre nationalistes, establishment contre révolte populiste – est réduite par les médias à une situation d'angoisse existentielle générale, dans une époque politiquement troublée et où, dans une large mesure, se perpétue cependant l'habituel *statu quo*. Bannon, lui, a une vision plus pragmatique de cette division. Les États-Unis sont devenus le pays de deux peuples hostiles. L'un doit nécessairement gagner et l'autre perdre. L'un dominerait tandis que l'autre serait relégué à la marge.

Bref, une guerre civile moderne – la guerre de Bannon. La nation que la vertu, la volonté et la force du travailleur américain avaient construite dans les années 1955-1965 était l'idéal qu'il se faisait fort de défendre et de restaurer : accords commerciaux, ou guerres commerciales, en soutien à l'industrie manufacturière américaine ; politique d'immigration protectrice pour l'actif américain (et, donc, pour la culture américaine, ou du moins pour l'identité américaine d'entre 1955 et 1965) ; isolationnisme international, afin de préserver les ressources intérieures et de tarir la sensibilité pro-Davos de la classe dirigeante (et aussi, d'épargner des vies de soldats issus des classes laborieuses). Il s'agit, aux yeux de presque tout le monde sauf de Donald Trump et de l'alt-right, d'un méli-mélo d'économie vaudou et d'absurdité politique. Mais pour Bannon, c'est une idée révolutionnaire et qui a ses racines dans la religion.

Pour la plupart de ses collègues à la Maison Blanche, Bannon poursuit un rêve chimérique. « Bah, Steve… c'est Steve » devient la formule aimable pour le tolérer. « Il se passe beaucoup de choses dans sa tête », commente le Président qui ne perd pas une occasion de manifester son envie de le congédier.

Mais la lutte ne se joue pas tant entre Bannon et les autres qu'entre le Trump bannoniste et le Trump non-bannoniste. Si, lorsqu'il est d'humeur sombre, déterminée, agressive, le Président peut défendre Bannon et ses idées, il peut tout aussi bien ne rien défendre du tout

– sinon son propre besoin de satisfaction immédiate. C'est au moins une chose que les anti-Bannon ont comprise au sujet de Trump. Si le patron est de bonne humeur, alors une approche normale de la politique, deux pas en avant et un pas en arrière, prend le dessus. Une sorte de néo-centrisme, aussi hostile au bannonisme qu'il est possible de l'être, a des chances d'émerger. Le demi-siècle de régime trumpiste que Bannon appelle de ses vœux risque de se voir supplanté par le règne de Jared, d'Ivanka et de Goldman Sachs.

Fin mars, c'est ce camp-là qui a le dessus. Les efforts de Bannon pour brandir le fiasco de la réforme de la santé comme preuve que l'establishment est l'ennemi se sont retournés contre lui. Trump prend cet échec personnellement, mais comme il ne connaît pas l'échec, ce ne peut en être un. Ce sera donc un succès – sinon tout de suite, du moins bientôt. Par conséquent, c'est Bannon, le Cassandre du banc de touche, qui pose problème.

Trump revient sur son adoubement précoce de Bannon en niant l'avoir jamais légitimé et en le couvrant de mépris. Si quelque chose ne tourne pas rond à la Maison Blanche, c'est à cause de Steve Bannon. Le Président prend un malin plaisir à le dénigrer, et ses propos prétendent atteindre des sommets d'analyse : « Le problème de Steve Bannon, ce sont les relations publiques. Il ne comprend pas ça. Tout le monde le déteste. Parce que… non mais regardez-le. Et sa mauvaise image déteint sur d'autres. »

Comment Bannon, le populiste, monsieur « nique le système », a-t-il pu imaginer qu'il s'entendrait avec le milliardaire Donald Trump, monsieur « je me sers du système pour mieux en profiter » ? Pour Bannon, Trump était le jeu qu'il fallait jouer. Sauf que dans les faits, il ne le joue pas. Au contraire, il ne peut s'empêcher de le saper. Tout en proclamant que la victoire est bien celle de Trump, il souligne que lorsqu'il a pris en main la campagne elle avait un retard dans les sondages que personne avant lui, à dix semaines du scrutin, n'avait jamais réussi à combler. À l'entendre, Trump sans Bannon, c'était Wendell Willkie[1].

---

1. Candidat républicain à l'élection présidentielle de 1940. Grand chef d'entreprise sans expérience politique, il perdit face à Franklin Delano Roosevelt.

Bannon comprend la nécessité de ne pas voler la vedette à Trump. Il est parfaitement conscient que le Président garde en mémoire toutes les occasions où quelqu'un s'est attribué un mérite qui, pense-t-il, ne revient qu'à lui. Kushner et Bannon, les deux personnages les plus influents de la Maison Blanche après le Président, restent muets sur leurs activités professionnelles. Pourtant, les médias ne parlent que de Bannon, et le Président est convaincu – à raison – que c'est le résultat d'une campagne de presse privée. Plus fréquemment que l'autodérision ne le permet, l'homme se surnomme lui-même « Président Bannon ». Une Kellyanne Conway aigrie, régulièrement brocardée pour sa propre soif d'attention médiatique, confirme cette observation du Président : Bannon s'incruste le plus souvent possible dans les séances photo de la Maison Blanche. (Apparemment, chacun tient les comptes de la présence des autres sur les photos.) Bannon ne fait pas trop d'efforts non plus pour dissimuler ses innombrables citations « de source anonyme » dans la presse, ni pour limiter ses peu discrets persiflages visant Kushner, Cohn, Powell, Conway, Priebus, et même la fille du Président (souvent, même, la fille du Président).

Curieusement, il ne dit jamais un mot de travers à l'encontre du Président lui-même – du moins, pas encore. L'idée d'un Trump modèle de droiture et de bon sens reste peut-être trop centrale dans sa conception du trumpisme. Trump, ce qu'il représente, est ce qu'il faut soutenir. On pourrait voir là une interprétation traditionnelle du respect de la fonction. C'est pourtant tout le contraire. L'homme est le vaisseau amiral. Il n'y a pas de Bannon sans Trump. Il a beau se prévaloir de sa contribution inégalable, presque magique, à la victoire de Trump, c'est au talent particulier de ce dernier qu'il doit cette chance. Lui n'est rien de plus que l'homme de l'ombre – le Cromwell de Trump, comme il le dit, bien qu'il ait parfaitement conscience du sort qu'a subi Cromwell.

Cependant, sa loyauté envers un Trump abstrait ne le préserve nullement des piques continuelles du Trump réel. Le Président a rassemblé autour de lui un large jury pour décider de son sort, et il aime à l'humilier publiquement en débitant, sur un ton de comique de stand up, des chapelets de moqueries : « Ce type a une allure de SDF. Va te doucher, Steve. Ça fait six jours que tu portes le même falzar. Il dit qu'il a gagné du fric, je voudrais bien voir ça. » (De manière notable, en revanche, il ne trouvait pas grand-chose à redire sur ses vues politiques.) L'administration Trump compte à peine deux mois d'existence, et tous les médias prédisent déjà la défenestration imminente de Bannon.

Une manière de se faire bien voir du Président consiste à lui présenter de nouvelles critiques, aussi vachardes que possible, envers son stratège en chef, ou à lui rapporter celles émises par d'autres. Il est important de ne rien lui dire de positif sur Bannon. Même un vague éloge avant un « mais » – « Steve est intelligent, mais… » – peut déclencher une grimace renfrognée si le « mais » n'arrive pas assez vite. (Il est vrai que toute allusion à l'intelligence de quelqu'un contrarie Trump.) Kushner incite Joe Scarborough et Mika Brzezinski à débiter un flot continu de crasses anti-Bannon pendant leur matinale télévisée.

Herbert R. McMaster, le général trois étoiles qui a remplacé Michael Flynn au poste de conseiller à la Sécurité nationale, a posé comme condition le droit de mettre son veto aux membres du Conseil de Sécurité nationale. Kushner, grand partisan de la nomination de McMaster, a rapidement veillé à ce que Dina Powell, un élément clé de la faction Kushner, entre au NSC et que Bannon en soit exclu.

Les partisans de Bannon, non sans commisération, se demandent à voix basse s'il va bien, s'il tient le coup. Invariablement, ils tombent d'accord pour lui trouver une mine affreuse, le stress marquant encore plus son visage déjà ravagé. David Bossie lui trouve « l'air d'un mourant ».

« Je comprends maintenant ce que c'était d'être à la cour des Tudors », dit Bannon, songeur. Il se rappelle que pendant la campagne, Newt Gingrich « avait toutes sortes d'idées idiotes. Quand on a gagné, c'était mon nouveau meilleur ami. Tous les jours, cent idées. Mais ensuite… » – quand vint le printemps, à la Maison Blanche – « j'ai eu froid, en traversant ma vallée de la Mort. Un jour je le croise dans l'entrée. Il baisse la tête, fuit mon regard et bredouille un vague "Salut, Steve". Je lui dis : "Qu'est-ce que tu fais là ? Viens, entre", et il me répond : "Non non, ça va, j'attends Dina Powell." »

Alors qu'il avait réussi l'inimaginable – amener un ethno-populisme antilibéral radicalement d'extrême droite au cœur de la Maison Blanche – Bannon se retrouve dans une situation insupportable : humilié et tenu de rendre des comptes à des milliardaires démocrates qui se croient en terrain conquis.

Paradoxalement, la présidence Trump se révèle à la fois la plus idéologique et celle qui l'est le moins. Elle représente un assaut structurel contre les valeurs progressistes : la déconstruction de l'État administratif voulue par Bannon doit entraîner avec elle les médias, l'université, les institutions à but non lucratif. Mais depuis le début, il est clair que l'administration Trump peut tout aussi bien tourner au régime républicain ambiance country-club ou démocrate tendance Wall Street. Ou se révéler simplement une aventure destinée à faire plaisir à Donald Trump. Le Président a certes sa collection de sujets fétiches, dûment testés auprès du consommateur lors de ses apparitions médiatiques et de ses meetings géants, mais aucun ne semble avoir autant d'importance que son objectif suprême : arriver toujours en tête.

Alors que les échos du renvoi de Bannon grondent de plus en plus fort, les Mercer interviennent pour protéger leur investissement dans le projet du soulèvement d'une droite radicale – et dans l'avenir de Steve Bannon.

À une époque où tous les candidats politiques qui réussissent sont entourés (sinon aux ordres) de milliardaires caractériels voire sociopathes cherchant à repousser sans cesse les limites de leur propre pouvoir – et plus ils sont riches, plus ils sont caractériels et sociopathes – Bob et Rebekah Mercer cultivent la discrétion. Si l'ascension de Trump est inattendue, celle des Mercer l'est davantage encore.

Même les milliardaires au caractère difficile – les frères Koch et Sheldon Adelson à droite, David Geffen et George Soros à gauche – se voient entravés et freinés par cette réalité : l'argent circule dans un marché compétitif. On ne peut être odieux que jusqu'à un certain point. Le monde des riches, à sa manière, s'autorégule. L'ascension sociale obéit à des règles.

Mais dans le monde des ultrariches caractériels, les Mercer demeurent presque entièrement dénués de relations sociales, traçant leur route sous des regards incrédules. Contrairement à d'autres qui versent des sommes astronomiques à des candidats politiques, eux sont prêts à ne pas gagner – jamais. Ils sont dans leur bulle.

Si bien que lorsqu'ils gagnent, grâce à un improbable alignement de planètes en faveur de Donald Trump, ils sont encore purs. À présent qu'un extravagant coup du sort les a portés au pouvoir, ils ne vont pas y renoncer sous prétexte que Steve Bannon est blessé dans son ego et qu'il manque de sommeil.

Vers la fin mars, les Mercer organisent dans l'urgence une série de rendez-vous, dont au moins un avec le Président. C'est exactement le genre de réunion que Trump, en général, cherche à éviter : les problèmes personnels ne l'intéressent pas car ils mettent l'accent sur d'autres que lui. Et voilà qu'il se retrouve obligé de s'occuper de Steve Bannon, alors que l'inverse était prévu. En outre, il s'agit d'un problème qu'il a lui-même contribué à créer à force de constamment railler Bannon, et on lui demande maintenant de faire amende honorable. Même s'il répète à tout bout de champ qu'il pourrait et devrait virer Bannon, il est conscient du coût d'un tel geste : un tollé aux répercussions imprévisibles à l'extrême droite.

Trump, comme tout le monde, trouve les Mercer bizarres. Il n'aime pas que Bob Mercer le regarde fixement sans dire un mot. Il déteste se trouver dans la même pièce que cet homme ou que sa fille. Ces deux-là forment un duo très étrange – « des barjots », à son avis. Mais il a beau refuser d'admettre que sans leur décision de le soutenir et d'imposer Bannon dans la campagne, en août, il ne serait sans doute pas à la Maison Blanche aujourd'hui, il comprend que si on les contrarie, les Mercer et Bannon peuvent être des casses-pieds de classe internationale.

La complexité du problème Bannon-Mercer le pousse à consulter deux individus qui sont l'opposé l'un de l'autre : Rupert Murdoch et Roger Ailes. Ce faisant, peut-être sait-il déjà que leurs réponses divergentes s'annuleront.

Murdoch, mis au courant par Kushner, lui dit que se débarrasser de Bannon est le seul moyen de venir à bout des dysfonctionnements de la Maison Blanche. (Il suppose bien sûr que se séparer de Kushner n'est pas envisageable.) C'est l'issue inévitable, alors autant le faire tout de suite. Cette réponse est d'une logique parfaite : Murdoch en était venu à soutenir les modérés tendance Kushner-Goldman Sachs, voyant en eux les gens qui sauveraient le monde de Bannon et, à vrai dire, de Trump.

Ailes, de son côté, n'y va pas par quatre chemins : « Donald, tu ne peux pas faire ça. Tu as fait ton lit, et Steve est dedans. Tu n'es pas obligé de l'écouter ni de t'entendre avec lui. Mais vous êtes mariés, tous les deux. Tu ne peux pas te permettre de divorcer maintenant. »

Jared et Ivanka se réjouissent à l'idée de voir Bannon prendre la porte. Son départ restituerait à l'organisation Trump un contrôle entièrement familial, la famille et son personnel, sans rival intérieur pour brouiller l'image de marque et infléchir les décisions. Cela les aiderait aussi – du moins en théorie – à faciliter une des évolutions les moins plausibles de l'histoire : rendre Donald Trump respectable. Sans Bannon, le rêve longtemps différé du « virage Trump » a une chance de se réaliser enfin. Tant pis si cet idéal des Kushner – sauver Trump de lui-même et propulser Jared et Ivanka dans l'avenir – est presque aussi extravagant et chimérique que le fantasme bannoniste d'une Maison Blanche se consacrant à ressusciter la mythologie américaine d'avant 1965.

Un départ de Bannon risquerait aussi d'ouvrir la dernière faille dans un Parti républicain déjà fracturé. Avant l'élection, une hypothèse suggérait qu'un Trump vaincu engrangerait trente-cinq pour cent d'aigris comme capital politique et ferait son beurre avec cette minorité pleine de rancœur. À présent, la nouvelle théorie alarmante est la suivante : pendant que Kushner s'efforce de transformer son beau-père en une sorte de Rockefeller tardif, comme Trump, si improbable que ce soit, en a parfois rêvé (le Rockefeller Center fut une inspiration pour sa propre image de marque dans l'immobilier), Bannon peut quitter les lieux avec une portion non négligeable de ces trente-cinq pour cent.

Ça, c'était la menace Breitbart. L'organisation Breitbart News reste sous le contrôle des Mercer, et peut à tout moment intégrer de nouveau Steve Bannon. Et maintenant que Bannon a soudain acquis une image de génie politique et de faiseur de rois, et que l'alt-right triomphe, Breitbart a potentiellement gagné un pouvoir énorme. La victoire de Trump a, dans un sens, donné aux Mercer l'outil pour le détruire. Si jamais sa situation s'aggravait, alors que le militantisme des médias dominants et le marigot s'organisaient contre lui, Trump aurait certainement besoin que l'alt-right soutenue par les Mercer se lève pour le défendre. Après tout, qu'est-il sans eux ?

Alors que la pression monte, la discipline de fer qui a permis jusqu'alors à Bannon de respecter Donald Trump en se faisant l'avatar idéal du trumpisme (et du bannonisme) et en jouant consciencieusement son rôle de collaborateur et de soutien d'un talent politique non conformiste, commence à s'effriter. Malgré tous les espoirs que l'on peut placer en sa personne, Trump reste Trump, comme le constate quiconque travaillant pour lui, rendant invariablement aigri son entourage.

Mais les Mercer ne lâchent pas le morceau. Sans Bannon, ils pensent que la présidence Trump, du moins celle qu'ils ont imaginée (et contribué à financer), est terminée. Leur objectif devient dès lors de faciliter la vie de Steve. Ils lui font promettre de partir du bureau à une heure raisonnable – plus question d'attendre de voir si Trump souhaite sa compagnie pour le dîner. (De toute manière, ces derniers temps, Jared et Ivanka ont décidé de mettre fin à ces tête-à-tête.) La solution est désormais de chercher le Bannon de Bannon : un stratège en chef pour le stratège en chef.

Fin mars, les Mercer trouvent un accord de paix avec le Président : Bannon ne sera pas renvoyé. Bien que cela ne garantisse rien sur sa position ni sur son influence, c'est un gain de temps pour Bannon et ses alliés. Ils peuvent se restructurer. En attendant, Bannon pense que la médiocrité de ses rivaux, Kushner et sa femme, scellera leur destin.

Le Président accepte donc de ne pas limoger Bannon, mais il offre, en échange, quelque chose à sa fille et à son gendre : il va leur faire prendre du galon.

Le 27 mars, le Bureau de l'innovation américaine est créé, et Kushner placé à sa tête. Sa mission officielle est de réduire la bureaucratie fédérale, tout en en créant un peu plus. Un comité pour mettre fin aux comités. De surcroît, cette nouvelle structure étudierait la terminologie interne du gouvernement, mettrait l'accent sur la création d'emploi, encouragerait et proposerait des mesures concernant l'apprentissage, engagerait des partenariats entre public et privé et lutterait contre l'épidémie de dépendance aux opiacés. Autrement dit, rien de nouveau sous le soleil, si ce n'est une poussée d'enthousiasme pour l'État administratif.

Le véritable intérêt de ce geste est d'offrir à Kushner son propre personnel interne à la Maison Blanche, une équipe dédiée non seulement à ses projets – tous diamétralement opposés à ceux de Bannon – mais aussi plus largement à « étendre [sa] sphère d'influence », comme il l'explique à un employé. Kushner a même droit à son propre « dircom », un porte-parole personnel pour assurer sa promotion. Cet édifice bureaucratique est conçu autant pour élever Kushner que pour diminuer Bannon.

Deux jours après l'annonce de ce renforcement du pouvoir de Jared, Ivanka se voit offrir elle aussi un poste officiel à la Maison Blanche : conseillère du Président. Depuis le début, elle est déjà une conseillère clé pour son mari – et pour elle-même. Mais là, du jour au lendemain, on observe une consolidation du pouvoir de la famille Trump au sein de la Maison Blanche. C'est, aux dépens de Steve Bannon, un remarquable coup d'État bureaucratique : une Maison Blanche divisée se voit entièrement réunie sous la houlette de la famille présidentielle.

Jared et Ivanka ne doutent pas qu'ils parviendront à faire ressortir le meilleur chez Trump, ou du moins à contrebalancer les demandes des républicains à coups de rationalité progressive, de compassion et de bonnes œuvres. À l'avenir, ils pourront consolider cette modération en orientant vers le Bureau ovale un flux continu de PDG partageant ces vues. Et en effet, le Président approuve leurs projets avec enthousiasme. « S'ils lui disent qu'il faut sauver les baleines, il sera foncièrement pour », note Katie Walsh.

Mais Bannon, rongeant son frein dans son exil, demeure certain de représenter les vraies convictions du Président ou, pour être plus exact, son ressenti. Il sait que Trump est fondamentalement un homme d'émotions, et ne doute pas qu'au fond il reste empli de hargne et d'idées noires. Le Président a beau vouloir soutenir les aspirations de sa fille et de son gendre, leur conception du monde n'est pas la sienne. Vu par Katie Walsh, cela donne : « Steve se prend pour Dark Vador et pense que Trump est attiré par le côté obscur. »

Force est de reconnaître que les efforts de Trump pour nier l'influence de Bannon sont peut-être inversement proportionnels à ladite influence.

Le Président n'écoute véritablement personne. Plus on parle, moins il écoute. « Mais Steve fait très attention à ce qu'il dit, et il y a quelque chose dans le timbre de sa voix, dans son énergie et sa passion, qui parle vraiment au Président, au détriment de tout le reste », explique Walsh.

Pendant que Jared et Ivanka crient victoire, Trump signe le décret-loi 13783 modifiant la politique environnementale, soigneusement élaboré par Steve Bannon pour vider de sa substance la loi nationale sur l'environnement. Cette loi de 1970 posait les bases de protections environnementales modernes en exigeant de toutes les agences de l'exécutif qu'elles rédigent des évaluations d'impact environnemental en amont de leurs actions. Entre autres conséquences, ce décret annule une directive obligeant à prendre en compte le changement climatique, un avant-goût des débats à venir sur les positions du pays vis-à-vis de l'accord de Paris sur le climat.

Le 3 avril, Kushner fait une apparition surprise en Irak où il accompagne le général Joseph Dunford, chef d'état-major des armées. D'après le bureau de presse de la Maison Blanche, Kushner « s'est déplacé à la demande du Président pour exprimer le soutien de ce dernier et son engagement envers le gouvernement d'Irak et les personnels américains actuellement engagés dans la campagne ». Kushner, dont la présence médiatique est habituellement lointaine et muette, est abondamment photographié pendant tout le voyage.

Regardant l'un des nombreux écrans qui forment une toile de fond omniprésente à la Maison Blanche, Bannon aperçoit Kushner coiffé d'écouteurs dans un hélicoptère au-dessus de Bagdad. Sans s'adresser à personne en particulier, et se remémorant un George W. Bush novice et ridicule, en tenue de pilote, proclamant la fin de la guerre d'Irak sur le porte-avions *USS Abraham Lincoln*, il murmure : « Mission accomplie. »

Serrant les dents, Bannon voit l'organisation de la Maison Blanche basculer à l'exact opposé du trumpisme-bannonisme. Mais même à cet instant, il continue de croire que le véritable élan de l'administration va dans son sens. C'est Bannon, stoïque et résolu, le grand guerrier méconnu, qui, au moins dans son esprit, sauvera la nation.

14

Salle de crise

Juste avant 7 heures du matin, le jeudi 4 avril, soixante-quatorzième jour de la présidence Trump, les forces gouvernementales syriennes lancent une attaque à l'arme chimique sur la ville de Khan Cheikhoun, tenue par les rebelles. Des dizaines d'enfants sont tués. C'est la première fois qu'un événement international d'une telle importance se produit durant la présidence Trump.

La plupart des mandats présidentiels sont façonnés par des crises externes. La présidence est essentiellement une fonction où il faut être réactif. Les inquiétudes au sujet de Donald Trump découlent de la conviction, largement partagée, qu'on ne peut pas compter sur lui pour rester calme et posé dans la tempête. Jusque-là, il a eu de la chance : dix semaines sans qu'il soit sérieusement mis à l'épreuve. Peut-être en partie parce que les crises générées de l'intérieur par la Maison Blanche ont éclipsé toute concurrence extérieure.

Et encore : même cette horrible attaque, touchant des enfants au cours d'une guerre déjà longue, n'est peut-être pas l'événement crucial que tout le monde attend et qui serait susceptible de changer la présidence. Mais tout de même, il s'agit d'armes chimiques lancées par un multirécidiviste, Bachar el-Assad. Sous toute autre présidence, une telle atrocité aurait appelé une réaction réfléchie et, idéalement, habile. Obama, de fait, s'était pris les pieds dans le tapis en affirmant d'abord que l'utilisation d'armes chimiques était une ligne rouge à ne pas franchir – puis en la laissant franchir.

Presque personne dans l'administration Trump ne se risque à présumer de la réaction du Président – ni même à prédire s'il en aura une. Attache-t-il ou non de l'importance à cette attaque à l'arme chimique ? Nul ne peut le dire.

Si, comme toute nouvelle administration dans l'histoire des États-Unis, la Maison Blanche de Trump suscite des interrogations, les objectifs de son Président, mal informé et capricieux, en matière de politique internationale en constituent l'un des aspects les plus aléatoires. Les conseillers ignorent si Trump est isolationniste ou militariste, ou même s'il fait la distinction entre ces deux doctrines. Les généraux le fascinent et il tient à ce que la politique extérieure soit menée par des hommes expérimentés dans le commandement militaire, mais il déteste qu'on lui dise quoi faire. Il est contre la construction des nations, mais pense qu'il y a peu de situations qu'il ne peut personnellement améliorer. Il a peu ou pas d'expérience de la politique étrangère, mais aucun respect pour les experts non plus.

Soudain, sa réaction à l'attaque de Khan Cheikhoun devient un test décisif pour évaluer sa normalité et pour ceux qui espèrent incarner celle-ci au gouvernement. Il y a là un de ces contrastes saisissants qui suscitent les pièces de théâtre réussies : des gens qui travaillent pour la Maison Blanche, et qui cherchent comment se comporter normalement.

Aussi surprenant que cela puisse paraître, ces gens-là ne manquent pas.

Avoir un comportement normal, incarner la normalité – agir en personne motivée, efficace, rationnelle – c'est ainsi que Dina Powell conçoit son rôle à la Maison Blanche. À 43 ans, on l'a vu, elle a fait carrière là où l'entreprise privée et les politiques publiques se rencontrent ; elle a gagné (très, très bien) sa vie en faisant le bien. Elle a brillamment gravi les échelons dans la Maison Blanche de George W. Bush, puis chez Goldman Sachs. Se retrouver maintenant au pénultième échelon de la Maison Blanche, avec au moins une chance de décrocher l'un des postes non électifs les plus élevés du pays, pourrait lui rapporter le jackpot lorsqu'elle retournerait dans le privé.

Mais à Trumpland, le contraire peut tout aussi bien se produire. La réputation que Powell cultive, sa griffe (car elle est de ces gens qui soignent énormément leur image de marque), risque de devenir inextricablement liée à celle de Trump. Pis, elle peut facilement se retrouver entraînée avec lui dans une catastrophe sans précédent. Déjà, pour beaucoup de ceux qui la connaissent – et quand on est quelqu'un qui compte, on connaît forcément Dina Powell –, le fait qu'elle ait accepté un poste dans cette administration dénote soit une grande imprudence, soit une grave faute de jugement.

« Comment justifie-t-elle une chose pareille ? » s'interroge une amie de longue date. Ses proches, sa famille, ses voisins lui demandent : *Sais-tu bien où tu mets les pieds ? Comment peux-tu faire ça ? Et pourquoi ?*

Là se situe la ligne de partage entre ceux qui se trouvent à la Maison Blanche mus par une authentique loyauté envers le Président, et les professionnels que l'administration a besoin d'embaucher. Bannon, Conway, Hicks – parmi un assortiment d'idéologues plus ou moins farfelus qui se sont accrochés à Trump et à sa famille, tous dénués d'une réputation potentiellement utile avant leur association avec lui – sont, pour le meilleur ou pour le pire, mariés au Président. (Même parmi les trumpistes convaincus, un certain nombre retiennent leur souffle et revoient constamment leurs ambitions à la baisse.) Mais ceux qui gravitent un peu plus loin du noyau dur, ceux qui jouissent d'une certaine stature, réelle ou fantasmée, doivent se livrer à des contorsions autrement plus compliquées pour justifier ce choix dans leurs cercles professionnel et personnel.

Bien souvent, ils laissent deviner leurs états d'âme. Mick Mulvaney, directeur du budget, précise toujours qu'il travaille dans le bâtiment du Bureau exécutif et non dans la West Wing. Michael Anton, qui reprend l'ancien poste de Ben Rhodes au Conseil de Sécurité nationale, a mis au point une mimique habile (les « yeux au ciel à la Anton »). Herbert R. McMaster est perpétuellement renfrogné, et son crâne chauve semble souvent sur le point de laisser échapper de la vapeur. (« Mais qu'est-ce qu'il a ? » demande fréquemment le Président.)

Il existe, bien sûr, un argument plus louable : la Maison Blanche a besoin de professionnels responsables, normaux, sains, cohérents.

D'après un témoin, ceux-là considèrent qu'ils apportent des qualités – esprit rationnel, capacité d'analyse, expérience professionnelle considérable – dans un lieu et une situation où ces compétences font cruellement défaut. Ils font de leur mieux pour rendre les choses plus normales et, donc, plus stables. Ils sont un rempart, ou se considèrent comme tel, contre le chaos, l'impulsivité et l'idiotie. Ils sont moins les soutiens de Trump que son antidote.

« Si les choses partent en vrille – je veux dire, plus qu'elles ne le font déjà –, je ne doute pas que Joe Hagin prendrait ses responsabilités et ferait le nécessaire », se rassure une figure républicaine de Washington, parlant d'un ancien de l'équipe Bush devenu chef de cabinet adjoint aux opérations.

Mais ce vertueux sens du devoir entraîne des calculs compliqués de ratio entre votre effet positif sur la Maison Blanche et les effets négatifs sur vous. En avril, un courrier électronique, envoyé à l'origine à une bonne douzaine de personnes, finit par circuler très largement à force d'être retransmis et re-retransmis. Ce message, censé refléter l'opinion de Gary Cohn, résume avec concision l'effarement qui règne à la Maison Blanche :

> Ça dépasse l'entendement. Un imbécile entouré de clowns. Trump refuse de lire quoi que ce soit – même les mémos d'une page, même les synthèses de documents d'orientation politique ; rien. Il se lève en pleine réunion avec des dirigeants mondiaux parce qu'il s'ennuie. Et son équipe ne vaut pas mieux. Kushner est infantile, ignorant et persuadé que tout lui est dû. Bannon, un con arrogant qui se croit plus malin qu'il n'est. Trump est moins une personne qu'une accumulation de traits de caractère épouvantables. Personne ne survivra à cette première année, à part sa famille. Je déteste ce travail, mais je me sens tenu de rester parce que je suis le seul ici à savoir un peu ce que je fais. La raison pour laquelle si peu de postes sont pourvus, c'est qu'ils imposent aux candidats des tests de pureté[1] ridicules, même pour des jobs de niveau décisionnaire médiocre où les gens ne verront jamais la lumière du jour. Je suis dans un état de choc et d'horreur permanent. »

---

1. Tests portant sur les thèmes de l'alcool, du sexe et de la drogue.

Cette pagaille qui risque d'infliger de graves dommages à la nation, et, par association, à votre propre image si vous travaillez à la Maison Blanche, peut encore être surmontée si vous êtes considéré comme celui ou celle qui, à force de compétence et de professionnalisme, en prendrait le contrôle.

Dina Powell, entrée à la Maison Blanche comme conseillère d'Ivanka Trump, se hisse en quelques semaines jusqu'à un siège au Conseil de Sécurité nationale et se retrouve soudain, avec Cohn, son collègue venu de chez Goldman Sachs, dans la course pour l'un des postes les plus élevés de l'administration.

Parallèlement, Cohn et elle passent tous deux beaucoup de temps avec leurs conseillers en-dehors de la Maison Blanche pour réfléchir à comment en sortir. Dina Powell peut prétendre à gagner des millions dans la communication, au sein de diverses entreprises classées au Top 100 du magazine *Fortune*, ou briguer la direction d'un poids lourd des nouvelles technologies – après tout, Sheryl Sandberg, chez Facebook, avait fait un passage dans la philanthropie d'entreprise et dans l'administration Obama. De son côté, Cohn, déjà multimillionnaire, songeait à la Banque mondiale ou à la Réserve fédérale.

Ivanka Trump – qui partage avec Dina Powell certaines considérations personnelles et de carrière, sauf qu'elle n'a pas de stratégie de sortie viable – reste discrète. Inexpressive et même à l'allure de robot en public, mais bavarde quand elle se fait stratège dans l'intimité, elle est de plus en plus prompte à défendre son père, mais aussi de plus en plus alarmée par la direction que prend la Maison Blanche. Son mari et elle en font porter la responsabilité à Bannon et à sa philosophie du « Laisser Trump être Trump » (souvent interprétée comme « Laisser Trump être Bannon »). Le couple en vient à le considérer comme plus diabolique que Raspoutine. Il leur appartient donc d'éloigner le Président de Bannon et des idéologues. Trump, pensent-ils, est au fond un grand pragmatique (du moins dans ses bons jours), dévoyé par des requins prêts à exploiter ses capacités d'attention limitées.

Dans une relation de codépendance, Ivanka compte sur Dina pour lui proposer des techniques de management pouvant l'aider à gérer son père et la Maison Blanche, tandis que Dina compte sur Ivanka pour la rassurer sur le fait que tous les Trump ne sont pas complètement fous. De par ce lien, la population élargie de la Maison Blanche perçoit Powell comme appartenant au cercle familial très restreint. Si cela renforce son influence, cela l'expose aussi à des attaques plus virulentes. « Son incompétence totale éclatera au grand jour », prédit Katie Walsh qui voit en elle, plutôt qu'une influence normalisante, un nouvel intervenant dans les jeux de pouvoir anormaux qui régissent la famille Trump.

Et en effet, Dina Powell et Gary Cohn ont tous deux conclu en privé que la fonction qu'ils convoitent l'un et l'autre – chef de cabinet, singulièrement nécessaire à la Maison Blanche – demeure inaccessible à conduire si la fille et le gendre du Président, aussi solidaires qu'ils soient avec eux, se comportent *de facto* en supérieurs hiérarchiques chaque fois qu'ils voudraient l'exercer.

Dina et Ivanka pilotent déjà une initiative qui, sans elles, aurait fait partie des responsabilités fondamentales du chef de cabinet : contrôler le flux d'informations qui parviennent au Président.

Le problème inédit qui se pose est en partie d'informer quelqu'un qui ne veut ou ne voudrait pas lire, et qui au mieux n'écoute que d'une oreille. Mais l'autre volet du problème est de cerner l'information qu'il aime recevoir. Hope Hicks, après plus d'une année à ses côtés, a affiné son intuition sur le genre d'informations – les coupures de presse – qui lui plaisent. Bannon, avec sa voix intense de confident, est capable de s'insinuer jusque dans les pensées du Président. Kellyanne Conway, elle, lui rapporte les dernières réactions scandalisées qu'il a provoquées. Il y a aussi ses coups de fil de l'après-dîner – le chœur des milliardaires. Et puis la télé câblée, programmée pour s'adresser directement à lui – pour le courtiser ou le faire enrager.

Ce qu'il ne reçoit pas, en revanche, c'est l'information officielle. Les données. Les détails. Les options. Les analyses. Le PowerPoint, ce n'est pas pour lui. Dès que quelque chose ressemble à une salle de classe ou à une leçon – « professeur » est une injure dans sa bouche, et il se vante de n'être jamais allé en cours, de n'avoir jamais acheté un manuel scolaire, de n'avoir jamais pris de notes – il se lève et quitte la salle.

Il s'agit d'un problème à bien des égards – à vrai dire, dans presque toutes les fonctions prescrites par la présidence. Mais en premier lieu, c'est un problème quand il s'agit d'envisager et d'évaluer différentes stratégies militaires.

Le président aime les généraux. Plus ils ont de breloques sur la poitrine, mieux c'est. Les compliments qu'il reçoit pour avoir embauché des meneurs d'hommes respectés comme Mattis, Kelly et McMaster (oublions Michael Flynn) l'enchantent. Ce qu'il n'aime pas, en revanche, c'est *écouter* les généraux, qui, pour la plupart, sont versés dans le nouveau jargon de l'armée, avec présentations PowerPoint, avalanches de données et exposés façon cabinet de conseil. Ce qui le séduisait chez Flynn était notamment que celui-ci, porté sur les théories du complot et la dramatisation, savait le captiver.

Au moment de l'attaque syrienne contre Khan Cheikhoun, McMaster n'est conseiller à la Sécurité nationale que depuis six semaines environ. Pourtant, ses efforts pour informer le Président s'apparentent déjà à l'exercice d'un précepteur s'efforçant d'éduquer un élève buté et récalcitrant. Leurs dernières réunions se sont terminées dans une ambiance à couper au couteau, et le Président raconte maintenant à plusieurs amis que son nouveau conseiller à la Sécurité nationale est trop barbant et qu'il va le virer.

McMaster a été choisi par défaut, et Trump le rappelle sans cesse : pourquoi l'a-t-il nommé à ce poste ? Il en veut à son gendre.

Après avoir limogé Flynn en février, il a consacré deux journées, à Mar-a-Lago, à des entretiens d'embauche qui ont bien entamé son potentiel de patience.

John Bolton, ancien ambassadeur des États-Unis aux Nations unies et choix logique de Bannon, a débité un laïus agressif, incendiaire et va-t-en-guerre.

Puis le lieutenant-général Robert L. Caslen Junior, surintendant de l'académie militaire de West Point, s'est présenté avec une bienséance militaire à l'ancienne qui a produit chez Trump un effet très favorable. *Oui, monsieur. Non, monsieur. C'est exact, monsieur. Eh bien, je crois que nous savons que la Chine rencontre certains problèmes, monsieur.* Très vite, il semble que Trump va lui octroyer le poste.

« C'est lui que je veux, dit-il. Il a la tête de l'emploi. »

Mais Caslen hésite. Il n'a jamais exercé ce genre de fonctions. Kushner pense qu'il n'est peut-être pas prêt.

« Ben oui, mais il m'a plu, ce type », insiste Trump.

Puis McMaster, en uniforme avec son Étoile d'Argent, entre et se lance aussi sec dans une leçon de stratégie mondiale de haute volée. Trump décroche rapidement. Et plus le général parle, plus il se renfrogne.

« Ce type est emmerdant à mourir », conclut-il une fois McMaster sorti de la pièce. Mais Kushner l'incite à revoir le général, qui se présente le lendemain en civil, dans un costume un peu ample.

« On dirait un représentant en bière », commente Trump avant d'accepter de l'engager, mais à la condition de ne pas avoir de rendez-vous avec lui.

Peu après sa nomination, McMaster est invité dans l'émission *Morning Joe*. Trump regarde le programme et relève avec admiration : « C'est sûr qu'il passe bien. »

Le Président se dit qu'il a fait le bon choix.

Le 4 avril, dans la matinée, une réunion plénière est organisée à la Maison Blanche pour discuter des attaques à l'arme chimique. La plupart des membres du cercle restreint s'occupant de sécurité, ainsi qu'Ivanka et Dina Powell, voient dans le bombardement de Khan Cheikhoun l'opportunité de manifester une réprobation morale catégorique. Les circonstances sont sans équivoque : le gouvernement de Bachar el-Assad, bravant une fois de plus le droit international, a eu recours à l'arme chimique. Il existe des preuves filmées, et les agences de renseignement s'accordent à désigner Assad comme le responsable. La configuration politique est favorable : Barack Obama était resté les bras croisés face à une attaque chimique en Syrie, maintenant Trump peut agir. Les risques sont réduits, ce serait une riposte maîtrisée. Et, avantage supplémentaire, elle enverrait le message que les États-Unis savent tenir tête à la Russie, partenaire effectif d'Assad en Syrie. L'occasion de marquer un point politique au plan national.

Bannon, qui est peut-être au plus bas de son influence à la Maison Blanche – beaucoup de gens pensent encore que son départ est imminent – est la seule voix à s'élever contre une riposte militaire. Il se montre intransigeant : ne pas mettre le pied dans des problèmes inextricables, et surtout ne pas y empêtrer encore davantage le pays. Il tient bon face à la faction « statu quo » qui monte en puissance, arc-boutée sur les principes qui, d'après lui, ont abouti au bourbier du Moyen-Orient. Selon lui, le temps est venu de laisser tomber les vieux réflexes, représentés par l'alliance Jarvanka-Powell-Cohn-McMaster. Oublier la normalité – en fait, pour Bannon, la normalité en elle-même est problématique.

Le Président a déjà accédé à la demande de McMaster que Bannon soit retiré du Conseil de Sécurité nationale, même si le changement ne doit être annoncé que le lendemain. Mais Trump n'est pas insensible à la vision stratégique de Bannon : pourquoi faire quelque chose quand rien ne vous y oblige ? Ou pourquoi faire une chose qui ne rapporte rien de concret ? Depuis sa prise de fonctions, le Président a peu à peu acquis une conception instinctive de la Sécurité nationale : faire le plus plaisir possible au plus grand nombre possible de despotes qui, dans le cas contraire, vous baiseraient. Le prétendu homme fort est, fondamentalement, un homme conciliant. Dans ce cas précis, par exemple, pourquoi aller contrarier les Russes ?

En début d'après-midi, un vent de panique commence à souffler sur le Conseil de Sécurité nationale : le Président ne semble pas bien saisir la situation. Bannon n'arrange pas les choses. Son approche hyperrationaliste séduit visiblement un président pas toujours rationnel. Une attaque à l'arme chimique ne change rien à la situation sur le terrain, argue Bannon. Par ailleurs, il y a déjà eu des attaques bien pires qui ont fait bien plus de victimes. Si ce sont des enfants massacrés qu'on cherche, on peut en trouver n'importe où. Alors, pourquoi ceux-là ?

Le Président n'est pas un grand dialecticien, au sens socratique du terme. Il n'est pas non plus un grand décideur, au sens conventionnel, ni du genre à éplucher les problèmes et stratégies de politique étrangère. Et pourtant, l'affaire est en train de tourner à l'affrontement philosophique.

Les experts américains en politique extérieure ont longtemps considéré l'inaction comme une inacceptable manifestation d'impuissance. L'interventionnisme découle d'un désir de prouver que l'on n'est pas réduit à rien. On ne peut pas faire étalage de puissance en restant passif. Mais l'approche de Bannon est plutôt celle de Mercutio dans *Roméo et Juliette* : « La peste soit de vos deux maisons. » Ce ne sont pas nos affaires, et à en juger par toutes les preuves récentes, tenter de mettre de l'ordre dans ce bazar ne peut rien rapporter de bon. Cela risque d'entraîner des pertes humaines dans les troupes américaines, sans rapporter aucune récompense militaire. Bannon, partisan d'un changement radical de politique extérieure, propose une nouvelle doctrine : « Qu'ils aillent se faire foutre. » Cet isolationnisme farouche séduit la personnalité « donnant-donnant » du Président : qu'avons-nous – et surtout lui – à y gagner ?

D'où l'impatience à sortir Bannon du Conseil. Le plus curieux est qu'au début, on l'a cru bien plus raisonnable que Michael Flynn, avec sa fixette sur l'Iran comme source de tout mal. Bannon était censé être le baby-sitter de Flynn. Mais en fait, à la stupéfaction de Kushner, il a une vision du monde non seulement isolationniste, mais apocalyptique. Le monde va s'embraser, et nous n'y pouvons rien.

L'annonce que Bannon quitte le Conseil est faite le lendemain de l'attaque. En soi, c'est déjà une victoire considérable pour les modérés : en à peine plus de deux mois, la direction de la Sécurité nationale, d'abord confiée par Trump à des radicaux – voire à des dingues – revient entre les mains de personnes dites raisonnables.

Il s'agit maintenant que le Président accepte de faire partie du même groupe.

La journée avance, et Ivanka Trump et Dina Powell font bloc dans leur détermination à persuader le président de réagir… normalement. Au grand minimum, une condamnation ferme de l'usage d'armes chimiques, une série de sanctions, et, dans l'idéal, une riposte militaire – mais pas trop forte. Rien qui sorte de l'ordinaire. C'est là l'idée : il est crucial de ne pas réagir d'une manière radicale et déstabilisante – y compris par une absence radicale de réaction.

Jared se plaint maintenant à Ivanka que son père ne comprend tout simplement rien. Même le consensus pour exprimer une condamnation ferme lors du point presse de midi a été difficile à obtenir. Kushner et McMaster constatent que le fait de devoir penser à l'attaque contrarie plus le Président que l'attaque elle-même.

Finalement, Ivanka explique à Dina qu'elles vont devoir lui présenter les choses autrement. Ivanka a compris depuis longtemps comment faire passer ses idées auprès de son père. Il faut appuyer sur les bons boutons, ceux qui provoquent son enthousiasme. Il a beau être un homme d'affaires, les chiffres le laissent froid. Les listes et les tableaux, c'est bon pour les comptables. Ce qu'il aime, lui, ce sont les grands noms. Il lui faut de grandes images – au sens propre. Il veut voir les choses. Il aime l'« impact ».

Mais sur ce plan-là, le renseignement et l'équipe chargée de la Sécurité nationale sont en retard. Ils vivent dans un monde de données plutôt que d'images. Or il se trouve que l'attaque sur Khan Cheikhoun a été abondamment filmée. Bannon a peut-être raison de dire qu'elle n'a pas été plus meurtrière qu'une autre, mais si on la fait sortir du lot grâce à un montage vidéo, cette atrocité prendra une dimension singulière.

Plus tard dans l'après-midi, Ivanka et Dina élaborent un diaporama que Bannon décrit avec dégoût comme une série de photos de gamins baveux. Lorsqu'elles le montrent au Président, il le repasse plusieurs fois. Il est comme hypnotisé.

Bannon, qui guette la réaction du Président, voit le trumpisme fondre sous ses yeux. Malgré sa résistance viscérale à la frilosité de l'establishment et aux experts qui ont entraîné le pays dans des guerres sans espoir, Trump est soudain captivé. Après avoir vu et revu ces images atroces, il adopte immédiatement un point de vue conventionnel : ne rien faire est inconcevable.

Ce soir-là, il décrit les photos à un ami au téléphone – la mousse, toute cette mousse. *Ce ne sont que des gosses !* Lui qui a toujours méprisé toute riposte qui ne soit pas un pilonnage militaire, il exprime un intérêt soudain et candide pour la vaste gamme de solutions militaires.

Le mercredi 5 avril, on lui fait un briefing sur les diverses réactions possibles. Mais une fois de plus, McMaster l'ensevelit sous un fatras de détails. Il s'agace rapidement, se sentant manipulé.

Le lendemain, le Président et ses plus hauts conseillers s'envolent pour la Floride, pour une réunion avec Xi Jinping, le président de la République populaire de Chine – une rencontre organisée par Kushner avec l'aide d'Henry Kissinger. À bord d'Air Force One, le Conseil de Sécurité nationale tient une réunion soigneusement chorégraphiée, en lien avec le personnel resté au sol. À ce moment-là, la décision quant à la riposte à l'attaque chimique est déjà prise : l'armée lancera une attaque au missile de croisière Tomahawk sur la base aérienne d'Al-Chaayrate. Après un dernier tour de table, le Président, presque cérémonieusement, donne l'ordre de frappe pour le soir même.

La réunion terminée, et la décision prise, Trump, d'humeur badine, retourne discuter avec les journalistes qui l'accompagnent dans l'avion. Sur un ton taquin, il refuse de dire ce qu'il a prévu de faire en Syrie. Une heure plus tard, Air Force One atterrit et le Président prend la route pour Mar-a-Lago.

Le Président chinois et son épouse arrivent pour le dîner peu après 17 heures et sont accueillis par la garde militaire devant la résidence. Ivanka supervise l'événement, pratiquement tout le haut commandement de la Maison Blanche est présent.

C'est au cours du dîner – sole, haricots verts et petites carottes rondes, Kushner assis avec le couple chinois, Bannon en bout de table – que l'attaque sur Al-Chaayrate est lancée. Peu avant 22 heures, le Président, lisant son texte sur un prompteur, annonce que la mission est accomplie. Dina Powell fait prendre pour la postérité une photo du Président avec ses conseillers et son équipe de Sécurité nationale dans une salle de crise improvisée à Mar-a-Lago. Elle est la seule femme présente. Steve Bannon fulmine dans son coin, écœuré par cette mise en scène et par « ces conneries complètement bidon ».

C'est un Trump joyeux et soulagé qui rejoint ses invités pour bavarder entre palmiers et plantes tropicales. « C'était un gros coup », confie-t-il à un ami. L'équipe de Sécurité nationale est encore plus soulagée. L'imprévisible Président paraît presque prévisible. L'ingérable Président, presque gérable.

15

Médias

Le 19 avril, Bill O'Reilly, présentateur de Fox News et grande vedette télévisée, est poussé dehors par la famille Murdoch suite à des accusations de harcèlement sexuel. Ce n'est que la continuation de la purge qui a commencé neuf mois plus tôt avec le licenciement du directeur de la chaîne, Roger Ailes. Fox est au sommet de son influence politique avec l'élection de Donald Trump, et pourtant l'avenir du groupe se retrouve en suspens au sein de la famille Murdoch, entre le père conservateur et les fils plus à gauche.

Quelques heures après l'annonce du départ de O'Reilly, Ailes, depuis sa nouvelle villa de bord de mer à Palm Beach – son accord de séparation avec Fox inclut une clause de non-concurrence pour dix-huit mois – envoie un émissaire dans la West Wing avec une question à l'attention de Steve Bannon : *O'Reilly et Hannity sont partants, et vous ?* Ailes prépare en secret son come-back à la tête d'un groupe de médias conservateur. Du fond de son exil intérieur à la Maison Blanche, Bannon – « le prochain Ailes » – est tout ouïe.

Il ne s'agit pas seulement d'un complot d'hommes ambitieux qui fomentent une vengeance. L'idée de monter un nouveau réseau de télévisions découle aussi de l'intuition que le phénomène Trump est en grande partie l'œuvre des médias d'extrême droite. Fox a passé vingt ans à peaufiner son message populiste sur une gauche s'appropriant le pays pour le mener à la ruine. Et juste au moment où nombreux sont ceux – y compris les fils Murdoch, qui prennent de plus en plus la main sur l'entreprise de leur père – qui commencent à croire que le public vieillissant de Fox est ringardisé par son message anti-gay, anti-avortement, anti-immigration, Breitbart News a débarqué. Non seulement Breitbart s'adresse à un public de droite bien plus jeune – et en cela, Bannon se sent aussi connecté à ses auditeurs qu'Ailes aux siens – mais le site a converti son public en une gigantesque armée d'activistes du Net (et de trolls sur les réseaux sociaux).

Tandis que les médias de droite se rassemblent autour de Trump – toujours prêts à l'excuser pour sa façon de contredire la philosophie conservatrice traditionnelle –, la presse dominante lui est devenue tout aussi farouchement résistante. Les médias divisent autant le pays que le fait la politique. Ils en sont l'avatar. Et Ailes, mis sur la touche, est impatient de revenir dans le jeu. C'est son terrain naturel : 1) l'élection de Trump démontre le pouvoir que peut prendre une base électorale réduite mais motivée – tout comme, en termes de télévision câblée, une petite base de téléspectateurs purs et durs vaut mieux qu'un public plus large mais moins engagé ; 2) le corollaire est une motivation équivalente dans un cercle tout aussi restreint d'ennemis passionnés ; 3) donc, le sang va couler.

Si Bannon est aussi fini qu'il en a l'air à la Maison Blanche, voilà sa chance. En effet, le problème de Breitbart News, centré sur Internet, avec son maigre million et demi de dollars de profits par an, est que ce support ne peut ni être recapitalisé ni passer à une échelle supérieure. Mais avec des poids lourds comme O'Reilly et Hannity, on peut s'attendre à une pluie d'or télévisuelle, alimentée à l'avenir par une ère de passion réactionnaire et d'hégémonie droitière inspirées par Trump.

Le message d'Ailes à son futur protégé est simple : son heure viendra, grâce non seulement à l'ascension de Trump, mais aussi à la chute de Fox.

En réponse, Bannon informe Ailes que pour l'instant il s'accroche à son poste à la Maison Blanche. Mais que, oui, le potentiel est évident.

Alors même que le sort de O'Reilly est en débat chez les Murdoch, Trump, comprenant le pouvoir de l'homme et sachant à quel point le public de O'Reilly se superpose à sa propre base électorale, le soutient publiquement. « Bill n'a rien fait de mal à mon avis… c'est quelqu'un de bien », déclare-t-il au *New York Times*.

Mais en réalité, l'un des paradoxes de la nouvelle force des médias conservateurs est Trump lui-même. Pendant la campagne, quand il y a trouvé son avantage, il s'est retourné contre Fox. Si d'autres opportunités médiatiques se présentent, il saute dessus. (Dans le passé récent, les républicains, surtout durant la saison des primaires, ont toujours pris soin de donner la priorité à Fox avant toute autre chaîne.) Trump répète volontiers qu'il est plus grand que les médias conservateurs.

Au cours du dernier mois, Ailes, un habitué des coups de fil d'après-dîner, cesse de parler au Président, piqué au vif d'entendre partout que Trump dit du mal de lui et tresse des lauriers à Murdoch, lequel l'entoure d'attentions alors qu'avant l'élection il n'avait de cesse de le ridiculiser.

« Les hommes qui exigent le plus de loyauté tendent à être les moins sincères des connards », note-t-il, sarcastique (alors que lui-même accorde une grande importance à la loyauté).

Un problème demeure : les médias conservateurs considèrent Trump comme leur créature, tandis que lui-même se voit comme une star, un produit vanté et chéri par tous les médias, en ascension perpétuelle. Un culte de la personnalité est né, et la personnalité, c'est lui. Il est l'homme le plus célèbre de la planète. Tout le monde l'aime – ou devrait l'aimer.

On peut voir là une grossière erreur d'analyse de sa part. À l'évidence, il ne comprend pas que ce que les médias conservateurs portent aux nues, les médias progressistes le descendent en flammes. Trump, éperonné par Bannon, continue de faire tout ce qui ravit les médias conservateurs et provoque l'ire de la gauche. C'est le programme. Plus vos supporteurs vous aiment, plus vos opposants vous haïssent. C'est censé fonctionner ainsi. Et c'est ce qui se passe.

Mais Trump est profondément blessé par le traitement que lui réserve la presse grand public. Il ressasse de manière obsessionnelle le moindre affront jusqu'à ce que celui-ci soit éclipsé par le suivant. Les insolences sont isolées et repassées en boucle, l'humeur du Président s'assombrit à chaque visionnage (il a toujours le doigt sur la touche *replay*). L'essentiel de sa conversation quotidienne se réduit à une liste répétitive de ce que les différents présentateurs et commentateurs ont dit de lui. Et il est contrarié non seulement quand on l'attaque, mais aussi quand on s'en prend à ses proches. En revanche, jamais il ne remercie ces derniers pour leur fidélité, pas plus qu'il ne se remet en question ou ne blâme la nature des médias de gauche pour les indignités lancées à la tête de ses collaborateurs. C'est à ces derniers qu'il en veut, leur reprochant leur incapacité à s'attirer une bonne presse.

Les manifestations de vertu outragée et le mépris de la presse à l'égard de Trump engendrent un tsunami de clics sur les sites d'extrême droite. Mais ce président rageur, geignard et tourmenté n'y voit pas son intérêt, ou n'arrive pas à le comprendre. Il cherche partout l'amour des médias. En cela, il semble profondément incapable de faire la distinction entre avantage politique et besoins personnels. Il raisonne émotionnellement, et non stratégiquement.

Le grand intérêt d'être Président, de son point de vue, est que l'on devient l'homme le plus célèbre du monde. Et la célébrité est toujours vénérée et adorée par les médias, non ? Mais le fait troublant est que Trump est devenu Président en grande partie grâce au talent (conscient ou non) qu'il a de se mettre à dos les médias, talent qui fait de lui un personnage abondamment vilipendé. Cet espace dialectique est inconfortable pour un homme affligé d'un besoin constant d'être rassuré.

« Pour Trump, note Ailes, les médias représentent le pouvoir, bien plus que la politique, et il désire l'attention et le respect de leurs plus puissantes figures. Donald et moi avons été très bons amis pendant plus de vingt-cinq ans, et pourtant il aurait préféré l'amitié de Murdoch, qui le prenait pour un débile – du moins jusqu'au jour où il est devenu Président. »

Le dîner des correspondants de la Maison Blanche est prévu le 29 avril, centième jour de l'administration Trump. Ce gala annuel, autrefois réservé aux initiés, est devenu l'occasion pour les groupes de presse d'assurer leur autopromotion en invitant à leur table des célébrités dont la plupart n'ont rien à voir avec le journalisme ou la politique. En 2011, il s'était soldé par l'affront très remarqué de Trump, lorsque Barack Obama l'avait pris pour cible de ses lazzis. La légende prétend que cette humiliation a été l'élément déclencheur de sa candidature à l'élection de 2016.

Peu après l'arrivée de Trump à la Maison Blanche, l'idée de ce dîner donne des sueurs froides à son équipe. Par un après-midi d'hiver, dans le bureau de Kellyanne Conway, à l'étage de la West Wing, Hope Hicks et elle entament une douloureuse discussion sur la manière de procéder.

Le nœud du problème est que le Président ne se montre ni enclin à se moquer de lui-même, ni particulièrement drôle – ou du moins, pour reprendre la formule de Conway, « il n'a pas le sens de l'autodérision ».

George W. Bush, on le sait, allait au dîner des correspondants à reculons et y avait beaucoup souffert. Mais il s'y préparait intensément, et offrait chaque année une prestation convenable. En revanche, aucune des deux femmes, confiant leurs inquiétudes à un journaliste réputé bienveillant, ne pense que Trump a la moindre chance de s'en tirer.

« Il n'apprécie pas l'ironie, dit Conway.

— Son style est plus vieux jeu », renchérit Hicks.

Toutes deux, voyant clairement dans ce dîner un problème insoluble, le qualifient sans cesse d'« injuste » – terme utilisé plus généralement pour le traitement de Trump dans les médias. « Ils font de lui un portrait injuste. » « Ils ne lui laissent jamais le bénéfice du doute. » « Il n'est pas traité comme l'ont été les autres présidents. »

Le fardeau de Conway et de Hicks est l'incapacité manifeste de Trump à replacer l'irrespect des médias dans la perspective plus large d'un paysage politique divisé, où il représente l'autre bord. Au contraire, il n'y voit qu'une violente agression : pour des raisons absolument injustes, des raisons liées à sa personne, la presse ne l'aime pas, tout simplement. Elle le tourne en ridicule. Avec cruauté. Pourquoi ?

Pour réconforter les deux femmes, le journaliste en question leur fait part d'une rumeur : Graydon Carter – rédacteur en chef de *Vanity Fair*, hôte des plus grandes réceptions données à la suite du dîner des correspondants, et, depuis des années, l'un des principaux persécuteurs de Trump – va bientôt quitter le magazine.

« C'est vrai ? lance Hicks en se levant d'un bond. Oh, mon Dieu, je peux le lui dire ? Ça ne pose pas de problème ? Il va être heureux de l'apprendre. » Et elle se hâte de descendre dans le Bureau ovale.

Curieusement, Conway et Hicks incarnent chacune une version de l'alter ego médiatique du Président. Conway est le roquet, la messagère ironique qui met invariablement les journalistes au bord de l'apoplexie. Hicks, elle, est la confidente qui s'efforce sans relâche d'être gentille avec Trump et de le peindre sous un jour favorable dans les seuls médias dont il se soucie vraiment – ceux qui le haïssent le plus. Mais, aussi différentes soient-elles dans leurs fonctions médiatiques et dans leur tempérament, toutes deux ont gagné une influence remarquable dans l'administration en jouant les lieutenants indispensables, chargées de la préoccupation la plus pressante du Président : sa réputation médiatique.

Alors que Trump est à bien des égards un misogyne très conventionnel, il est plus proche des femmes que des hommes sur son lieu de travail. À elles, il se confie, alors qu'avec eux il garde ses distances. Il aime et dépend de ses « épouses de bureau », à qui il s'ouvre de ses soucis personnels majeurs. Les femmes, selon lui, sont plus loyales et dignes de confiance que les hommes. Ces derniers sont peut-être plus forts et plus compétents, mais ils sont aussi plus susceptibles de nourrir des intentions cachées. Les femmes, par nature, du moins selon la conception qu'il en a, sont plus enclines à se consacrer entièrement à un homme. Un homme comme lui.

Ce n'était pas par hasard ou par souci de parité que son acolyte dans l'émission *The Apprentice* était une femme ou que sa fille Ivanka soit devenue sa plus proche confidente. Il sent que les femmes le comprennent. Du moins, les femmes du genre qu'il aime : loyales, efficaces, positives et, de surcroît, agréables à regarder. Tous ceux qui ont réussi à travailler pour lui savent qu'il y a toujours un sous-texte concernant ses besoins et ses manies personnelles, dont il faut tenir compte ; en cela, il n'est pas si différent d'autres personnages qui connaissent une grande réussite. C'est simplement exacerbé chez lui. On aurait peine à imaginer un individu s'attendant à une plus grande prévenance vis-à-vis de ses lubies, de ses rythmes, de ses préjugés particuliers et de ses désirs souvent vagues. Il exige une attention toute particulière. Les femmes, explique-t-il à un ami avec un brin de lucidité, comprennent cela souvent mieux que les hommes. En particulier celles que sa misogynie désinvolte et ses sous-entendus sexuels permanents – associés, de manière incongrue et souvent perturbante, à une attitude paternaliste – ne dérangent pas, celles que cela laisse indifférentes, celles que cela amuse, et celles qui se sont blindées.

Kellyanne Conway a rencontré Donald Trump pour la première fois à l'occasion d'une réunion du Conseil de gestion du Trump International Hotel, où elle résidait avec mari et enfants au début des années 2000, juste en face du siège des Nations unies. Son mari, George, diplômé de Harvard et de l'école de droit de Yale, est associé dans la firme de fusions et acquisitions Wachtell, Lipton, Rosen & Katz (qui affiche des sympathies démocrates, mais George a joué un rôle en coulisse dans l'équipe qui représentait Paula Jones lors de ses poursuites contre Bill Clinton). Dans son équilibre professionnel et domestique, la famille Conway est organisée autour de la carrière de George. Celle de Kellyanne est secondaire.

Kellyanne, qui pendant la campagne a veillé à mettre en avant ses origines modestes de fille de chauffeur routier élevée dans le centre du New Jersey par une mère seule (et, toujours selon son récit, par sa grand-mère et deux tantes célibataires). Elle a étudié à l'université George Washington puis a fait un stage auprès du responsable des sondages de Reagan, Richard Wirthlin. Elle est devenue ensuite l'assistante de Frank Luntz, un étonnant personnage du Parti républicain, connu autant pour ses contrats télévisuels et son postiche que pour sa perspicacité sondagière. Kellyanne a fait ses premières apparitions sur les chaînes du câble à cette époque-là.

L'une des vertus du cabinet de recherches et de sondages qu'elle a lancé en 1995 est que son activité pouvait s'adapter à la carrière de son mari. Mais son influence restait marginale dans les cercles politiques républicains, et elle n'a fait que surnager dans le sillage d'Ann Coulter et de Laura Ingraham qui se trouvaient en tête de peloton à la télévision. Mais enfin, c'est là que Trump l'a vue, à la télévision, et il l'a reconnue lors de cette réunion du Conseil de gestion.

En réalité, ce n'est pas cette rencontre avec Trump, mais le fait d'être embauchée par les Mercer qui a donné un nouvel horizon à sa vie professionnelle. Ils l'ont recrutée en 2015 pour travailler pour la campagne de Ted Cruz, alors que Trump était encore loin de représenter le candidat idéal pour les conservateurs. Par la suite, en août 2016, les Mercer l'ont intégrée dans la campagne de Trump.

Elle comprend son rôle. « Je ne vous appellerai jamais autrement que monsieur Trump », dit-elle au candidat avec une solennité parfaite lors de son entretien d'embauche. Elle répète ce « monsieur Trump » interview après interview, une litanie destinée à Trump autant qu'aux autres.

Son titre officiel, « directrice de campagne », est impropre. Le vrai directeur c'est Bannon, et elle, chef des sondages. Mais Bannon confie rapidement cette responsabilité à quelqu'un d'autre, et il reste à Conway ce que Trump considère de loin le rôle le plus important : être son porte-parole à la télévision.

Conway semble avoir un interrupteur *on-off* fort pratique. En privé, en position *off*, elle considère Trump comme un personnage épuisant, qui pousse l'exagération jusqu'à l'absurde – du moins, si l'on exprime devant elle une idée allant dans ce sens, elle laisse entendre qu'elle la partage. Elle illustre son opinion sur son boss par toute une série de mimiques : yeux au ciel, bouche ouverte, tête renversée en arrière. Mais en position « on », elle se métamorphose en disciple, en protectrice, en gardienne, en servante dévouée. Conway est une antiféministe (ou plutôt, par une sorte de pirouette idéologique compliquée, elle considère les féministes comme antiféministes) qui affirme tenir ses méthodes et son tempérament de son expérience d'épouse et de mère. Elle est instinctive et réactive. D'où son rôle de défenseuse ultime de Trump : elle se jette verbalement devant toute balle tirée dans sa direction.

Trump adore son numéro de défense-à-tout-prix. Il fait noter ses apparitions télévisées dans son agenda pour pouvoir les regarder en direct. Le premier appel qu'elle reçoit aussitôt que la caméra s'éteint vient généralement de lui. Elle communique par télépathie avec Trump, répétant mot pour mot les trumpismes qui, hors caméra, lui feraient mimer le geste de se faire sauter la cervelle.

Après l'élection – la victoire entraîne une réorganisation domestique chez les Conway, et des efforts en tous sens afin d'obtenir pour son mari un poste dans l'administration –, Trump suppose naturellement qu'elle endossera le rôle de porte-parole. « Ma mère et lui, en grands consommateurs de télévision, pensent que c'est le job le plus important », explique-t-elle. D'après sa version des faits, elle décline ou tergiverse. Elle propose toutes sortes de scénarios alternatifs dans lesquels elle est la directrice de la communication, mais aussi bien davantage. Pendant ce temps-là, à peu près tout le monde cherche à dissuader Trump de la nommer.

La loyauté est la valeur la plus prisée par Trump, et Conway considère que ses prestations de kamikaze à la télévision valent bien une place de premier plan à la Maison Blanche. Mais dans son incarnation publique, elle en fait trop. Elle pousse si loin l'hyperbole qu'elle finit par rebuter même les fidèles de Trump. Surtout Jared et Ivanka qui, consternés par l'impudeur de ses apparitions télévisées, critiquent de manière plus générale sa vulgarité. Quand ils parlent d'elle, ils la surnomment « griffes », en référence à ses manucures à la Cruella d'Enfer.

Mi-février, elle est déjà l'objet de fuites – bon nombre venues de Jared et Ivanka – qui la disent mise au placard. Elle se défend de manière tonitruante, brandissant une liste d'apparitions télévisées encore à son programme, toutefois moins prestigieuses que par le passé. Mais elle se lance aussi dans une scène larmoyante dans le Bureau ovale, proposant sa démission si le Président a perdu sa foi en elle. Comme presque toujours face à une manifestation d'abnégation, le Président la rassure. « Vous aurez toujours une place dans mon administration, lui dit-il. Vous serez là pendant huit ans. »

Pourtant, elle est bien mise en retrait, limitée à des médias de seconde zone, émissaire désigné pour s'adresser aux groupes d'extrême droite, et exclue de toutes les décisions importantes. Elle reproche cette situation aux médias, une malédiction qui la rapproche encore plus de Donald Trump dans l'auto-apitoiement. Et en effet, ses liens avec le président se resserrent, unis comme ils le sont dans leur blessure médiatique.

Âgée de 28 ans, Hope Hicks est la première embauchée dans la campagne de Trump. Elle le connaît bien mieux que Kellyanne Conway, et elle comprend que le plus important dans sa fonction est de ne pas apparaître dans les médias.

Hicks est originaire de Greenwich, dans le Connecticut. Son père, ancien cadre dans les relations publiques, est maintenant en poste dans le Glover Park Group, société de conseil en communication et en politique à tendance démocrate. Sa mère a fait partie du cabinet d'un parlementaire démocrate. Élève sans grand relief, Hicks a fréquenté la Southern Methodist University et est devenue mannequin avant de décrocher un emploi dans les relations publiques. Elle a d'abord travaillé pour Matthew Hiltzik qui dirigeait une petite agence new-yorkaise réputée pour sa capacité à gérer une clientèle exigeante, notamment le producteur de cinéma Harvey Weinstein (bientôt cloué au pilori pour des années de harcèlement et d'agressions sexuelles – accusations dont Hiltzik et son équipe l'avaient longtemps aidé à se protéger) et Katie Couric, grand nom de la télévision. Hiltzik, un démocrate actif qui a travaillé pour Hillary Clinton, représentait aussi la ligne de vêtements Ivanka Trump. Hicks s'est occupée de ce dossier avant d'entrer à plein temps dans la société d'Ivanka. En 2015, celle-ci l'a recommandée pour la campagne de son père. À mesure que la campagne monte en puissance, passant du statut d'anecdote loufoque à celui d'événement politique puis de poids lourd, la famille de Hicks, de plus en plus incrédule puis effarée, en est venue à la voir presque comme une victime d'enlèvement. (Après la victoire de Trump, alors qu'elle s'installe à la Maison Blanche, ses proches discutent avec inquiétude des thérapies dont elle aura besoin une fois sa prestation achevée.)

Au cours des dix-huit mois de campagne, l'escorte du candidat se compose généralement de Hicks et du directeur de campagne, Corey Lewandowski. Avec le temps, la jeune femme devient – outre une participante fortuite à la grande histoire, qui la stupéfie autant que tout un chacun – une sorte de factotum totalement soumis. Jamais un employé de Trump ne lui a été plus dévoué et tolérant.

Lewandowski, avec qui elle eut une liaison intermittente, est renvoyé en juin 2016 pour cause de violente dispute avec des membres de la famille Trump. Peu après, Hicks est à la Trump Tower avec Trump et ses fils. Inquiète de la manière dont Lewandowski est traité par la presse, elle se demande à voix haute comment elle pourrait l'aider. Trump, qui d'habitude se montre plutôt protecteur et même paternel avec elle, relève la tête et s'étonne : « Pourquoi ? Tu en as déjà assez fait pour lui. Un morceau pareil, il ne retrouvera jamais ça. » Elle quitte aussitôt la pièce.

Alors que de nouveaux cercles se forment autour de Trump, Hicks continue d'assurer les relations publiques de celui-ci, d'abord comme candidat désigné puis président élu. Elle le suit comme son ombre, et c'est elle qui l'approche le plus facilement. « Tu as parlé à Hope ? » est l'une des phrases les plus fréquemment prononcées dans la West Wing.

Parrainée par Ivanka et toujours loyale envers elle, Hicks est considérée comme la vraie fille de Trump, tandis qu'Ivanka serait devenue sa véritable épouse. De manière plus fonctionnelle, mais tout aussi fondamentale, elle est la responsable des médias pour le Président. Elle travaille à ses côtés, loin du service de communication de la Maison Blanche et de ses quarante employés. Le message et l'image de Trump sont entre ses mains – ou, pour être plus exact, elle est chargée par le Président de vendre ce message et cette image. À eux deux, il forment une sorte d'unité indépendante.

N'ayant pas de ligne politique personnelle, et au regard de son expérience des relations publiques à New York, plutôt dédaigneuses de la presse de droite, elle devient l'agent de liaison officiel entre le Président et les médias traditionnels. Celui-ci lui demande un exploit : décrocher un papier favorable dans le *New York Times*.

Ce n'est pas encore arrivé, « mais Hope ne lâche pas l'affaire », affirme Trump.

Plus d'une fois, après une journée de retombées particulièrement mauvaises, il l'accueille par ces mots affectueux : « Tu dois être la plus mauvaise attachée de presse du monde. »

Dans les premiers jours de la transition, alors que Kellyanne Conway n'est plus candidate au poste de porte-parole, Trump se met en tête de dénicher une « star ». La présentatrice radio Laura Ingraham, qui a prononcé un discours lors de la convention républicaine, est en lice, de même qu'Ann Coulter. Maria Bartiromo, de Fox Business, est aussi pressentie. (C'est pour la télévision, dit le président élu, donc il faut une belle femme.) Comme aucune de ces idées ne se concrétise, le poste est proposé à un homme, Tucker Carlson, présentateur sur Fox News, qui décline poliment.

Mais il existe un point de vue opposé : le porte-parole doit être le contraire d'une star. D'ailleurs, toute la communication avec la presse doit être mise en sourdine. Si la presse est l'ennemi, pourquoi chercher à lui plaire, pourquoi lui donner plus de visibilité ? Voilà du bannonisme fondamental : cesser de croire que l'on peut arriver à s'entendre avec ses ennemis.

Alors que le débat fait rage, Priebus propose un de ses adjoints au RNC, Sean Spicer, un professionnel de la politique âgé de 45 ans qui a enchaîné les postes au Capitole pendant les années George W. Bush, puis au RNC. Spicer, hésitant et anxieux, pose sans cesse cette question à ses collègues du marigot washingtonien : « Si je fais ça, est-ce que je retrouverai un boulot après ? »

Les réponses sont mitigées.

Pendant la transition, de nombreux membres de la campagne de Trump finissent par convenir avec Bannon que la Maison Blanche doit maintenir les médias à distance – et le plus loin possible. Pour les journalistes, cette initiative, ou du moins la rumeur qui court à ce propos, confirme l'attitude anti-presse de l'administration à venir et ses efforts systématiques pour fermer le robinet des informations. À vrai dire, les autres administrations avaient déjà toutes joué avec l'idée de déplacer la salle de presse hors de la Maison Blanche, ou d'écourter les délais impartis, ou de réduire les fenêtres de diffusion et l'accès des journalistes. Lorsque son mari a été élu, Hillary Clinton a proposé de limiter les accréditations.

Donald Trump ne peut s'y résoudre. Il ne résiste pas à la perspective d'une proximité avec la presse et d'une estrade dans sa propre maison. Il réprimande régulièrement Spicer pour ses prestations balourdes, qu'il suit avec une grande attention. Ses réactions aux points de presse sont dans la droite ligne de ce qu'il a toujours pensé : personne ne sait jouer des médias comme lui, et allez savoir comment, il se retrouve coincé avec une équipe de Pieds-Nickelés de la communication sans aucun charisme, sans aucun magnétisme, et sans réseau digne de ce nom dans les médias.

La pression qu'il fait subir à Spicer – un flux constant d'éreintements et d'instructions déstabilisantes – contribue à transformer les points presse en naufrages spectaculaires. Pendant ce temps, la véritable direction de la communication s'est plus ou moins diluée en une série d'organisations concurrentes au sein même de la Maison Blanche.

Il y a d'un côté Hope Hicks et le Président, vivant dans ce que les autres occupants de la West Wing décrivent comme un univers parallèle. Un univers dans lequel les médias dominants n'ont pas encore découvert – mais cela ne saurait tarder – le charme et la sagesse de Donald Trump. Le temps que les précédents présidents ont consacré à disséquer les besoins, les désirs et les moyens de pression possibles sur les différents membres du Congrès, le Président et Hicks le passent à discuter d'un certain nombre de personnalités des médias, s'efforçant de deviner les intentions cachées et les talons d'Achille des présentateurs et des producteurs de télévision ainsi que celles des journalistes du *New York Times* et du *Washington Post*.

Bien souvent, l'objet des ambitions illusoires de Trump est la journaliste du *Times* Maggie Haberman. En une du journal, dans ce qui pourrait s'intituler « les bizarreries de Donald Trump », Haberman conte avec brio la chronique des excentricités, des comportements discutables et des fadaises que débite Trump, le tout écrit sur un ton pince-sans-rire. Au-delà du fait que Trump est un gars du Queens en admiration devant le *New York Times*, personne à la Maison Blanche ne peut s'expliquer pourquoi Hicks et lui font si souvent appel à la journaliste pour ce qui se solde sans faillir par un portrait moqueur et blessant. L'impression générale est que Trump retourne sur les lieux de ses succès passés : le *Times* est peut-être contre lui, mais Haberman a travaillé au *New York Post* pendant tant d'années. « C'est une grande professionnelle », dit Kellyanne Conway pour défendre le Président et tenter de justifier l'accès extraordinaire dont jouit la journaliste que Trump décrit comme « cruelle et horrible ». Et pourtant, sur un rythme quasi hebdomadaire, Hicks et lui complotent pour décider quand faire revenir Maggie Haberman à la Maison Blanche.

Kushner a son service de presse personnel, et Bannon le sien. La culture des fuites est devenue si notoire et ouverte – pratiquement tout le monde peut identifier les fuites de chacun – qu'elles sont désormais gérées par des équipes officielles.

Le Bureau de l'innovation américaine de Kushner emploie Josh Raffel comme porte-parole. Comme Hope Hicks, c'est un ancien de la société de Matthew Hiltzik. Raffel, un démocrate qui a travaillé à Hollywood, fait office d'attaché de presse personnel pour Kushner et sa femme. Le couple juge que Spicer, entièrement dévoué à Priebus, ne se défonce pas assez pour les représenter. Tout cela est parfaitement explicite. « Josh est le Hope de Jared », telle est sa description du poste de Raffel en interne.

Raffel coordonne toutes les relations de Jared et d'Ivanka avec la presse – surtout d'Ivanka, plus sollicitée que son mari. Mais, plus important, il coordonne aussi les abondantes fuites de Kushner, ou, pour reprendre la terminologie en vigueur, ses « synthèses et conseils officieux » dont l'essentiel est dirigé contre Bannon. Kushner, qui affirme avec une grande conviction ne jamais rien faire fuiter, justifie en partie cette offensive comme une défense contre les attaques de Bannon.

La « personne » de Bannon, Alexandra Preate – une mondaine conservatrice pleine d'esprit, grande amatrice de champagne – a déjà représenté Breitbart News et d'autres grandes figures du camp conservateur comme Larry Kudlow de CNBC. Elle est une amie proche de Rebekah Mercer. Dans cette relation que personne n'arrive vraiment à expliquer, elle gère tous les « rapprochements » de Bannon avec la presse mais n'est pas employée par la Maison Blanche, où elle a toutefois un bureau, ou du moins un semblant de bureau. Le message est clair : son client est Bannon, pas l'administration Trump.

Bannon, à la consternation persistante de Jared et d'Ivanka, jouit toujours d'un accès privilégié à Breitbart, un outil puissant pour façonner l'humeur et les préoccupations de la droite. Il a beau répéter qu'il a coupé les ponts avec ses anciens collègues, personne n'y croit, et chacun comprend qu'on n'est pas censé y croire. Ce qu'il veut, c'est faire peur.

Tout le monde à la Maison Blanche s'entend à reconnaître que paradoxalement, Donald Trump, président médiatique, a l'un des dispositifs de communication les plus dysfonctionnels de l'histoire de la présidence moderne. Mike Dubke, attaché de presse républicain embauché comme directeur de la communication de la Maison Blanche, était, de l'avis de tous, près de la porte de sortie dès le premier jour. Au bout du compte, il ne restera que trois mois.

Le dîner des correspondants de la Maison Blanche constitue, comme n'importe quel nouveau défi, un test de compétence pour le nouveau président et son équipe. Et Trump veut s'y rendre. Il est convaincu que le pouvoir de son charme saura dominer sa rancœur à l'encontre des invités de la soirée – ou celle que ces derniers gardent à son égard.

Il se souvient de sa prestation de 2015 dans l'émission satirique *Saturday Night Live* – de son point de vue, une réussite totale. Il refuse même de se préparer, répétant qu'il va « improviser », pas de problème. Les comiques professionnels n'improvisent pas, même s'ils en ont l'air, lui explique-t-on. Tout est écrit et répété à l'avance. Mais ces paroles restent sans effet.

Personne, hormis le Président lui-même, n'imagine qu'il peut s'en tirer. Son cabinet est terrifié à l'idée qu'il ait un blanc et se retrouve muet, en direct, devant un auditoire hostile et dédaigneux qui peut être mordant, souvent de manière très abrupte. Nul ne voit comment il va endurer une telle épreuve. Pourtant, il a très envie d'y aller et semble même prendre la chose à la légère. Même Hicks, qui d'habitude encourage toutes ses impulsions, s'efforce cette fois de n'en rien faire.

Bannon met en avant l'argument symbolique : le Président ne doit pas sembler quémander la faveur de ses ennemis, ou chercher à les amuser. Les médias sont bien plus doués pour le châtiment que pour la complicité. Le principe Bannon, cette lance d'acier plantée dans le sol, demeure : ne pas s'incliner, ne pas tendre la main, ne pas faire de compromis. Et à la fin, plutôt qu'insinuer que Trump manque du talent et de l'esprit nécessaires pour toucher son public, l'argument de Bannon s'avère le meilleur pour dissuader le Président de se rendre au dîner.

Lorsque Trump accepte enfin de faire l'impasse sur l'événement, Conway, Hicks et pratiquement toute la West Wing poussent un soupir de soulagement.

Peu après 17 heures en ce centième jour de sa présidence – une journée particulièrement chaude et humide –, le président sort de la West Wing pour monter dans l'hélicoptère Marine One qui s'envole pour la base aérienne d'Andrews. Au même moment, environ deux mille cinq cents employés de groupes de presse et leurs amis sont réunis au Hilton de Washington pour le dîner des correspondants de la Maison Blanche.

Steve Bannon, Stephen Miller, Reince Priebus, Hope Hicks et Kellyanne Conway accompagnent Trump. Le vice-président Pence et son épouse rejoignent le groupe à Andrews pour le court vol à bord d'Air Force One vers Harrisburg, en Pennsylvanie, où le

Président doit prononcer un discours. Pendant le vol, des pâtés de crabe sont servis, et John Dickerson, journaliste de l'émission *Face the Nation*, a droit à une interview spéciale pour le centième jour.

À Harrisburg, le Président se rend d'abord dans une usine d'outils de jardinage et inspecte avec attention un alignement de brouettes colorées. Ensuite, il doit donner un discours dans une arène de rodéo dans le centre de conférence Farm Show Complex and Expo Center.

Et c'est tout l'objet de ce petit déplacement. Il est conçu d'abord pour rappeler au pays que le Président n'est pas un guignol en smoking comme ceux qui participent au dîner des correspondants (à supposer que sa base se soucie ou même soit au courant de l'événement), et il cherche peut-être aussi à faire oublier à Trump qu'il est en train de rater la soirée.

Mais pendant ce voyage, le Président n'arrête pas de demander qu'on lui rapporte les dernières blagues du dîner.

16

Comey

« Il est impossible de lui faire comprendre qu'on ne peut pas arrêter ces enquêtes, indique, contrarié, Roger Ailes, membre du cabinet restreint de Trump, début mai. Dans le passé, on pouvait demander de ne pas se mêler de telle ou telle chose. À présent, si on le fait, on devient l'objet d'une enquête. Il ne peut pas se mettre ça en tête. »

Alors que divers membres de ce cabinet de milliardaires ont pris l'habitude de calmer le Président lors de leurs appels téléphoniques du soir, ils l'alertent au contraire des périls venant du département de la Justice et du FBI. Ces riches amis de Trump s'imaginent experts : au cours de leurs carrières, ils ont eu assez de démêlés avec le département pour y avoir noué des relations, y avoir leurs sources, et être à présent au courant de toutes les rumeurs. Flynn va le mettre dans le pétrin. Manafort va tomber. Et il n'y a pas que la Russie. Il y a aussi Atlantic City. Et Mar-a-Lago. Et le SoHo de Trump.

Chris Christie et Rudy Giuliani – experts autoproclamés du département de la Justice et du FBI, et garantissant toujours à Trump leurs sources internes – le persuadent que le département est braqué contre lui. C'est un complot datant de l'ère Obama.

La crainte de Charlie Kushner, transmise par son fils et sa belle-fille, que les affaires de la famille soient contaminées par les enquêtes sur Trump, est bien plus pressante. En janvier, des fuites mettent fin à un accord entre les Kushner et Anbang Insurance

Group, colosse chinois de la finance, pour s'occuper de la forte dette liée au 666 Fifth Avenue, l'un de leurs avoirs immobiliers majeurs. Fin avril, grâce à des informations du département de la Justice, le *New York Times* associe, dans un article à sa une, la société des Kushner à Beny Steinmetz – milliardaire israélien spécialisé dans les diamants, les mines et l'immobilier, ayant des liens avec la Russie et faisant l'objet d'enquêtes récurrentes dans le monde entier. (Pour ne rien arranger, le Président a assuré à plusieurs personnes que Jared pouvait résoudre la crise au Moyen-Orient puisque les Kushner connaissaient tous les escrocs d'Israël.) Durant la première semaine de mai, le *Times* et le *Washington Post* révèlent les tentatives de la famille Kushner d'attirer des investisseurs chinois en leur promettant des visas américains.

« Les enfants » – Jared et Ivanka – affichent un air de plus en plus paniqué à l'idée que le FBI et le département de la Justice se détournent de l'enquête russe pour s'intéresser aux finances de la famille. « Ivanka est terrifiée », dit un Bannon satisfait.

Trump suggère à son chœur de milliardaires qu'il va renvoyer le directeur du FBI, Comey. Il a déjà évoqué l'idée à plusieurs reprises, mais au même moment et dans le même contexte, semble-t-il, qu'il envisage de renvoyer tout le monde. *Et si je virais Bannon ? Et si je virais Reince ? Et McMaster ? Et Spicer ? Et Tillerson ?* Tous ont compris que ce rituel est plus une manière d'affirmer son pouvoir qu'une décision personnelle. Pourtant, dans l'esprit de Trump, la question de renvoyer l'un ou l'autre et le fait d'en parler avec l'un des milliardaires, se traduit en un accord du type : *Carl Icahn pense que je devrais virer Comey (ou Bannon, Priebus, McMaster ou Tillerson).*

Sa fille et son gendre, dont l'insistance est aggravée par la panique de Charlie Kushner, l'encouragent, avançant que Comey, jadis plaisant, est devenu dangereux et incontrôlable et tirerait profit de leur perte. Quand Trump a un sujet de tension, remarque Bannon, c'est que quelqu'un l'a mis sur la table. Les discussions familiales – insistantes, presque frénétiques – ne portent plus que sur l'ambition de Comey. Il va prendre du galon à leur détriment. Et la clameur enfle.

« Ce salaud va tenter de virer le directeur du FBI », dit Ailes.

Au cours de cette première semaine de mai, le Président a une entrevue agitée avec Sessions et son adjoint, Rod Rosenstein. L'entretien est humiliant pour les deux hommes. Trump affirme qu'ils ne contrôlent pas leurs équipes et les pousse à trouver une raison de limoger Comey – les accusant, en fait, de ne pas avoir trouvé ce motif des mois auparavant. C'est leur faute, sous-entend-il, si Comey n'a pas été remercié sur-le-champ.)

La même semaine, une réunion est organisée entre le Président, Jared et Ivanka, Bannon, Priebus, et le conseiller juridique de la Maison Blanche, Don McGahn. Elle se tient à huis clos – fait remarquable puisqu'il est inhabituel que la porte du Bureau ovale soit fermée.

Tous les démocrates détestent Comey, déclare le Président, exprimant un point de vue définitif et d'autojustification. *Tous les agents du FBI le détestent aussi – 75 % d'entre eux ne peuvent pas le supporter.* (Kushner est tombé sur ce chiffre et Trump s'en empare.) *Limoger Comey représenterait un avantage considérable pour la collecte de fonds*, ajoute un président qui ne parle jamais de collecte de fonds.

McGahn tente d'expliquer qu'en fait, Comey ne s'occupe pas de l'enquête russe et que sans lui, elle se poursuivra de toute façon. L'avocat, dont le travail consiste à émettre des mises en garde, est souvent la cible des colères de Trump. Elles débutent en général par une sorte d'exagération de ses propos ou d'imitation avant de prendre une tournure sérieuse – une véritable crise, incontrôlable, avec grimaces et veines soudain très apparentes. À présent, les dénonciations du Président se concentrent en propos virulents contre McGahn et ses avertissements au sujet de Comey.

« Comey est un mouchard », répéte Trump. Des mouchards, il y en a partout et il faut s'en débarrasser. *John Dean, John Dean*, lance-t-il en boucle. « Vous savez ce que John Dean a fait à Nixon ? »

Trump, qui considère l'histoire à travers des personnages – des hommes qu'il aurait pu aimer ou détester – est obsédé par John Dean. Il s'emporte quand celui-ci, grisonnant et âgé, intervient dans des talk shows pour comparer l'enquête russe au Watergate.

Aussitôt en alerte, le Président se lance dans un monologue avec l'écran sur la loyauté et sur tout ce dont les gens seraient capables de faire pour attirer l'attention des médias. Il peut aussi émettre diverses théories révisionnistes sur le Watergate et le fait que Nixon a été piégé. Et il y a toujours des mouchards, ces gens qui vous font chuter dans leur propre intérêt. Il faut s'attaquer à eux. Ils sont partout.

(Plus tard, Bannon doit prendre le Président à part pour lui dire que John Dean a été conseiller juridique de la Maison Blanche sous l'administration Nixon, et qu'il vaut peut-être mieux alléger la charge sur McGahn.)

Au cours de la réunion, Bannon, en désaccord, et désormais allié à Priebus dans leur antipathie pour Jarvanka, saute sur l'occasion pour s'opposer à toute action contre Comey – agissant du même coup contre Jared, Ivanka et leurs alliés, « les génies ». (« Génie » est l'un des termes utilisés par Trump pour se moquer de quiconque l'agace ou s'estime plus intelligent que lui, et Bannon se l'approprie, l'appliquant à la famille du Président.) Avec des mises en garde convaincantes et sinistres, Bannon dit au Président : « Cette affaire russe est de troisième ordre, mais virez Comey et ce sera là, la plus grosse histoire au monde. »

À la fin de la réunion, Bannon et Priebus pensent l'avoir emporté. Mais ce week-end-là, à Bedminster, devant le profond désarroi de sa fille et de son gendre, la colère du Président bouillonne. Outre Jared et Ivanka, Stephen Miller est présent. Il fait mauvais temps et le Président, ne pouvant pas jouer au golf, revient, avec Jared, sur sa fureur contre Comey. Dans la version de ceux qui n'appartiennent pas au cercle intime de Jarvanka, c'est Jared qui pousse son beau-père à agir. Avec l'accord du Président, toujours selon cette version, Kushner donne à Miller des notes expliquant pourquoi le directeur du FBI doit être renvoyé et il lui demande de rédiger une lettre pouvant servir de base à un limogeage immédiat. Miller – peu doué pour cet exercice – se fait aider par Hicks, elle aussi dénuée de ce type de compétence. (Miller fut ensuite réprimandé par Bannon pour s'être laissé embrigader, voire compromettre, dans cette débâcle.)

Le brouillon de la lettre, rédigé par Miller et Hicks paniqués sous la direction de Kushner ou sur instructions venues directement du Président, est un étrange méli-mélo de points de discussion – la gestion de l'enquête sur Hillary Clinton par Comey ; l'affirmation (de Kushner) que le FBI s'est retourné contre Comey ; et, obsession majeure de Trump, le refus de Comey de reconnaître que le Président ne fait pas l'objet d'une enquête. Ils concentrent les arguments de la famille Trump pour se débarrasser de Comey. Tout, en résumé, sauf le fait que le FBI enquête sur le Président.

Le camp Kushner riposte farouchement à la moindre allusion sur le fait que la famille est au cœur de l'histoire, mettant la lettre – ainsi que la détermination à limoger Comey – entièrement sur le dos du Président et faisant de son gendre un témoin passif. (La position des Kushner s'articule ainsi : « Est-il [Kushner] en faveur de la décision ? Oui. A-t-il été informé de ce qui se produit ? Oui. L'a-t-il encouragé ? Non. S'est-il battu pour cela [le renvoi de Comey] depuis des mois ? Non. S'y est-il opposé ? Non. A-t-il dit que cela se passerait mal ? Non. »)

Horrifié, McGahn empêche l'envoi de la lettre. Néanmoins, elle est transmise à Sessions et Rosenstein, qui se mettent à rédiger une version de ce que Kushner et le Président veulent vraiment.

« À son retour, je savais qu'il pouvait exploser à tout moment », déclare Bannon quand le Président revient de son week-end à Bedminster.

Le lundi 8 mai au matin, lors d'une réunion dans le Bureau ovale, le Président annonce à Priebus et Bannon qu'il a pris sa décision : il va limoger Comey. Les deux hommes le supplient de ne pas le faire, demandant, au minimum, plus de discussions. Différer l'échéance est un procédé connu pour gérer le Président qui s'accorde bien avec sa capacité de concentration : quel que soit le problème, il passe vite à autre chose. À la fin de la réunion, Priebus et Bannon pensent avoir trouvé le temps de souffler.

Plus tard dans la journée, Sally Yates et l'ancien directeur du renseignement national, James Clapper, comparaissent devant le sous-comité du Crime et du Terrorisme, qui fait partie du Comité judiciaire du Sénat – et sont salués par une série de tweets furieux du Président.

C'est, constate à nouveau Bannon, le problème fondamental de Trump. Il personnalise désespérément tout. Il voit le monde en termes de commerce ou de spectacle : il y a toujours quelqu'un pour vous battre ou se faire remarquer à vos dépens. D'où une bataille entre vous et la personne qui veut ce que vous avez. Pour Bannon, réduire la politique à des duels et des prises de bec minimise la place dans l'histoire atteinte par Trump et son administration, et donne une idée fausse des vrais pouvoirs auxquels ils s'opposent. Les institutions – pas les hommes.

Pour Trump, il se positionne simplement contre Sally Yates, qui, fulmine-t-il, est « une vraie salope ».

Depuis son limogeage le 30 janvier, Yates est d'une discrétion suspecte. Quand les journalistes l'approchent, elle ou ses intermédiaires leur expliquent qu'elle est réduite au silence par ses avocats. Le Président la pense simplement en embuscade. Lorsqu'il appelle ses amis, il s'inquiète de son « plan » et de sa « stratégie », et continue à demander à ses sources du soir ce qu'elle et Ben Rhodes, son conspirateur d'Obama favori, ont « dans leur manche ».

De bien des manières, le problème, pour lui, se résume à la stratégie de communication de ses ennemis – comme de ses amis. Les médias sont le champ de bataille. Trump pense que chacun, voulant son quart d'heure de célébrité, a un plan de communication en tête. Si vous n'avez pas directement accès à la presse, vous devenez un mouchard. Selon Trump, il n'y a pas d'informations qui soient le fruit du hasard. Elles sont toutes manipulées, planifiées, glissées ici ou là. Jusqu'à un certain point, elles sont fausses – il le comprend d'autant plus qu'il a très souvent menti au cours de sa carrière. C'est pour cela qu'il a si naturellement adopté l'étiquette « *fake news* » : « J'invente des choses depuis toujours et ils les impriment », se vantait-il.

Le retour de Sally Yates, pour son entretien devant le Comité judiciaire du Sénat, marque le début, selon Trump, d'une campagne médiatique soutenue et bien organisée en faveur de la juriste. (Sa vision est confirmée en mai par un portrait hagiographique de Yates dans le *New Yorker*. « À votre avis, depuis combien de temps planifiait-elle ça ? » demande-t-il pour la forme. « Yates n'est célèbre que grâce à moi, se plaint le Président. À part ça, qui est-elle ? Personne. »

Devant le Congrès ce lundi matin, Yates interprète son plus beau rôle – froide, modérée, minutieuse, altruiste –, aggravant la fureur et l'agitation de Trump.

Le mardi 9 mai au matin, alors que le Président est toujours obsédé par Comey, encouragé par Kushner et sa fille, Priebus joue encore la carte de l'attente : « Il y a une bonne et une mauvaise façon de procéder, dit-il au Président. Nous ne voulons pas qu'il apprenne cela par la télévision. Je vais le dire une dernière fois : ce n'est pas la bonne manière de procéder. Si vous voulez le faire, il faut le convoquer et discuter avec lui. C'est la seule façon correcte et professionnelle de se comporter. » Une fois de plus, le Président semble se calmer et se concentrer sur ce qu'il doit faire.

Mais c'est un leurre. Afin d'éviter le recours à une discussion – ou d'ailleurs, de toute notion réelle de cause et d'effet – le Président se contente d'écarter tout le monde. Pendant le reste de la journée, personne ou presque ne sait qu'il a décidé de prendre les choses en main. Dans les annales présidentielles, le limogeage du directeur du FBI, James Comey, est peut-être la décision la plus arrogante jamais prise par un chef d'État agissant entièrement seul.

Il se trouve que le département de la Justice – le Procureur général Sessions et son adjoint Rod Rosenstein – monte, indépendamment du Président, un dossier sur Comey, adoptant la ligne de Bedminster, et accusant le directeur du FBI d'avoir commis des erreurs dans l'affaire des e-mails de Hillary Clinton – accusation problématique, puisque si c'était vraiment le cas, pourquoi Comey n'avait-il pas été renvoyé dès la prise de fonctions de l'administration Trump ? Mais, indifférent aux arguments de Sessions et Rosenstein, le Président est décidé à agir seul.

Jared et Ivanka le poussent, ignorant que le couperet tombera bientôt. Hope Hicks, ombre indéfectible de Trump, qui sait en général tout ce qu'il pense – notamment parce qu'il ne parvient pas à se taire – n'est pas au courant. Bien qu'il craigne un fiasco présidentiel, Steve Bannon ne sait rien encore. Son secrétaire général non plus. Tout comme son porte-parole. Sur le point de déclencher une guerre avec le FBI, le département de la Justice et de nombreux parlementaires, le Président va agir en solitaire.

Au cours de l'après-midi, Trump parle de son plan à sa fille et son gendre. Immédiatement dans la conspiration, ils font taire toute opinion contradictoire.

Étrangement, c'est une journée sans vague dans la West Wing. Mark Halperin, journaliste politique et chroniqueur de la campagne, attend Hope Hicks à la réception qui vient le chercher un peu avant 17 heures. Howard Kurtz de Fox est aussi présent, patientant avant son entrevue avec Sean Spicer. Et l'assistant de Reince Priebus vient d'annoncer à son rendez-vous que le retard ne sera que de quelques minutes.

Juste avant 17 heures, le Président, qui vient d'informer McGahn de ses intentions, appuie sur la détente. L'agent de sécurité personnel de Trump, Keith Schiller, dépose la lettre de limogeage dans le bureau de Comey au FBI. La deuxième phrase de la lettre indique : « Vous êtes par la présente renvoyé et destitué, avec effet immédiat. »

Peu après, à la suite d'un reportage erroné de Fox News, presque toute l'équipe de la West Wing croit, l'espace d'un instant, que Comey a démissionné. Mais par diverses informations émanant des bureaux, la vérité éclate.

« Donc la suite, c'est un procureur spécial ! » dit Priebus incrédule et à la cantonnade, en apprenant ce qui se passe, peu après 17 heures.

Spicer, plus tard accusé de ne pas avoir communiqué de façon positive sur le renvoi de Comey, n'a que quelques minutes pour digérer l'information.

Non seulement la décision a été prise par le Président sans aucune consultation, à l'exception du cercle familial, mais la réaction, l'explication et même les justifications légales sont exclusivement ou presque gérées par lui et sa famille. Les raisons du limogeage données par Rosenstein et Sessions sont ajoutées à la dernière minute et, sur instructions de Kushner, le renvoi de Comey devient uniquement la décision du Président qui aurait agi selon leurs recommandations. Spicer est forcé de confirmer, tout comme le vice-président. Mais l'argument s'effondre très vite, puisque la plupart des collaborateurs de la West Wing, ne voulant rien avoir à faire avec cette décision, contribuent à le faire échouer.

Au sein de la Maison Blanche, le Président et sa famille se tiennent d'un côté de la ligne de division, tandis que les collaborateurs – bouche bée et incrédules – se tiennent de l'autre.

Mais le Président semble aussi vouloir qu'on sache que, énervé et dangereux, il a personnellement mis Comey à la porte. Oubliez Rosenstein et Sessions, *c'est* personnel. Ce président est puissant et vengeur, irrité et offensé par tous ceux qui s'opposent à lui, et déterminé à protéger sa famille qui, elle aussi, veut le protéger.

« La fille fera tomber le père », dit Bannon, d'humeur shakespearienne.

Beaucoup, au sein de la West Wing, se rejouent des scénarios alternatifs. Pour limoger Comey, il existait surement des solutions politiques – ce qui avait été suggéré par Trump. (Dont une qui sembla ensuite ironique, consistant à se débarrasser du général Kelly à la Sécurité intérieure et de le remplacer par Comey.) Mais en vérité, Trump a voulu affronter et humilier le directeur du FBI. La cruauté est un attribut de Trump.

Le limogeage a lieu en public et devant sa famille – prenant Comey complètement au dépourvu alors qu'il prononce un discours en Californie. Le Président organise une attaque ad hominem contre le directeur, suggérant que le FBI est de son côté et méprise Comey.

Le lendemain, soulignant et savourant l'affront et son impunité, le Président rencontre des huiles russes dans le Bureau ovale, dont l'ambassadeur de Russie, Sergueï Kisliak, au cœur de la fameuse enquête. Il déclare aux Russes : « Je viens de renvoyer le directeur du FBI. Il est fou, un vrai cinglé. J'ai subi d'énormes pressions à cause de la Russie. C'est fini. » Puis, pour couronner le tout, il révèle des informations fournies aux États-Unis par un agent d'Israël en Syrie, à propos de Daech utilisant des ordinateurs portables pour dissimuler des bombes dans les avions – et dévoilant suffisamment de choses pour compromettre l'agent. (Cet incident nuira à la réputation de Trump dans les cercles du renseignement où les sources sont protégées plus que n'importe quel secret.)

« C'est tout Trump, dit Bannon. Il pense qu'il peut congédier le FBI. »

Trump croit que le limogeage de Comey va faire de lui un héros. Au cours des quarante-huit heures suivantes, il livre sa version des faits à divers amis. C'est simple : il a tenu tête au FBI. Il a prouvé qu'il était prêt à affronter le pouvoir étatique. L'outsider contre les initiés. Après tout, il a été élu pour ça.

Il a raison jusqu'à un certain point. Les présidents ne limogent jamais le directeur du FBI parce qu'ils en redoutent les conséquences. C'est le syndrome Hoover : n'importe quel président peut être otage de ce que sait le FBI, et un chef d'État qui le traite sans déférence le fait à ses risques et périls. Mais ce président-là a tenu tête aux agents fédéraux. Un homme seul opposé à ce pouvoir sans bornes contre lequel la gauche s'est longtemps insurgée – et qui est aussi devenu un problème plus récemment pour la droite. « Tout le monde devrait m'applaudir », dit le Président à ses amis, d'un ton de plus en plus plaintif.

C'est l'une des particularités de Trump : son incapacité à voir ses actes comme les autres les voient. Ou à se conduire comme les autres attendent qu'il se conduise. L'idée que la présidence est un concept institutionnel et politique, avec ce que cela comporte de rituel, de bienséance, de communication sémiotique – des qualités d'homme d'État – le dépasse vraiment.

Au sein du gouvernement, le limogeage de Comey provoque une sorte de révulsion bureaucratique. Bannon avait tenté d'expliquer à Trump la nature fondamentale des fonctionnaires de carrière, ces gens qui passent leur vie dans les organisations les plus puissantes et pour qui la notion de « cause supérieure » signifie quelque chose – ils sont bien différents de ceux qui cherchent une distinction individuelle. Qui que soit Comey au fond, il était d'abord et avant tout un bureaucrate. Le virer sans cérémonie est une insulte de plus de Trump à la bureaucratie.

Rod Rosenstein, l'auteur de la lettre qui a soi-disant servi de justification au renvoi de Comey, se trouve à présent dans la ligne de mire. À 52 ans, avec ses lunettes sans monture, Rosenstein semble se définir comme la quintessence du bureaucrate – il est le procureur américain à la plus longue carrière du pays. Il vit au cœur du système, suit les règles et veut être considéré comme un homme suivant ces règles à la lettre. Il joue franc jeu et tient à ce que cela se sache.

Tout cela se trouve sapé par Trump – voire piétiné. Le Président agressif a harcelé les deux plus hauts fonctionnaires chargés de faire respecter la loi pour qu'ils accusent – de façon hâtive – le directeur du FBI. Rosenstein se sent manipulé et maltraité. Puis il comprend qu'il a aussi été piégé. Pris pour un pigeon.

Le Président a insisté pour que Rosenstein et Sessions construisent un argumentaire légal, mais il est incapable de faire semblant de le suivre. Ayant embarqué les deux hommes dans ses manigances, Trump détourne à présent leur plaidoyer raisonnable en imposture – voire en plan pour entraver la justice. Le Président signifie qu'il n'a pas limogé le directeur du FBI parce qu'il a nui à Hillary, mais à cause de l'enquête trop agressive que le FBI mène contre lui et son administration.

Rod Rosenstein, très à cheval sur les règles – la quintessence de l'acteur apolitique – devient aussitôt, aux yeux de Washington, inutile pour Trump. Mais sa revanche est habile, rapide, écrasante et (bien sûr) dans le respect des règles.

Compte tenu de la décision du Procureur général de se récuser de l'enquête russe, son adjoint doit statuer sur l'existence d'un conflit – c'est-à-dire si, pour des questions d'intérêt personnel, lui-même ne peut pas agir de façon objective. S'il estime qu'un tel conflit existe, il doit nommer un procureur spécial pour mener une enquête et, potentiellement, engager des poursuites.

Le 17 mai, douze jours après le limogeage de Comey, sans consulter la Maison Blanche ou le Procureur général, Rosenstein nomme l'ancien directeur du FBI, Robert Mueller, pour superviser l'enquête sur Trump, sa campagne et les liens de son équipe avec la Russie. Si Michael Flynn est récemment devenu l'homme le plus puissant de Washington en raison de ce qu'il peut révéler sur le président, Mueller reprend ce rôle. Il a le pouvoir de faire parler Trump, ses copains et ses larbins.

Rosenstein, avec un certain plaisir, comprend qu'il a porté ce qui pourrait être un coup mortel à la présidence de Trump.

En hochant la tête, Bannon laisse tomber ce commentaire flegmatique sur Trump : « Il ne voit pas toujours ce qui arrive. »

17

À l'étranger et à la maison

Le 12 mai, Roger Ailes doit quitter Palm Beach pour New York et rencontrer Peter Thiel, premier et seul soutien de Trump dans la Silicon Valley, de plus en plus étonné par le caractère imprévisible de ce dernier. Ailes et Thiel, inquiets que Trump sabote le trumpisme, veulent discuter du lancement d'une nouvelle chaîne d'informations. Thiel la financerait et Ailes, on l'a vu, entraînerait à leurs côtés O'Reilly, Hannity, et peut-être Bannon.

Deux jours avant la réunion, Ailes se cogne la tête en tombant dans sa salle de bains. Avant de sombrer dans le coma, il demande à sa femme de ne pas reporter le rendez-vous avec Thiel. Une semaine plus tard, Ailes, homme au parcours singulier, de la majorité silencieuse de Nixon à la base passionnée de Trump, meurt.

Ses obsèques à Palm Beach, le 20 mai, sont révélatrices de l'ambivalence, voire de la honte éprouvée par la droite. On y défend Trump avec passion, mais entre soi, on se montre ébranlés ou embarrassés. Ce jour-là, Rush Limbaugh et Laura Ingraham s'efforcent d'analyser le trumpisme, tout en se distanciant de Trump.

Le Président est devenu le gagne-pain de la droite. C'est l'anti-gauchiste parfait : un partisan de l'autorité incarnant la résistance à l'autorité. Il est l'opposé exubérant de tout ce que la droite trouve condescendant, crédule et moralisateur à gauche. Et pourtant, Trump est Trump – irréfléchi, capricieux, déloyal, incontrôlable. Ceux qui le connaissaient le mieux le savent.

La veuve, Beth, n'a volontairement invité aux obsèques que ceux qui s'étaient montrés loyaux envers Ailes. Étaient exclus ceux qui n'avaient pas défendu son mari depuis son renvoi, ou trouvé que l'avenir serait meilleur auprès de la famille Murdoch. Trump, toujours enchanté de s'être rapproché de Murdoch, se retrouve dans le second camp. Des heures, puis des jours – comptés avec soin par Beth – passent sans s'il n'appelle pour présenter ses condoléances.

Le matin des obsèques, l'avion privé de Sean Hannity décolle du Republic Airport de Farmingdale, à Long Island. Il embarque un petit groupe d'employés de Fox, encore en poste ou non, tous partisans d'Ailes et de Trump. Mais chacun est angoissé, voire incrédule, devant Trump : le renvoi de Convey est incompréhensible, certes, mais son incapacité à faire ne serait-ce qu'un signe à Ailes, son ami disparu, l'est encore plus.

« C'est un imbécile, pas de doute possible », dit l'ancienne correspondante de Fox, Liz Trotta.

La présentatrice de Fox, Kimberly Guilfoyle, passe une partie du vol à discuter de la volonté de Trump de la voir remplacer Sean Spicer à la Maison Blanche. « Ça pose beaucoup de problèmes, dont ma survie personnelle. »

Quant à Hannity, sa vision de la droite centrée sur Fox se retrouve maintenant centrée sur Trump. Il pense que d'ici un an, il sera écarté de la chaîne ou qu'il la trouvera trop inhospitalière pour rester. Pourtant, il est blessé par les prévenances de Trump à l'attention de Murdoch, qui a évincé Ailes et dont le conservatisme se révèle, au mieux, utilitaire. « Il est pour Hillary ! » dit Hannity.

Ruminant à voix haute, Hannity annonce qu'il va quitter la chaîne et travailler pour Trump, puisque rien n'est plus important que la réussite du Président – « malgré lui », ajoute-t-il en riant.

Toute fois, il est furieux que Trump n'ait pas appelé Beth. « Mueller », conclut-il en tirant sur une cigarette électronique, l'a distrait.

Trump est peut-être une créature de Frankenstein, mais c'est celle de la droite, la première, la vraie, l'originale. Hannity peut voir au-delà du fiasco Comey. Et de Jared. Et de la pagaille à la Maison Blanche.

Pourtant, il n'a pas appelé Beth.

« Qu'est-ce qui ne tourne pas rond chez lui ? » s'interroge Hannity.

Trump pense qu'il est près de pouvoir retourner la situation. Ou, plus exactement, qu'il lui manque la bonne couverture médiatique d'un événement qui changerait tout. Qu'il ait largement gaspillé ses cent premiers jours – dont les victoires auraient dû faire la crédibilité des cent jours suivants – est insignifiant. Vous pouvez être au plus bas dans les médias un jour, marquer un but et devenir célèbre le lendemain.

« Des gros coups, il nous faut des gros coups, dit-il souvent d'un ton rageur. Ce n'est pas du lourd. Je veux du lourd. Amenez-moi un gros coup. Vous savez ce que *gros* veut dire ? »

Le grand changement promis par Trump – révoquer et remplacer, l'infrastructure, la vraie réforme des impôts –, avant de compter sur Paul Ryan pour l'assurer, est, dans les faits, en ruine. L'état-major affirme à présent qu'il n'aurait pas fallu commencer par la réforme du système de santé. Qui a eu cette idée, au fait ?

Il aurait fallu débuter par de plus petites choses, des versions progressives du programme. Mais les petites choses n'intéressent pas Trump, elles le rendent morose et attisent sa colère.

OK, ça sera donc la paix au Moyen-Orient.

Pour Trump et de nombreux entrepreneurs médiatisés, l'ennemi de tout, c'est la complexité et la bureaucratie ; la solution, c'est de prendre des raccourcis. Contourner ou ignorer les difficultés ; faire avancer en ligne droite son idée qui, si elle est grandiose, se vendra toute seule. Dans cette formule, il y a toujours des intermédiaires pour faciliter les choses et des partenaires ravis de surfer sur votre grandeur.

C'est alors qu'arrive Mohammed ben Salmane Al Saoud, alias MBS, 31 ans, prince héritier d'Arabie saoudite.

Le roi, père de MBS, n'était plus à la hauteur. Au sein de la famille royale saoudienne, l'opinion penchait de plus en plus en faveur d'une (relative) modernisation. MBS – adepte invétéré des jeux vidéo – est un nouveau genre de personnalité dans la monarchie saoudienne. Volubile, ouvert et chaleureux, c'est un charmeur, un acteur de la scène internationale et un vendeur rusé plutôt qu'un souverain distant et taciturne. S'étant emparé du portefeuille de l'économie, il poursuit son but – assez trumpien – de battre Dubaï à son propre jeu et de diversifier les revenus du pays. Son royaume deviendrait moderne, enfin, un peu plus (oui, les femmes pourraient bientôt conduire – dieu merci, les voitures autonomes arrivent !). Les dirigeants saoudiens sont marqués par l'âge, le traditionalisme, l'anonymat relatif et le consensus prudent. La famille royale, d'un autre côté, d'où sont issus ces dirigeants, se trouve souvent associée à des excès en tous genres et profite des joies de la modernité à l'étranger. MBS tente de jeter un pont entre ces deux identités.

Mais l'élection de Donald Trump a quasiment paralysé un leadership mondial progressiste – par *l'existence* même de Donald Trump. Cependant, le Moyen-Orient vit dans un univers inversé. La brutalité, l'hyper-rationalisation et le micromanagement d'Obama, précédés du militarisme moral de Bush et des conflits qui suivirent, précédés encore par les affaires et les trahisons de Clinton, ont ouvert la voie à la realpolitik à la Trump. Il n'a aucune patience face à l'apathie de l'après-guerre froide, cette impression d'échiquier bloqué, au mieux de lente progression – avec pour seule alternative le conflit. Sa vision est bien plus simple : qui a le pouvoir ? Donnez-moi son numéro.

Et, de façon toute aussi basique : l'ennemi de mon ennemi est mon ami. Si Trump a une idée fixe sur le Moyen-Orient, c'est – grâce aux cours de Michael Flynn – que l'Iran est l'ennemi des États-Unis. Par conséquent, tout opposant à l'Iran se révèle plutôt sympathique.

Après les élections, MBS tend la main à Kushner. Dans la confusion de la transition, on a oublié de nommer une personne spécialisée en politique étrangère ou qui bénéficie d'un réseau international – même le nouveau secrétaire d'État désigné, Rex Tillerson, n'a pas d'expérience en la matière. Pour ses homologues étrangers déroutés, il est logique de considérer que le gendre du président élu est l'élément de stabilité. Quoi qu'il arrive, il sera là. Et pour certains régimes, en particulier l'Arabie saoudite centrée sur la famille, Kushner est bien plus rassurant qu'un homme politique. Il n'occupe pas ce poste en raison de ses idées.

Il est facile de faire entrer un cheval de Troie dans l'une des entailles créées par Trump dans la gestion d'une grande puissance moderne – à travers ses carences en matière de politique étrangère. Le monde a l'occasion de revoir ses liens avec les États-Unis – s'il est prêt à parler le nouveau langage de Trump, quel qu'il soit. Il n'y a pas de feuille de route, mais de l'opportunisme, une nouvelle ouverture dans les négociations. Voire l'occasion d'utiliser les pouvoirs du charme et de la séduction auxquels Trump répond avec autant d'enthousiasme qu'aux contrats avantageux.

C'est de la realpolitik à la Kissinger. Connaissant Trump de longue date par le biais de la société mondaine new-yorkaise, Kissinger prend Kushner sous son aile et réussit son retour en aidant à organiser des rencontres avec Chinois et Russes.

La plupart des partenaires habituels de l'Amérique, et même beaucoup de leurs adversaires, sont perturbés, voire horrifiés. Certains, pourtant, prennent cela pour une chance. Les Russes envisagent un laisser-passer en Ukraine et en Géorgie, ainsi qu'une levée des sanctions, en échange d'un relatif retrait en Iran et en Syrie. Au début de la période de transition, un haut fonctionnaire du gouvernement turc fait appel, dans une totale confusion, à un éminent homme d'affaires américain pour savoir si la Turquie aurait plus d'influence en faisant pression sur la présence militaire des États-Unis sur son sol ou en offrant au Président un site stratégique pour la construction d'un hôtel sur le Bosphore.

Un curieux parallèle peut être fait entre la famille Trump et MBS. Comme tous les responsables saoudiens, MBS n'est pratiquement pas instruit, ce qui, dans le passé, a limité les Saoudiens dans leurs choix politiques – personne n'était capable d'explorer en toute confiance de nouvelles voies. Tout le monde hésite donc à leur faire imaginer un changement. Mais MBS et Trump sont quasiment sur un pied d'égalité. D'une certaine façon leur inculture les rapproche. Quand MBS propose à Kushner d'être son homme dans le royaume d'Arabie saoudite, c'est « comme rencontrer quelqu'un de sympa dès le premier jour en pension », dit un ami de Kushner.

Mettant de côté certaines hypothèses passées – les ignorant, en réalité – la nouvelle approche de Trump au sujet du Moyen-Orient suit ces lignes : il y a en gros quatre acteurs (tout du moins, on peut oublier les autres) – Israël, l'Égypte, l'Arabie saoudite et l'Iran. Les trois premiers peuvent s'unir contre le quatrième. Et si l'Égypte et l'Arabie saoudite obtiennent ce qu'elles veulent en ce qui concerne l'Iran, voire davantage si cela n'interfère pas avec les intérets américains, elles feront pression sur les Palestiniens pour conclure un accord. Et voilà.

C'était un méli-mélo d'idées à donner la nausée. L'isolationnisme de Bannon (« La peste sur vos maisons » – et ne nous mêlez pas de cela) ; le sentiment anti-Iran de Flynn (dans le monde, il n'y a rien de plus perfide ou nocif que les mollahs) ; et le kissingerisme de Kushner (ou plus exactement, l'effort appliqué à suivre les conseils du nonagénaire, à défaut d'avoir un point de vue personnel).

Mais fondamentalement, les trois dernières administrations se sont trompées sur le Moyen-Orient. L'équipe de Trump éprouve un mépris incommeusurable pour cette façon de penser traditionnelle montrant qu'on n'a rien compris. Le nouveau mot d'ordre est : faire l'opposé de ce qu'ils (Obama, ainsi que les néoconservateurs de Bush) faisaient. Leur conduite, leur suffisance, leurs idées – et même leurs milieux, leur éducation et leur classe – sont suspects. Et sans même savoir tout cela, il suffit juste d'agir différemment de par le passé.

L'ancienne politique étrangère était basée sur l'idée de nuance : face à des calculs multilatéraux infiniment complexes de menaces, d'intérêts, d'incitations, d'accords, voire de relations changeantes, il fallait tout faire pour arriver à un avenir équilibré. En pratique, la nouvelle politique étrangère, véritable doctrine de Trump, consiste à réduire l'éventail à trois éléments : les puissances avec lesquelles travailler, celles avec lesquelles ne pas travailler, celles sans grand pouvoir qu'il est possible de négliger ou de sacrifier.

C'était l'esprit de la guerre froide. Et en effet, dans la vision de Trump, les États-Unis, question d'époque et de circonstances, avaient alors un avantage sur le monde. C'était un temps où l'Amérique était grande.

Kushner pilote la doctrine Trump. La Chine, le Mexique, le Canada et l'Arabie saoudite lui servent de test. Il offre à chacun l'occasion de faire plaisir à son beau-père.

Dès les premiers jours de l'administration, le Mexique rate sa chance. Dans les transcriptions des conversations entre Trump et le président mexicain Enrique Peña Nieto rendues publiques, il est évident que le Mexique ne comprend pas ou refuse de jouer à ce nouveau jeu. Peña Nieto ne veut pas prétendre qu'il paiera le mur, une feinte qui aurait pu être à son avantage sans qu'il doive réellement en financer la construction.

Peu après, le nouveau Premier ministre canadien, Justin Trudeau, 43 ans, partisan du libre-échange dans le style de Clinton et de Blair, se rend à Washington. Il sourit constamment et tient sa langue. La manœuvre paie : le Canada devient rapidement le nouveau meilleur ami de Trump.

Les Chinois, souvent calomniés par Trump durant la campagne, se rendent à Mar-a-Lago pour un sommet organisé par Kushner et Kissinger. (On suggéra à Trump, qui appelait le président chinois « Mister X-i », de se le représenter en femme et de l'appeler *she*.) Ils sont d'humeur plaisante. Ils souhaitent clairement faire plaisir à Trump et réalisent vite que si on le flatte, il vous flatte en retour.

Mais ce sont les Saoudiens, également très attaqués durant la campagne, qui, grâce à leur compréhension intuitive de la famille, de la cérémonie, des rituels et des convenances, marquent des points.

L'establishment de la politique étrangère a une relation longue et parfaitement bien rodée avec le rival de MBS, le prince héritier Mohammed ben Nayef (MBN). Des membres clés de la NSA et du département d'État craignent que les discussions de Kushner et l'évolution rapide des relations avec MBS envoient un message dangereux à MBN. Et c'est bien sûr ce qui se passe. Les spécialistes de la politique étrangère croient que Kushner se fait rouler par un opportuniste dont les vues sont encore floues. Kushner estime, naïvement, qu'on ne le manipule pas, ou qu'il s'en moque, avec l'aplomb d'un homme de 36 ans qui assume ses nouvelles prérogatives de responsable : acceptons toute personne qui nous accepte.

Le plan Kushner/MBS est simple, à l'inverse de la politique étrangère : si vous nous donnez ce que nous voulons, nous vous donnerons ce que vous voulez. Quand MBS assure qu'il apportera de très bonnes nouvelles, il est invité à la Maison Blanche en mars. Ces hommes corpulents, Trump l'aîné et le bien plus jeune MBS – deux charmeurs et flatteurs chacun dans leur style – s'entendent à merveille.

C'est un exercice de diplomatie agressive. MBS utilise son entente avec Trump pour affirmer son pouvoir dans son royaume. Et la Maison Blanche de Trump le laisse faire, tout en affirmant le contraire. En échange, MBS offre une série d'accords et d'annonces qui coïncident avec une visite présidentielle en Arabie saoudite – le premier voyage à l'étranger de Trump, une victoire pour ce dernier.

Prévu avant le limogeage de Comey et la nomination de Mueller, ce déplacement inquiète le département d'État. La durée – du 19 au 27 mai – serait excessive pour tout président, elle l'est en particulier pour un tel novice, aussi inexpérimenté. (Trump, atteint de multiples phobies sur le voyage et les lieux inconnus, se plaint du poids que représente ce déplacement.) Mais venant immédiatement après les épisodes Comey et Mueller, c'est un don du ciel. C'est le moment idéal pour faire les gros titres loin de Washington. Un voyage peut tout transformer.

Les équipes de la West Wing au quasi-complet, celles du département d'État et de la Sécurité nationale sont du voyage : Melania Trump, Ivanka Trump, Jared Kushner, Reince Priebus, Stephen Bannon, Gary Cohn, Dina Powell, Hope Hicks, Sean Spicer, Stephen Miller, Joe Hagin, Rex Tillerson et Michael Anton. Sarah Huckabee Sanders, adjointe du porte-parole ; Dan Scavino, directeur des réseaux sociaux ; Keith Schiller, en charge de la sécurité du président et Wilbur Ross, secrétaire du Commerce étaient aussi là. (Ne ratant jamais l'occasion de monter à bord d'Air Force One, Ross fait l'objet de moqueries. Comme le dit Bannon : « Wilbur, c'est Zelig, dès qu'on se retourne, il est là. ») Ce déplacement et l'importante délégation américaine constituent un antidote et un dérivatif après la nomination de Mueller.

Le Président et son gendre ont du mal à contenir leur assurance et leur enthousiasme. Ils sont certains d'être sur la voie de la paix au Moyen-Orient, ressemblant sur ce sujet à bon nombre d'administrations avant eux.

Trump ne tarit pas d'éloges sur Kushner. « Jared a mis les Arabes de notre côté. C'est dans la poche, affirme-t-il au téléphone à l'un de ses interlocuteurs un soir avant son départ. Ça va être magnifique. »

« Il pense, dit son interlocuteur, que ce voyage peut tout régler, comme un twist dans un mauvais film. »

Le long des routes désertes de Riyad, le cortège présidentiel passe devant des photos de Trump et du roi d'Arabie saoudite (le père de MBS qui a 81 ans) avec la légende ENSEMBLE NOUS VAINCRONS sur les panneaux d'affichage.

L'enthousiasme du Président vient en partie de l'exagération – ou peut-être l'a-t-elle causé – de ce qui a réellement été convenu durant les négociations précédant le voyage. Avant son départ, il dit autour de lui que les Saoudiens vont financer une nouvelle présence militaire dans le royaume, supplantant, voire remplaçant, la base américaine au Qatar. Et ce sera « la plus grande avancée de tous les temps dans les négociations entre Israël et la Palestine ». Ce sera « un nouveau souffle, énorme, du jamais-vu ».

En vérité, sa version de ce qui devrait être accompli est très loin de ce qui a été convenu, mais cela ne semble pas altérer son zèle ni sa joie.

Les Saoudiens achètent immédiatement 110 milliards de dollars d'armes américaines, et un total de 350 milliards sur dix ans. « Des centaines de milliards de dollars d'investissements aux États-Unis et des emplois, des emplois, des emplois », déclare le Président. De plus, Américains et Saoudiens vont « neutraliser les messages extrémistes violents, couper le financement du terrorisme et faire progresser la coopération en matière de défense ». Ils vont aussi installer à Riyad un centre pour combattre l'extrémisme. Et si ce n'est pas exactement la paix au Moyen-Orient, le Président, selon le secrétaire d'État, « voit là un moment historique. Le Président va parler avec Netanyahou de ces avancées. Il va discuter avec le

Président Abbas de ce qu'il faut, selon lui, aux Palestiniens, pour réussir ».

C'est un grand moment trumpien. Pendant ce temps, le Président, la première dame, Jared et Ivanka sont transportés en voiturettes de golf, et les Saoudiens organisent une fête à 75 millions de dollars en l'honneur de Trump, qui s'asseoit sur une sorte de trône. (Alors qu'il reçoit cet honneur du roi saoudien, il semble, sur une photographie, s'être incliné, déclenchant le courroux au sein de la droite.)

Cinquante nations arabes et musulmanes sont sommées par les Saoudiens de venir courtiser le Président. Il appelle ses amis pour leur dire à quel point tout est simple et naturel ici, et qu'Obama, de façon inexplicable et douteuse, a tout gâché. « Il y a eu un peu de tension, mais il n'y en aura pas avec cette administration-ci », assure le président à Hamed ben Issa al-Khalifa, souverain du Bahreïn.

Abdel Fattah al-Sissi, l'homme fort d'Égypte, caresse le Président dans le sens du poil : « Vous êtes une personnalité unique capable de faire l'impossible. » ce à quoi Trump lui répond : « J'adore vos chaussures. Waow, ces chaussures… »

C'est un changement spectaculaire d'attitude et de stratégie de politique étrangère et ses effets sont quasi immédiats. Ignorant voire allant à l'encontre des conseils dans ce domaine, le Président donne le feu vert au plan des Saoudiens pour brimer le Qatar. Trump pense que ce dernier soutient financièrement des groupes terroristes – en mettant de côté une histoire similaire en Arabie saoudite. (Le nouvel argument étant que seuls *certains* membres de la famille royale saoudienne avaient apporté une telle aide.) Quelques semaines après ce voyage, MBS, faisant prisonnier MBN en pleine nuit, le force à céder son titre de prince héritier, qu'il endosse aussitôt. Trump raconte ensuite à ses amis que Jared et lui avaient manigancé un coup d'État dans ce pays : « On a mis notre homme au sommet ! »

De Riyad, le groupe présidentiel se rend à Jérusalem où Trump s'entretient avec Netanyahou, puis avec Abbas à Bethléem, s'exprimant avec encore plus d'assurance, à la troisième personne du singulier : « Trump va faire la paix. » À Rome, il rencontre le pape. À Bruxelles, et c'est tout lui, il trace une séparation entre la politique étrangère occidentale basée sur des alliances, en place depuis la Seconde Guerre mondiale, et la nouvelle éthique *America First*[1].

Pour Trump, tout cela aurait dû donner forme à sa présidence. Et il a peine à croire que ses réussites spectaculaires n'attirent pas plus l'attention des médias. Bannon, Priebus et d'autres soulignent qu'il est dans le déni face aux gros titres continus sur Comey ou Mueller.

L'une des faiblesses de Trump – une constante dans la campagne, puis dans sa présidence – est son incompréhension du lien de cause à effet. Jusque-là, les problèmes qu'il avait pu provoquer avaient systématiquement été supplantés par de nouveaux événements, l'assurant qu'une sale histoire pouvait être remplacée par une autre, plus dramatique et plus fracassante. Il pouvait toujours changer de sujet. Le voyage en Arabie Saoudite et sa campagne audacieuse pour renverser les relations internationales du vieil ordre mondial auraient dû y parvenir. Mais le Président, incrédule, se sent toujours piégé par Comey et Mueller. Ces deux affaires semblent tout bloquer.

Après le volet saoudien du voyage, Bannon et Priebus, épuisés par leur grande proximité avec le Président et sa famille, rentrent à Washington. À présent, ils doivent gérer ce qu'est devenue, en l'absence des collaborateurs de la Maison Blanche, la crise suprême de la présidence.

Que pense réellement l'entourage de Trump à son sujet ? Il s'agit d'une question sensée que se posent ses collaborateurs. Ils se débattent constamment pour comprendre le fond de leur propre pensée et ce que, selon eux, pensent les autres.

Avant tout, ils ne partagent pas leurs impressions, mais dans le cas de Comey et Mueller, au-delà des esquives habituelles et des fausses explications rationnelles, tous, en dehors de la famille du Président, rejettent la faute sur Trump.

---

1. L'Amérique d'abord. Un des slogans de campagne du candidat Trump.

Le moment est venu de réaliser que le roi est nu. Il est désormais possible de douter à voix haute de son jugement, de son flair, et surtout, des conseils qu'il reçoit.

« Il n'est pas que fou, déclare Tom Barrack à un ami, il est stupide. »

Mais Bannon, avec Priebus, s'est fortement opposé au limogeage de Comey, alors qu'Ivanka et Jared ont soutenu et encouragé cette idée. Ce séisme inspire un nouveau refrain à Bannon, qu'il répète à l'envi : tout conseil venant du couple est mauvais.

Désormais, personne ne croit que renvoyer Comey était une bonne idée ; même le Président a l'air penaud. Bannon estime que son nouveau rôle est de sauver Trump – et Trump en a toujours besoin. Peut-être est-il un grand acteur, mais il ne sait pas gérer sa carrière.

Ce défi donne à Bannon un net avantage : quand l'étoile de Trump s'assombrit, la sienne brille.

Lors du voyage au Moyen-Orient, Bannon se met au travail. Il se focalise sur la personne de Lanny Davis, l'un des avocats de l'*impeachment*[1] de Clinton qui, pendant deux ans environ, est devenu l'infatiguable porte-parole et défenseur public de la Maison Blanche. Bannon estime que Comey et Mueller étaient aussi menaçants pour l'administration Trump que Monica Lewinsky et Ken Starr pour Clinton, et il voit dans la réaction de ce dernier, un modèle pour échapper à un destin fatal.

« Les Clinton ont eu recours à des tactiques brutales avec une incroyable discipline, explique-t-il. Ils se sont défendus, puis n'en ont plus jamais reparlé. Ils ont tout broyé. Starr avait tout pour les condamner, mais ils sont passés au travers. »

Bannon sait exactement ce qu'il faut faire : boucler la West Wing et monter une équipe de défense et de communication indépendante pour le Président. Dans cette structure, Trump – comme Clinton – occuperait une réalité parallèle, tenu à distance de ce qui deviendrait un combat partisan et sanguinaire. La politique serait

---

1. Procédure de mise en accusation qui permet de destituer un haut fonctionnaire, y compris le Président.

reléguée dans un coin déplaisant, et Trump agirait en président et commandant en chef.

« Nous allons donc faire comme eux, insiste Bannon avec une jubilation guerrière et une énergie frénétique. Cellule de crise indépendante, avocats et porte-parole différents. Il faut garder ce combat ici pour pouvoir en mener un autre là-bas. Tout le monde le comprend. Sauf peut-être Trump. Ce n'est pas clair. Un peu peut-être. Ce n'est pas ce qu'il avait imaginé. »

Bannon, très excité, et Priebus, ravi d'avoir une excuse pour ne plus être aux côtés du président, filent vers la West Wing pour commencer à la sécuriser.

Priebus remarque que Bannon veut créer une arrière-garde de défenseurs – David Bossie, Corey Lewandowski et Jason Miller, pouvant tous être porte-parole à l'extérieur – qui seront surtout loyaux envers lui. Il ne lui échappe pas non plus que Bannon demande au Président de tenir un rôle contraire à sa personnalité : celui de chef de l'exécutif froid, stable et stoïque.

Et pour ne rien arranger, ils ne peuvent pas s'adjoindre les services d'un cabinet d'avocats de premier ordre. Quand Bannon et Priebus sont de retour à Washington, trois cabinets prestigieux déclinent leur proposition. Ils redoutent de faire face à une rébellion de leurs plus jeunes collaborateurs en représentant Trump, d'être publiquement humiliés par le Président si les choses tournent mal, et que ce dernier ne règle pas leurs honoraires.

Au final, neuf cabinets de premier ordre refusent.

18

Bannon, le retour

Bannon est de retour, selon les dires de sa propre faction. Comme il l'affirme lui-même : « Je suis bon. Je suis *bon*. Je suis de retour. J'ai dit, ne faites pas ça. On ne limoge pas le directeur du FBI. Les génies du coin pensent le contraire. »

Bannon est-il de retour ? s'inquiète l'autre camp – Jared et Ivanka, Dina Powell, Gary Cohn, Hope Hicks, H. R. McMaster.

S'il l'est, cela signifie qu'il a réussi à braver les principes structurels de la Maison Blanche de Trump : la famille triomphe toujours. Même dans son exil intérieur, Steve Bannon n'a pas cessé ses attaques verbales contre Jared et Ivanka. Ses apartés deviennent de vraies déclarations publiques. Il s'agit de critiques amères – souvent hilarantes – de la perspicacité, de l'intelligence et des mobiles du couple : « Ils pensent le défendre, mais ils ne défendent qu'eux. » À présent, Bannon déclare qu'ils sont finis en tant que clés de voûte du pouvoir – anéantis. Et si ce n'est pas le cas, ils détruiront le Président avec leurs conseils intéressés. Ivanka est pire que Jared. « Elle était un non-événement pendant la campagne. Une fois devenue collaboratrice à la Maison Blanche, les gens ont réalisé qu'elle était bête comme ses pieds. Elle a un peu de bon sens en marketing et de l'allure, mais quand il faut comprendre comment tourne le monde, ce qu'est la politique et ce qu'elle signifie, il n'y a plus personne. Dès lors que vous trahissez cela, vous perdez toute crédibilité. Quant à Jared, il papillonne et s'occupe des affaires arabes. »

Les pro-Jarvanka semblent de plus en plus redouter ce qui arrivera s'ils irritent le camp de Bannon. Ils ont l'air de craindre que les pro-Bannon, soient des assassins.

Dans le vol pour Riyad, Dina Powell consulte Bannon au sujet d'une fuite la concernant sur un site d'informations de droite. Elle lui dit savoir qu'elle vient de Julia Hahn, proche de lui et ancienne journaliste de Breitbart.

« Tu devrais lui en parler, répond Bannon, amusé. Mais elle est féroce. Et elle va t'attaquer. Tiens-moi au courant de la suite. »

Powell est devenue une des cibles régulières de Bannon. Elle est souvent présentée comme conseillère adjointe à la Sécurité nationale, parfois même par le *New York Times*. En fait, elle est conseillère adjointe à la Sécurité nationale chargée de *la stratégie* – la différence, souligne Bannon, entre le patron d'une chaîne d'hôtels et le concierge.

Au retour de son voyage à l'étranger, Powell se met à parler sérieusement à ses amis de son désir de quitter la Maison Blanche et de reprendre un emploi dans le secteur privé. Sheryl Sandberg, dit-elle, est son modèle.

« Oh, merde », dit Bannon.

Le 26 mai, la veille du retour du groupe présidentiel, le *Washington Post* rapporte que durant la transition, Kushner et Sergueï Kisliak, l'ambassadeur russe, ont, à l'instigation du premier, débattu de la possibilité de laisser les Russes mettre en place un canal de communications secret entre l'équipe temporaire et le Kremlin. Le *Post* cite « des fonctionnaires américains informés par des rapports de renseignement ». Le camp de Jarvanka croit que Bannon est la source.

La conviction que Bannon et ses équipes sont responsables de plusieurs rapports sur les interactions de Jared et des Russes est à l'origine de la profonde hostilité entre les camps de Jarvanka et de Bannon. Il ne s'agit plus d'une simple guerre de politique interne, mais d'un combat à mort. Pour que Bannon vive, Kushner doit être totalement discrédité – mis au pilori, avant d'être l'objet d'une enquête, voire emprisonné.

Si tout le monde l'a assuré qu'il ne gagnerait pas contre la famille Trump, Bannon ne cache pourtant pas sa conviction qu'il dominera bientôt la partie. Dans le Bureau ovale, Bannon attaque Ivanka ouvertement devant son père. « Toi, dit-il en la désignant du doigt, tu n'es qu'une menteuse. » Les plaintes d'Ivanka à son père, qui dans le passé a dénigré Bannon, sont à présent accueillies avec indifférence par Trump : « Je t'avais dit que cette ville était dure, ma chérie. »

Mais si Bannon est de retour, le sens de ce retour n'est pas clair. Trump étant ce qu'il est, s'agit-il d'un retour en grâce ou éprouve-t-il une rancœur plus vive envers Bannon qui a survécu à son intention de le tuer ? Personne ne croit vraiment que Trump oublie – il s'appesantit et rumine, plutôt. « Le pire, c'est quand il croit qu'on a réussi à ses dépens, explique Sam Nunberg, qui fit partie des proches de Trump avant d'être écarté. Si votre victoire peut être perçue comme sa perte, pfff ! »

Pour sa part, Bannon pense qu'il est à nouveau là car, à un moment crucial, ses conseils se sont avérés bien meilleurs que ceux des « génies ». Limoger Comey, solution à tous les problèmes de Jarvanka, a déclenché une série de conséquences dramatiques.

Le camp de Jarvanka croit que Bannon exerce un chantage sur le Président. Là où passe Bannon, se déchaîne la virulence des médias numériques de droite. Malgré son obsession apparente pour les *fake news* publiées par le *New York Times*, le *Washington Post* et CNN, le Président est en fait plus menacé à droite. S'il n'accuse pas Fox, Breitbart et les autres de mentir, ces médias – capables de vomir un méli-mélo de conspirations dans lequel Trump, affaibli, se vend à un establishment puissant – sont potentiellement bien plus dangereux que leurs équivalents de gauche.

Bannon semble aussi corriger une erreur bureaucratique antérieure. Si initialement, il s'est réjoui d'être le cerveau de l'opération – certain d'être bien plus intelligent que les autres (d'ailleurs, ils furent peu à tenter de lui ravir ce titre) – il met à présent bien en place son organisation et ses partisans. Son équipe de communication officieuse – Bossie, Lewandowski, Jason Miller, Sam Nunberg (même s'il est depuis longtemps fâché avec Trump) et

Alexandra Preate – forme une belle armée privée d'informateurs et de défenseurs. De plus, si Bannon et Priebus se sont brouillés, ils se sont réconciliés autour de leur haine commune de Jared et d'Ivanka. La Maison Blanche professionnelle est unie contre cette famille d'amateurs.

Outre ce nouvel avantage bureaucratique, Bannon exerce toute son influence pour recruter l'équipe pare-feu d'avocats et de communicants qui, ensemble, deviendront le Lanny Davis de la défense de Trump. Ne pouvant embaucher du personnel prestigieux, Bannon se tourne vers l'un des avocats musclés du Président, Marc Kasowitz. Il s'est rapproché de Kasowitz quand il a dû gérer une série de problèmes épineux durant la campagne, notamment les allégations et menaces de procès d'une liste croissante de femmes accusant Trump de harcèlement.

Le 31 mai, le plan de Bannon entre en vigueur. Dorénavant, toute question en lien avec la Russie, avec les enquêtes de Mueller et du Congrès et d'autres soucis légaux personnels seront traités par l'équipe de Kasowitz. Le Président, alors que Bannon décrit son projet en privé et conseille son patron, n'aura plus à aborder un de ces sujets. C'est le tout dernier des très, très nombreux efforts pour mettre de force Trump en mode présidentiel.

Bannon donne à Mark Corallo, ancien communicant de Karl Rove, le poste de porte-parole. Il compte aussi intégrer Bossie et Lewandowski à l'équipe de gestion de crise. Et à l'instigation de Bannon toujours, Kasowitz tente d'isoler un peu plus le Président en lui donnant un conseil crucial : renvoyez les enfants à la maison.

Bannon est bel et bien de retour. C'est son équipe. Son mur autour du Président. Et il espère qu'il tiendra Jarvanka à l'écart.

Le retour officiel de Bannon est salué par un événement majeur. Le 1er juin, après un âpre et long débat interne, le Président annonce sa décision de se retirer des accords de Paris sur le climat. Bannon est ravi du camouflet infligé par la gauche intègre – Elon Musk et Bob Iger démissionnent aussitôt du conseil économique de Trump – et de la confirmation des vrais penchants pro-Bannon du chef d'État.

En outre, c'est la décision contre laquelle Ivanka avait le plus lutté à la Maison Blanche.

« Gagné, dit Bannon. Cette garce est finie. »

Il y a peu de paramètres politiques modernes qui soient plus perturbants qu'un procureur sérieux. C'est le joker ultime.

Par la présence du procureur, le problème au cœur de l'enquête – ou invariablement, une cascade de problèmes – est constamment sous l'œil des médias. Ouvrant leur propre voie, les procureurs sont assurément des informateurs.

C'est pourquoi, tout le monde, dans un cercle de plus en plus large, doit prendre un avocat. Une implication, même lointaine, peut coûter une fortune ; une participation importante s'élève à plusieurs millions.

Au début de l'été, à Washington, tout le monde veut son avocat pénal de premier ordre. Alors que l'enquête de Mueller se poursuit, les conseillers de la Maison Blanche se ruent sur les meilleurs cabinets.

« Je ne peux pas parler de la Russie, je ne peux rien dire », déclare Katie Walsh, trois mois après son départ de la Maison Blanche, sur les conseils de son nouvel avocat.

Toute interview ou déposition délivrée aux enquêteurs risquent de vous compromettre. Chaque jour à la Maison Blanche apporte de nouveaux dangers : n'importe quelle rencontre inopinée peut vous exposer.

Bannon souligne l'importance capitale de ce point – et l'importance stratégique pour lui. Si vous ne voulez pas vous retrouver sur la sellette devant le Congrès, voir votre carrière et vos avoirs mis en péril, faites attention à qui vous parlez. Et surtout : en aucune circonstance, ne parlez à Jared et Ivanka, désormais contaminés par la Russie. Bannon se targue d'avoir cet atout et ce mérite : « Je ne suis jamais allé en Russie. Je ne connais personne là-bas. Je n'ai jamais parlé à un Russe. Et c'est aussi bien que j'évite de parler à quelqu'un qui l'a fait. »

Il observe l'infortuné Pence dans de nombreuses « mauvaises réunions », fait recruter le stratège républicain Nick Ayers comme chef de cabinet de Pence afin de sortir « notre homme de repli » de la Maison Blanche et qu'il « courre le monde en ayant l'air d'un vice-président ».

Aux craintes et aux perturbations présentes, s'ajoute la quasi-certitude qu'un procureur spécial chargé de trouver un crime va en trouver un – et sans doute, beaucoup. Tout le monde devient un agent potentiel dans l'implication des autres. Les dominos vont tomber, les cibles s'inverser.

Paul Manafort, qui gagnait bien sa vie dans les zones grises de la finance internationale, ses calculs de risques se basant sur des probabilités à long terme un peu douteuses, fait à présent l'objet d'un examen minutieux. Son ennemi, Oleg Deripaska – réclamant 17 millions de dollars à Manafort et espérant un traitement favorable des autorités fédérales qui l'empêchent de se rendre aux États-Unis – aurait offert aux plaignants américains les fruits de son enquête poussée dans les affaires de Manafort en Russie et en Ukraine.

Au courant des flux de conscience et de l'histoire financière du Président, Tom Barrack se rend soudain compte de sa propre exposition. En effet, tous les amis milliardaires qui échangent des ragots et divaguent avec Trump sont des témoins potentiels.

Dans le passé, les administrations contraintes de traiter avec un procureur spécial nommé pour enquêter sur le Président, étaient en général très préoccupées par la question. Leur mandat se découpait en un « avant » et un « après » – l'« après » étant désespérément enlisé dans un mauvais feuilleton impliquant le FBI. Désormais, cette situation pourrait bien concerner la totalité de l'administration Trump.

L'idée de collusion et de complot entre Trump et les Russes – espoir ou croyance des médias et des démocrates – semble invraisemblable au sein de la Maison Blanche (la remarque de Bannon disant que la campagne de Trump n'était même pas assez organisée pour s'associer avec les organisations de son propre État devient le sujet de discussion préféré de tous. D'autant que c'est la vérité). Mais personne ne répond des accords parallèles, des opérations indépendantes et de ces choses insignifiantes qui sont le pain quotidien d'un procureur. Et tout le monde pense que si l'enquête s'oriente vers la longue série de transactions financières de Trump, elle atteindra forcément sa famille et la Maison Blanche.

Viennent ensuite les affirmations insistantes du Président sur sa capacité à agir. *Je peux le renvoyer*, dit-il. C'est, en effet, ce qu'il dit en boucle : je peux le renvoyer. Je *peux* le renvoyer. Mueller. L'idée d'un duel remporté par le plus fort, le plus déterminé, le plus intransigeant et le plus indifférent aux conséquences, est au cœur de la mythologie personnelle de Trump. Il vit dans un monde d'affrontements où, si la respectabilité et le sentiment de dignité individuelle ne représentent pas un enjeu primordial – si vous n'êtes pas faible au point de vouloir passer pour raisonnable et respectable – vous avez un avantage incroyable. Et si vous pensez que le combat compte au point d'être une affaire de vie ou de mort, vous avez peu de chances de croiser quelqu'un d'aussi motivé que vous à l'ériger en affaire personnelle.

Voilà la vision fondamentale de Bannon à propos de Trump : pour lui, *tout* est personnel et il n'arrive pas à penser le contraire.

Le Président, dissuadé de concentrer sa colère sur Mueller (au moins pour l'instant), se focalise sur Sessions.

Sessions – « Beauregard[1] » – est un allié de Bannon, et en mai et juin, les piques quasi quotidiennes du Président contre le Procureur général (plutôt que sa loyauté et sa détermination, Trump critique sa taille, sa voix et sa façon de s'habiller) sont une bouffée d'air frais pour les anti-Bannon. Bannon, se disent-ils, ne peut pas vraiment être au top si l'un de ses alliés est accusé de tout ce qui va mal dans la vie de Trump. Comme toujours, l'estime ou le mépris de Trump sont contagieux. Si vous êtes dans ses bonnes grâces, il en va de même pour vos actions et vos associés. Dans le cas contraire, tout ce qui vous touche de près est toxique.

Le mécontentement de Trump devient plus violent. Sessions, petit homme aux airs de Mr. Magoo[2], à l'accent d'un autre temps, fait l'objet des moqueries du Président qui dresse un portrait acerbe de ses faiblesses physiques et mentales. L'onde de choc de l'insulte est palpable quand on passe devant le Bureau ovale.

---

1. Deuxième prénom du Procureur général, Jeff Sessions.
2. Personnage d'un dessin animé des années 1950, petit, âgé et très myope.

Les efforts de Bannon pour apaiser le Président – lui rappeler les difficultés qu'ils rencontreraient à la nomination d'un nouveau Procureur général, l'importance de Sessions pour la base conservatrice, sa loyauté durant la campagne de Trump – ont l'effet inverse. Ils entraînent une nouvelle volée de critiques de Trump à l'égard de Bannon – à la satisfaction de ses ennemis.

L'attaque contre Sessions ouvre la voie, du moins dans l'esprit du Président, à une volonté de le remplacer. Mais pour diriger le département de la Justice il n'y a que deux candidats dont Trump pense obtenir une absolue loyauté : Chris Christie et Rudy Giuliani. Il est certain qu'ils pourraient se conduire en kamikazes pour lui – alors que tout le monde sait qu'ils ne seront sans doute jamais confirmés à ce poste.

À l'approche du témoignage de Comey devant la commission du Sénat américain chargée de la surveillance du renseignement national – le 8 juin, douze jours après le retour de l'équipe présidentielle du voyage au Moyen-Orient et en Europe – l'état-major commence ouvertement à s'interroger sur les motivations et l'état d'esprit de Trump.

Une question évidente semble la susciter : pourquoi n'a-t-il pas limogé Comey dès sa prise de fonctions, quand ce départ serait passé pour un changement naturel, sans lien avec l'enquête russe ? À ce sujet, plusieurs réponses prêtent à confusion : désorganisation générale, rapidité des événements, innocence et naïveté à propos de l'enquête. Mais il y a désormais une nouvelle explication : Donald Trump croyait avoir plus de pouvoir, d'autorité et de contrôle qu'en réalité, et il pensait que son talent pour manipuler, infléchir et dominer les gens était également bien plus grand. Pour poursuivre ce raisonnement : l'état-major pensait qu'il avait un problème avec la réalité et qu'à présent, elle le dépassait.

Cette notion, si elle est réelle, s'oppose directement au principe de base de soutien à Trump de la part de ses collaborateurs. En un sens, assez peu remis en question, ils croyaient qu'il avait presque des pouvoirs magiques. Puisque sa réussite était inexplicable, il devait avoir des talents qu'ils n'imaginaient pas – son instinct, ses dons de vendeur ou son énergie. Ou le simple fait d'être l'opposé de ce qui était attendu de lui. C'était une politique extraordinaire – une politique de choc – mais qui pouvait fonctionner.

Et si ce n'était pas le cas ? Et s'ils avaient tous profondément tort ?

Le limogeage de Comey et l'enquête de Mueller déclenchent une prise de conscience à retardement qui met fin à des mois de crédulité volontaire. Ces doutes et ces considérations – au plus haut niveau du gouvernement – ne vont pas jusqu'à remettre en cause la capacité du Président à assumer son rôle. Mais, pour la première fois, est évoquée sa tendance à l'auto-sabotage. Cette idée, si effrayante soit-elle, laisse au moins une possibilité : en contrôlant ces éléments d'autodestruction – ses informations, ses contacts, ses remarques publiques, le sentiment qu'il a d'être en danger et menacé – il peut peut-être s'en tirer et réussir.

Assez rapidement cette idée devient la vision dominante de la présidence de Trump et une possibilité toujours séduisante : vous pouvez être sauvé ou abattu par ceux qui vous entourent.

Bannon pense que la présidence Trump échouera de façon plus ou moins apocalyptique si Kushner et sa femme restent ses conseillers les plus influents. Leur inexpérience en politique et dans le monde réel a déjà entravé la présidence, mais depuis la débâcle de Comey, c'est pire : aux yeux de Bannon, c'est la panique qui régit désormais leurs actes.

Le camp de Kushner croit que Bannon, ou le bannonisme, a poussé le Président à une dureté nuisant à sa capacité naturelle à charmer et à tendre la main. Bannon et les siens en ont fait le monstre qu'il semble être devenu.

En attendant, quasiment tout le monde rejette la faute sur Reince Priebus, qui a échoué à créer une Maison Blanche protégeant le Président de lui-même – ou de Bannon, ou de ses enfants. Croire que Priebus est à l'origine de l'échec fait de lui un bouc émissaire facile et presque risible : avec si peu de pouvoir, le chef de cabinet est incapable de diriger Trump ou son entourage. Priebus se contente d'alléguer, pas très obligeamment, que nul ne réalise à quel point tout aurait été pire sans sa médiation stoïque avec les proches du Président, ses talents de manipulateur et ceux, terribles, de Trump. On compte peut-être deux ou trois fiascos par jour, mais sans la détermination de Priebus et les coups de Trump qu'il a encaissés, il pourrait y en avoir une douzaine de plus.

Le 8 juin, entre 10 heures du matin et 13 heures, James Comey témoigne en public devant la commission de la surveillance du Sénat. Les déclarations de l'ancien directeur du FBI, vrai tour de force de franchise, de sens moral, d'honneur personnel et de détails accablants, sont un message simple au pays : le Président est sans doute un crétin et certainement un menteur. À l'ère de la langue de bois dans les médias, peu de présidents ont été aussi directement attaqués devant le Congrès.

Tout est là, dans le récit brutal de Comey : le Président estimait que le directeur du FBI travaillait pour lui, qu'il lui devait son poste et par conséquent, il attendait quelque chose en retour. « Mon sentiment, déclare Comey, et je peux me tromper, mais mon sentiment est que s'il accède à ma requête de me laisser à mon poste, il souhaitera obtenir quelque chose en échange. »

Selon Comey, le Président veut que le FBI laisse Michael Flynn tranquille et cesse de poursuivre l'enquête russe. Les choses ne peuvent pas être plus claires : si le Président fait pression sur le directeur de crainte qu'une investigation sur Michael Flynn lui cause du tort, c'est une entrave à la justice.

Le contraste entre Comey et Trump, c'est le fossé qui existe entre un bon gouvernement et Trump lui-même. Comey donne l'impression d'être précis, rationnel, scrupuleux en exposant les détails des faits et la nature de sa responsabilité – il agit selon les règles. Trump, dans le portrait dressé par Comey, est louche, impulsif, malhonnête, indifférent aux règles voire inconscient de celles-ci, et ne pense qu'à ses intérêts.

Le Président affirme qu'il n'a pas regardé l'audition, alors que tout le monde sait qu'il l'a fait. Dans la mesure où il s'agit, dans l'esprit de Trump, d'un combat entre deux hommes, c'est une confrontation aussi directe qu'on peut l'imaginer. Le témoignage de Comey consiste à remanier et à contredire ce que le Président a écrit dans ses tweets enragés et défensifs et dans ses déclarations ; à jeter le soupçon sur ses actes et ses motifs ; et à suggérer qu'il comptait suborner le directeur du FBI.

Même les loyalistes pour qui Comey est un imposteur et l'affaire, un coup monté, pensent que, dans ce jeu mortel, le Président est incapable de se défendre.

Cinq jours plus tard, le 13 juin, c'est au tour de Jeff Sessions de témoigner devant la même commission. Il doit tenter d'expliquer les contacts avec l'ambassadeur russe qui l'avaient contraint à se récuser – et à devenir le punching-ball du Président. À l'inverse de Comey, invité au Sénat pour faire valoir sa vertu – et qui avait sauté sur l'occasion –, Sessions est là pour justifier ses paroles équivoques, son erreur, ou sa bêtise.

Au cours d'un échange souvent tendu, le Procureur général livre une vision étrange du privilège de l'exécutif. Bien que le Président n'ait pas évoqué ce privilège, Sessions juge bon de tenter de le protéger malgré tout.

Regardant le témoignage dans la West Wing, Bannon est vite consterné. « Allez, Beauregard ! », dit-il.

Mal rasé, Bannon se tient au bout d'une longue table de conférence en bois, dans le Bureau du secrétaire général, les yeux rivés sur l'écran plat.

« Ils croyaient que les "cosmopolites" seraient contents si nous limogions Comey, dit-il – *ils* étant Jared et Ivanka. Les "cosmopolites" nous acclameraient si nous abattions l'homme qui avait fait tomber Hillary. » Si le Président voit Sessions comme la cause du fiasco Comey, pour Bannon, il en est une victime.

Kushner, en costume cintré gris et fine cravate noire, se glisse dans la pièce. (Une blague récente le dépeint comme l'homme le plus élégant de Washington, ce qui est tout sauf un compliment.) Il arrive que la lutte de pouvoir entre Bannon et Kushner semble prendre une forme physique. La conduite de Bannon change rarement, mais Kushner peut être irascible, condescendant et dédaigneux – ou, comme ce jour-là, hésitant, confus et respectueux.

Bannon l'ignore jusqu'à ce que le jeune homme toussote. « Comment ça va ? »

Bannon montre l'écran de télévision, signifiant *Vois par toi-même*.

Il finit par parler. « Ils ne réalisent pas qu'il ne s'agit pas d'hommes, mais d'institutions. »

« Ils », apparemment, c'est le camp de Jarvanka – voire, au sens plus large, tous ceux qui sont stupidement avec Trump.

« Cette ville repose sur les institutions, poursuit-il. Nous renvoyons le directeur du FBI, c'est tout le FBI qui est renvoyé. Trump est opposé aux institutions et elles le savent. Comment penses-tu que ça va se passer ? »

C'était le refrain favori de Bannon : au cours de la campagne, Donald Trump avait menacé virtuellement toutes les institutions de la vie politique américaine. Il était une version clownesque de James Stewart dans *Monsieur Smith au Sénat*. Trump croyait, en alimentant la colère et le ressentiment de l'Amérique profonde, qu'un homme pouvait être plus grand que le système. Cette analyse présuppose que les institutions de la vie politique sont aussi réceptives que celles du milieu des affaires dont vient Trump – et qu'elles aspirent à céder aux demandes du marché et de l'air du temps. Mais si ces institutions – médias, magistrature, renseignement, exécutif et le marigot avec ses cabinets d'avocats, ses consultants, ses hommes d'influence et ses informateurs – ne voulaient pas s'adapter ? Si, par nature, elles étaient décidées à subir, alors ce Président accidentel était contre.

Kushner ne paraît pas convaincu. « Je ne le dirais pas comme ça, répond-il.

— Je pense que c'est la leçon des cent premiers jours que certains ici ont apprise, dit Bannon, ignorant Kushner. Ça ne va pas s'arranger. C'est comme ça.

— Je ne sais pas, dit Kushner.

— Je le sais, réplique Bannon.

— Je pense que Sessions s'en sort bien, non ? » conclut Kushner.

19

Mika qui ?

Les médias ont révélé la vraie nature de Donald Trump, mais peu l'ont fait de façon aussi directe et personnelle que Joe Scarborough et Mika Brzezinski. Leur émission du matin sur MSNBC est un feuilleton permanent, voire un show à la Oprah[1] sur leur relation avec Trump : la manière dont il les a déçus, dont ils sont revenus de leur respect initial pour lui, sa capacité à se ridiculiser régulièrement et de la façon la plus navrante. Les liens qu'il a tissés avec eux, fondés sur leur notoriété respective, et un amour possessif de la politique (Scarborough, ancien parlementaire, semble estimer qu'il aurait aussi bien pu être président que Donald Trump), ont dopé l'émission durant la campagne. À présent, l'égratigner en public fait partie du rituel de l'information quotidienne. Scarborough et Brzezinski le sermonnent, expriment les soucis que se font pour lui ses amis et sa famille, le réprimandant et s'inquiètent pour lui : il est mal conseillé (Bannon) et perd ses facultés mentales. Ils revendiquent le droit de représenter une alternative de centre droit raisonnable au Président, et sont un bon baromètre des efforts et difficultés quotidiennes à vivre avec lui.

Croyant avoir été utilisé par Scarborough et Brzezinski, Trump affirme qu'il ne regarde plus l'émission. Mais chaque matin, Hope Hicks, tremblante, doit lui en faire le récit.

---

1. Oprah Winfrey, reine des talk-shows riches en rebondissement et confessions en tous genres.

Morning Joe est une étude au ras des pâquerettes de la façon dont les médias ont surinvesti Trump. Il est la digue contre laquelle se jettent, avec une obsession quasi extatique, les émotions des médias, le respect de soi, l'ego, l'excitation au combat, l'avancement professionnel et le désir d'être au centre de l'histoire. À l'inverse, les médias sont aussi une digue ayant, pour Trump, la même fonction.

Trump y ajoute l'un de ses tics, ce sentiment permanent que les gens profitent de lui – tic qui vient peut-être du manque de générosité et de la mesquinerie de son père, de sa conscience d'être un gosse de riches (et, sans doute, son insécurité à ce sujet), ou de sa compréhension de négociateur que rien n'est gagnant-gagnant, que profit et perte vont de pair. Trump ne supporte pas de savoir que quelqu'un bénéficie d'un avantage à ses dépens. Son écosystème est à somme nulle. Dans son monde, tout ce qu'il juge précieux figure à son crédit ou lui a été volé.

Scarborough et Brzezinski ont monétisé leur relation avec Trump sans lui verser de pourcentage – et dans ce cas, il estime que sa commission doit être un traitement servile et flatteur. Dire que cela le rend fou est au-dessous de la vérité. Il rumine sur ce qu'il prend pour une injustice. Mentionner Joe ou Mika devant lui est proscrit.

Ses blessures d'amour-propre et son incompréhension devant ces gens qui le rejettent alors qu'il cherche leur consentement sont « profonds, follement profonds », confie son conseiller Sam Nunberg, lui-même victime de son besoin d'approbation totale et de son soupçon amer d'être abusé.

Toute cette rage accumulée lui dicte son tweet du 29 juin sur Mika Brzezinski.

Du pur Trump : aucun filtre entre discussions et déclarations publiques. L'appelant dans un tweet « cette folle de Mika au faible QI », il écrit dans un autre qu'elle « saignait beaucoup après un lifting » quand elle lui a rendu visite avec Scarborough à Mar-a-Lago au Nouvel An précédent. Beaucoup de ses tweets ne sont pas aussi spontanés qu'ils en ont l'air. Ses désaccords débutent souvent par des insultes qui se veulent comiques, puis tournent ensuite en accusations cinglantes avant de devenir, dans un moment où il ne se contrôle plus, une proclamation officielle.

L'étape suivante, dans le paradigme de ses tweets, est l'opprobre générale. Son tweet sur Brzezinski entraîne près d'une semaine de rage sur les réseaux sociaux, de mea culpa télévisuel, de condamnation en une des journaux. À cela il faut ajouter l'autre partie de la dynamique de Trump sur Twitter et les autres conséquences : en braquant l'opinion de gauche contre lui, il unit la droite en sa faveur.

En fait, il n'est pas toujours conscient de la nature de ses paroles, ni pourquoi elles suscitent des réactions aussi passionnées. Il se surprend souvent lui-même. « Qu'est-ce que j'ai dit ? » demande-t-il après un violent retour de flammes.

Il ne distribue pas ces insultes pour faire de l'effet – pas totalement, en tout cas. Et sa conduite n'est pas calculée : c'est un prêté pour un rendu, et il en aurait sans doute dit autant s'il n'y avait plus personne dans son camp. (Son absence de calcul, son incapacité à être tactique, font partie de son charme politique.) C'est une chance que les 35 % d'électeurs qui, d'après la plupart des sondages, semblent le soutenir quoi qu'il fasse (y compris, selon lui, s'il tirait sur quelqu'un sur la 5ᵉ Avenue), ne bronchent pas, voire s'amusent de chacun de ses coups d'éclat.

Ayant eu le dernier mot, Trump est à nouveau de bonne humeur.

« Mika et Joe adorent ça. Ça leur fait de l'audimat », dit le Président, non sans satisfaction et il y a là un fond de vérité.

Dix jours plus tard, une grande tablée de pro-Bannon dîne au Bombay Club, un restaurant indien haut de gamme à deux rues de la Maison Blanche. L'un des convives – Arthur Schwartz, un conseiller en relations publiques – pose une question sur l'affaire Mika et Joe.

Peut-être est-ce à cause du bruit, mais plus certainement est-ce révélateur de la vitesse des événements à l'ère Trump, la lieutenante de Bannon, Alexandra Preate, répond avec une réelle confusion : « Qui ? »

Le feuilleton des tweets sur Mika – la grossièreté et les insultes du Président, son manque de sérieux, de contrôle et de jugement, et la condamnation mondiale dont il fait l'objet – est déjà au second plan, éclipsé par d'autres explosions et controverses de Trump.

Mais avant de passer à l'épisode *OMG !* suivant, il faut comprendre que cette accumulation d'événements, à un rythme quotidien ou plus rapide encore – chacun annulant le précédent – représente la véritable aberration et la nouveauté au cœur de la présidence de Trump.

Jamais auparavant dans l'histoire – de guerres mondiales, en chutes d'empires, de périodes de transformation sociale extraordinaires en scandales gouvernementaux – des événements politiques ont eu un impact aussi émotionnel et complexe. Comme dans le *binge-watching* d'une série télévisée, la vraie vie passe après le spectacle public. Il ne serait pas déraisonnable de dire, *hé, attends, un instant, la vie publique ne se déroule pas comme ça !* En fait, la vie publique manque de cohérence et de sens du drame. (L'histoire, au contraire les acquiert avec le recul.)

Accomplir les tâches les plus anodines au sein d'un exécutif tentaculaire et résistant est un lent processus. La Maison Blanche traîne le boulet de la bureaucratie. Toutes les administrations ont tenté de dépasser ce problème et y sont rarement parvenues. À l'âge de l'hypermédia, les choses se sont encore compliquées pour la Maison Blanche.

La nation est distraite, fragmentée et préoccupée. Ce fut, sans doute, la tragédie de Barack Obama qui, bien que cherchant à changer les choses – et communicateur inspirant – ne put jamais vraiment susciter beaucoup d'intérêt. Il serait également dramatique que les médias aient contribué à réduire son champ, en croyant de façon dépassée, voire aveuglée par le civisme, que la politique est la forme d'information la plus noble. Hélas, la politique elle-même est devenue de plus en plus discrète. Son attrait est le *B to B* – *business to business*. Le vrai marigot est celui des intérêts particuliers, consanguins, incestueux. Il s'agit moins de corruption que de sur-spécialisation : c'est une vie de bosseur. La politique est partie d'un côté, la culture d'un autre. Les partisans de l'affrontement droite-gauche peuvent prétendre le contraire, mais la politique n'est pas la première des préoccupations d'une grande majorité.

Et pourtant, s'opposant à toute logique culturelle et médiatique, Donald Trump produit au quotidien un récit impossible à ne pas suivre. Et ce n'est pas parce qu'il change ou bouleverse les fondamentaux de la vie américaine. En six mois de présidence, ne maîtrisant presque aucun aspect du processus bureaucratique, il n'a pratiquement rien fait, à part placer son candidat à la Cour suprême. Et pourtant. *OMG !* Il n'y a presque plus d'autre sujet de conversation en Amérique et ailleurs. C'est la nature radicale de la présidence Trump : elle captive le monde.

À la Maison Blanche, le brouhaha quotidien et la fascination qu'elle exerce sur le monde ne sont pas un motif de joie. De l'avis acerbe du personnel, ce sont les médias qui font de chaque jour un moment sordide et décisif. Et en un sens, c'est exact : chaque événement ne peut pas être paroxystique. Le climax d'hier sera bientôt, insignifiant comparé au prochain. Les médias ne parviennent plus à apprécier l'importance relative des événements : la plupart tournent court et sont pourtant salués avec la même émotion et le même sentiment d'horreur. Le personnel de la Maison Blanche pense que la couverture médiatique de Trump manque de « contexte » – signifiant par là qu'il faut réaliser que Trump râle et gesticule plus qu'autre chose.

En même temps, ils sont peu à la Maison Blanche à ne pas rejeter la faute sur lui aussi. Il semble ne pas comprendre que les mots et les actions d'un président sont amplifiés au centuple. Et s'il n'arrive pas à le comprendre, c'est parce qu'il désire de l'attention, même s'il est souvent déçu. Mais il y tient aussi puisque la réaction le surprend encore et encore – et comme si chaque fois était la première, il ne peut pas changer sa conduite.

Sean Spicer, professionnel par ailleurs raisonnable, calme et concentré sur son travail, gère le gros des drames quotidiens, se muant en une sorte de joker à la Maison Blanche. Dans cette expérience de dédoublement, témoin de sa propre humiliation et à court de mots, Spicer finit par s'apercevoir – même s'il a commencé à le comprendre dès le premier jour en réglant le conflit du nombre de spectateurs à l'investiture – qu'il est « tombé dans le terrier du lapin blanc d'Alice ». Dans ce lieu étrange, l'artifice public, la feinte, la mesure, le bon sens et la conscience de soi ont été largués ou – parce que Trump ne comptait pas vraiment être élu – n'ont jamais figuré dans le rôle du Président.

D'un autre côté, l'hystérie constante a une vertu politique involontaire. Si chaque nouvel événement en annule un autre, comme une sorte d'escroquerie pyramidale du cycle de l'information, alors il est toujours possible de survivre un jour de plus.

Les fils de Donald Trump, Don Jr., 39 ans et Eric, 33 ans, sont obligés de maintenir une relation infantile avec leur père : un rôle qui les gêne, mais dont ils profitent au plan professionnel. Ils ont pour fonction d'être les héritiers et les témoins de Donald Trump. Leur père prend plaisir à dire qu'ils n'étaient pas là quand Dieu a distribué l'intelligence – mais il a tendance à se moquer de toute personne plus maline que lui. Leur sœur, Ivanka, qui n'a rien d'un génie, est qualifiée de brillante, son mari, Jared, étant le manipulateur de la famille. Ce qui laisse à Don et Eric les courses et la gestion. En fait, ils sont devenus des cadres assez compétents de l'entreprise familiale (ce qui ne signifie pas grand-chose), leur père ayant peu ou pas du tout la patience de gérer ses affaires. Bien sûr, ils consacrent une bonne partie de leur temps à leurs lubies, leurs projets et leur promotion.

La campagne de leur père a eu l'avantage de tenir Trump éloigné de son bureau. Don et Eric ont pourtant été chargés de gérer en partie cette campagne et quand elle prend une tournure sérieuse pour les affaires et la famille Trump, la dynamique du clan est perturbée. Soudain, d'autres personnes désirent être les lieutenants de Donald Trump. Il y a des étrangers comme Corey Lewandowski, le directeur de campagne, ainsi que des gens de l'intérieur, à l'instar du beau-frère, Jared. Trump met tout le monde en concurrence, ce qui n'a rien de surprenant dans une entreprise familiale. Elle lui appartient. Elle existe grâce à son nom, sa personnalité, son charisme et le meilleur poste va au plus méritant. Avant sa candidature à la présidence, ce poste n'était pas très convoité, mais début 2016, alors que le Parti républicain s'effondre et que Trump prend de l'importance, ses fils affrontent une nouvelle situation familiale et professionnelle.

Jared s'est peu à peu investi dans la campagne, en partie à la demande de sa femme consciente que le manque de retenue de son père peut nuire à l'entreprise s'ils ne gardent pas un œil sur lui. Puis, avec ses beaux-frères, il est happé par l'excitation générale. À la fin du printemps 2016, quand la nomination est quasiment sûre, la campagne devient un centre de pouvoirs rivaux et la guerre est ouverte.

Lewandowski considère les deux frères et Jared avec un mépris absolu : Don Jr. et Eric sont non seulement stupides, et Jared (le majordome) à la fois hautain et obséquieux, mais personne ne s'y connaît en politique – aucun n'a la moindre expérience en la matière.

Au fil du temps, Lewandowski devient proche du candidat. Pour la famille, et pour Kushner en particulier, Lewandowski est un facilitateur. Les pires instincts de Trump passent par lui. Début juin, un peu plus d'un mois avant la convention nationale républicaine, Jared et Ivanka décident d'agir pour le bien de la campagne et de l'entreprise Trump. Faisant cause commune avec Don Jr. et Eric, ils veulent convaincre Trump d'évincer Lewandowski. Don Jr., se sentant exclu par Lewandowski mais également par Jared, saute sur l'occasion. Il veut se débarrasser de Lewandowski et le remplacer – onze jours plus tard, ce dernier était parti.

Tout cela sert de toile de fond à l'une des réunions politiques les plus grotesques qui aient jamais eu lieu. Le 9 juin 2016, à la Trump Tower, Don Jr., Jared et Paul Manafort rencontrent plusieurs personnages douteux qui leur promettent des informations préjudiciables à Hillary Clinton. Don Jr., encouragé par Jared et Ivanka, veut prouver à son père qu'il peut prendre de l'importance dans la campagne.

Quand la rencontre devient publique, treize mois plus tard, sa révélation suggère à la fois l'improbabilité de la collusion avec les Russes, et la possibilité de celle-ci. Ce n'est pas une affaire de têtes pensantes et de subterfuges, mais de gens stupides et aveugles, si candides et insouciants qu'ils conspirent joyeusement au vu et au su de tous.

Ce jour de juin, la Trump Tower accueille un avocat de Moscou ayant un bon réseau, sans doute un agent russe ; des associés de l'oligarque russo-azéri Aras Agalarov ; un publicitaire s'occupant de la carrière musicale du fils de ce dernier, une pop-star russe ; et un lobbyiste du gouvernement russe à Washington. Ils se rendent au QG d'un candidat potentiel d'un grand parti à la présidence des États-Unis pour rencontrer trois des plus hauts collaborateurs de la campagne. Cette rencontre est précédée d'une série d'e-mails adressés à de multiples destinataires dans l'état-major de Trump : les Russes offrent un ramassis d'informations négatives, voire incriminantes, sur leur rivale.

Voici quelques théories expliquant cette réunion stupide :

• Les Russes, de façon organisée ou non, tentent d'attirer la campagne Trump dans une relation compromettante.

• La rencontre fait partie d'une coopération déjà active entre l'état-major de Trump et les Russes afin d'obtenir et de partager des informations nuisibles sur Hillary Clinton. Quelques jours plus tard, WikiLeaks annonce s'être procuré les e-mails de la candidate. Moins d'un mois après, il commence à les publier.

• La naïveté de l'état-major de Trump, qui fait semblant de faire campagne sans penser remporter l'élection, ne le protège d'aucune requête. Il n'a rien à perdre. Don Jr. (Steve Bannon le surnomme Fredo, un de ses nombreux emprunts au *Parrain*) veut simplement prouver qu'il est l'homme de la situation.

• Sont présents à la réunion le directeur de campagne, Paul Manafort, et son acteur le plus influent, Jared Kushner, car : a) un complot de haut niveau est coordonné ; b) Manafort et Kushner, ne prenant pas la campagne très au sérieux et sans penser aux conséquences, s'amusent à jouer d'éventuels mauvais tours ; c) les trois hommes sont unis dans leur désir de se débarrasser de Lewandowski – Don Jr. tenant le rôle du bourreau – et, dans ce cadre, Manafort et Kushner doivent se montrer à la stupide réunion de Don Jr.

Quelle que soit la raison et le scénario du rendez-vous, personne ne doute, un an plus tard, que Don Jr. a voulu que son père sache qu'il avait pris cette initiative.

« La probabilité que Don Jr. n'ait pas amené ces agents russes de seconde zone dans le bureau de son père au 26e étage est de zéro », dit Bannon, étonné et moqueur, quand la rencontre est révélée.

Les trois personnes expérimentées de la campagne, poursuit-il, incrédule, ont trouvé que c'était une bonne idée de s'entretenir avec un gouvernement étranger dans la salle de conférence de la Trump Tower au 25e étage – sans avocats. *Ils n'avaient pas d'avocats.* Même en pensant que ce n'était pas de la trahison, de l'antipatriotisme ou une grave connerie, et il se trouve que c'est tout cela pour moi, il fallait appeler le FBI immédiatement. Même si vous êtes totalement amoraux et que vous voulez des informations, vous allez dans un Holiday Inn à Manchester, dans le New Hampshire, avec vos avocats qui rencontrent ces personnes, passent tout en revue, parlent en aparté avec un autre avocat, et si vous obtenez quelque chose, vous trouvez le moyen de le refiler à Breitbart ou à un site du genre, voire une autre publication plus légitime. Vous ne devez rien voir, ne rien savoir parce que vous n'en avez pas besoin... Mais voilà le groupe d'experts dont ils disposaient. »

Tous les participants finissent par plaider que la rencontre était sans intérêt, et par admettre qu'elle était malvenue. Mais même si c'est vrai, un an plus tard, sa révélation a trois effets profonds, voire décisifs pour la suite :

• Premièrement, les démentis constants et répétés sur le fait qu'il n'y a pas eu de discussion entre des employés de l'état-major et des Russes liés au Kremlin, et, dans les faits, aucun contact significatif entre les premiers et le gouvernement russe, volent en éclats.

• Deuxièmement, la certitude dans l'équipe de la Maison Blanche que Trump a été informé des détails de l'entretien et a rencontré les protagonistes, signifie que le Président est pris pour un menteur par ceux dont la confiance lui est indispensable. Que choisir ? Se réfugier dans le bunker, s'embarquer dans la folle aventure, ou sauter en marche ?

• Troisièmement, il est désormais clair que les intérêts de chacun divergent. Les destins de Don Jr., Paul Manafort et Jared Kushner sont en jeu. En effet, beaucoup dans la West Wing estiment que les détails de la rencontre ont été ébruités par le camp de Kushner, sacrifiant ainsi Don Jr.

Avant que la réunion de juin 2016 ne soit ébruitée, l'équipe juridique de Kushner – montée à la hâte depuis la nomination de Mueller, le procureur spécial – a dressé un tableau détaillé des contacts russes de la campagne, des finances des entreprises de Kushner et de l'origine de leurs fonds. En janvier, ignorant les nombreux appels à la prudence, Jared Kushner fait son entrée à la Maison Blanche en tant que haut responsable dans l'administration. Six mois plus tard, il fait face à un grave péril judiciaire. Il a tenté de faire profil bas, se voyant en conseiller de l'ombre, mais son poste public le met en danger ainsi que les affaires familiales. Tant qu'il reste exposé, sa famille est coupée de la plupart de ses sources financières. Sans accès à ce marché, leurs avoirs risquent de se muer en endettements dangereux.

La vie fantasmée que se sont créée Jared et Ivanka – deux jeunes gens ambitieux, bien élevés et appréciés, évoluant dans les hautes sphères sociales et financières de New York après avoir, en toute l'humilité selon eux, accepté un pouvoir mondial – se trouve à présent, alors que ni l'un ni l'autre n'est en fonction depuis assez longtemps pour avoir pris une quelconque décision, au bord du précipice et du déshonneur.

La prison est possible, tout comme la faillite. Trump peut bien, sur un ton de défi, promettre d'accorder des grâces ou se vanter d'en avoir le pouvoir, cela ne résout pas les problèmes professionnels de Kushner, ni ne calme Charlie Kushner, son père colérique et souvent irrationnel. De plus, réussir à passer par le chas de l'aiguille judiciaire nécessite une approche stratégique nuancée de la part du Président – démarche plus qu'improbable.

En attendant, le couple accuse tout le monde à la Maison Blanche. Il reproche à Priebus le désordre qui a produit cette atmosphère guerrière entraînant des fuites graves et permanentes, à Bannon d'être un mouchard, à Spicer de mal défendre leur vertu et leurs intérêts.

Jared et Invanka *doivent* prendre leur défense en main. Une stratégie consiste à quitter la ville (Bannon garde une liste des moments de tension durant lesquels ils ont justement pris des vacances) et il se trouve que Trump assistera au sommet du G20 à Hambourg les 7 et 8 juillet. Jared et Ivanka l'accompagnent en Allemagne et, durant le voyage, apprennent que la rencontre de Don Jr. avec les Russes – qu'ils présentent toujours comme *la rencontre de Don Jr.* – a été divulguée. Pis encore, l'histoire est sur le point d'éclater dans le *New York Times*.

À l'origine, l'équipe de Trump s'attend à ce que des détails de cette rencontre s'étalent sur le site Internet Circa. Les avocats et le porte-parole Mark Corallo ont œuvré pour gérer cette nouvelle. Mais une fois à Hambourg, les collaborateurs du Président apprennent que le *Times* prépare un article bien plus détaillé sur la réunion – peut-être fournie par le camp de Kushner – à paraître le samedi 8 juillet. L'équipe juridique de Trump est tenue à l'écart de cette information sous prétexte qu'elle ne la concerne pas.

À Hambourg, sachant que la nouvelle éclatera bientôt, Ivanka présente son projet phare : un fonds de la Banque mondiale pour aider les entrepreneuses dans les pays en voie de développement. Une fois de plus, l'état-major de la Maison Blanche considère le couple comme à côté de la plaque. Nulle part, dans la campagne de Trump, sur les tableaux de Bannon ou dans le cœur du Président, il n'y a eu d'intérêt pour les entrepreneuses des pays en voie de développement. Le programme de la fille est singulièrement en conflit avec celui du père – ou du moins, celui qui l'a fait élire. De l'avis de nombreux collaborateurs de la Maison Blanche, Ivanka comprend très mal la nature de son travail et convertit les fonctions traditionnelles d'une première dame en tâches lui incombant.

Peu avant de reprendre Air Force One pour le vol du retour, Ivanka – avec ce qui ressemble à présent à un aveuglement éperdu – prend la place de son père entre le Président chinois Xi Jinping et la Première ministre anglaise Theresa May à la table de conférence principale du G20. Mais ce n'est qu'un détail : quand le Président et son équipe montent dans l'avion, le sujet principal n'est pas le sommet, mais la réponse à donner à l'article du *Times* sur la réunion à la Trump Tower de Don Jr. et Jared, qui va sortir dans quelques heures.

Pendant le vol vers Washington, Sean Spicer et ses collaborateurs sont relégués au fond de l'avion et exclus des discussions affolées. Hope Hicks devient la stratège en communication avec, comme toujours, le Président pour unique interlocuteur. Les jours suivants, le haut privilège d'être « dans la salle de crise », est renversé. Et ne pas y être – dans ce cas, c'est la cabine avant d'Air Force One – devient un statut de choix et une carte « vous êtes libéré de prison ». « J'étais heurté auparavant quand je les voyais faire des choses qui étaient dans mes attributions, dit Spicer. À présent, je suis content de ne plus être dans la boucle. »

Le Président, Hicks, Jared et Ivanka et leur porte-parole Josh Raffel participent à la discussion dans l'avion. D'après les souvenirs de son équipe, Ivanka quitte très vite la réunion, prend un somnifère et s'endort. Selon ses collaborateurs, Jared a pu être là, mais « n'a pris aucune note ». À côté, dans une petite salle de conférence, Dina Powell, Gary Cohn, Stephen Miller et H. R. McMaster regardent le film *Fargo*, et affirment que bien que physiquement proches du déroulement de la crise, ils en étaient coupés. En effet, toute personne « dans la salle de crise » va bientôt attirer l'attention du procureur spécial, la question étant de savoir si un ou des employés fédéraux en ont poussé d'autres à mentir.

Contrarié, inflexible et menaçant, le Président domine le débat, obligeant sa fille et son mari, Hicks et Raffel à s'aligner sur sa version. Kasowitz – l'avocat dont la tâche consiste à tenir Trump à distance des questions russes – patiente une heure au téléphone sans réussir à lui parler. Le Président soutient que la réunion à la Trump Tower concernait simplement un programme d'adoption de la Russie. C'est ce qui a été abordé, un point, c'est tout. Même s'il est plausible, voire quasi certain, que le *Times* détient les e-mails incriminants – en fait, il est possible que Jared, Ivanka et les avocats *sachent* que le journal les a – le Président ordonne que personne ne reprenne le sujet plus problématique d'Hillary Clinton.

C'est un exemple de déni et de dissimulation en temps réel. Agressif, le Président croit ce qu'il veut croire. La réalité est telle qu'il est convaincu qu'elle est – ou doit être. D'où l'histoire officielle : il y a eu une brève visite de courtoisie à la Trump Tower au sujet d'un programme d'adoption, sans résultat, entre de hauts collaborateurs et des ressortissants russes indépendants. Cette histoire montée de toutes pièces est une opération aberrante menée par des débutants – deux éléments explosifs dans une dissimulation.

À Washington, Kasowitz et le porte-parole de l'équipe judiciaire, Mark Corallo, ne sont pas informés de l'article du *Times* ou du plan de riposte jusqu'à la sortie de la déclaration de Don Jr. avant la publication de l'article, ce samedi-là.

Au cours des soixante-douze heures suivantes, l'état-major se trouve totalement isolé – et encore une fois stupéfait – des actions du premier cercle du Président. Dans ce cas précis, la relation entre le Président et Hope Hicks, longtemps tolérée comme celle, désuète, entre un homme plus âgé et une jeune femme de confiance, apparaît anormale et alarmante. Entièrement vouée à le satisfaire, elle, sa médiatrice des médias, le laisse agir sans contrôle. Les pulsions et les pensées du Président sortent sans filtre, sans relecture, sans opposition, mais via Hicks, au vu du monde, et sans l'arbitrage de la Maison Blanche.

« Le problème n'est pas Twitter, c'est Hope », remarque un membre de l'équipe de communication.

Le 9 juillet, le lendemain de la publication de son premier article, le *Times* révèle que la rencontre à la Trump Tower a été organisée spécialement pour discuter l'offre des Russes de livrer des documents pouvant nuire à Clinton. Le jour suivant, alors que le journal s'apprête à publier la série d'e-mails, Don Jr. s'en décharge à la hâte. S'ensuit le dévoilement quasi quotidien de noms de nouveaux personnages – tous, à leur manière, particuliers et dérangeants – ayant participé à la rencontre.

Mais l'existence de cette réunion à la Trump Tower prend une autre dimension, peut-être plus grande. C'est l'effondrement de la stratégie juridique du Président : la fin de Steve Bannon comme pare-feu contre Clinton.

Les avocats, dégoûtés et alarmés, voient chacun des acteurs devenir le témoin potentiel des méfaits d'un autre – conspirant entre eux pour que leurs histoires coïncident. Le client et sa famille paniquent et se chargent de leur propre défense. Les gros titres balaient toute forme de stratégie à long terme. « La pire chose à faire est de mentir à un procureur », dit un des membres de l'équipe juridique. Pour Trump, mentir aux médias n'est pas un crime. Pourtant les avocats considèrent cette idée au mieux comme imprudente, et en soi, potentiellement passible de poursuites : une tentative explicite de mettre des bâtons dans les roues de l'enquête.

Mark Corallo reçoit l'ordre de ne pas parler à la presse, ni de décrocher son téléphone. Plus tard dans la semaine, ne voyant pas d'issue positive – et confiant en privé que la réunion à bord d'Air Force One peut représenter, selon lui, une entrave à la justice – il démissionne. (Le camp de Jarvanka annonce qu'il a été renvoyé.)

« Ces gars n'ont pas l'intention d'être remis en cause par les enfants », dit un Bannon frustré au sujet de l'équipe pare-feu.

De la même façon, la famille Trump, peu importe les risques juridiques, ne va pas être contrôlée par ses avocats. Jared et Ivanka aident à coordonner une série de fuites sordides au sujet de Marc Kasowitz – alcoolisme, mauvaise conduite, vie personnelle en déroute – qui avait conseillé au Président de les renvoyer chez eux. Peu après le retour à Washington de l'équipe présidentielle, Kasowitz est écarté.

Les accusations continuent de voler bas. Tout le monde cherche à éviter les effluves d'une réalité nouvelle et dure, voire tragique, liée au fiasco Comey-Mueller.

Les camps au sein de la Maison Blanche – Jared, Ivanka, Hope Hicks, et les ambivalents Dina Powell et Gary Cohn d'un côté, et tout le monde ou presque de l'autre, dont Priebus, Spicer, Conway et surtout Bannon – se distinguent par leur sentiment de culpabilité ou leur distance vis-à-vis du désastre Comey-Mueller. Comme le souligne sans cesse le camp opposé à Jarvanka, c'est un désastre *de leur propre fait*. Par conséquent, les pro-Jarvanka font tout pour se tenir à distance des causes de la débâcle – toute implication passée est décrite comme strictement passive ou répondant à un ordre – et suggérer que leurs adversaires sont au moins tout aussi fautifs.

Peu après la publication de l'article sur Don Jr., le Président change de sujet, non sans succès, en accusant Sessions du fiasco Comey-Mueller, continuant à le rabaisser, le menaçant et laissant entendre que ses jours sont comptés.

Bannon défend toujours Sessions. Alors qu'il pense s'être, de façon active – par des attaques cinglantes contre la bêtise de Jarvanka –, protégé contre l'affaire Comey, il reçoit soudain des appels de journalistes ayant été informés qu'il avait participé au limogeage du directeur du FBI.

Lors d'un échange téléphonique rageur avec Hicks, Bannon l'accuse d'être à l'origine des fuites. Il considère maintenant la jeune femme de 28 ans comme un agent infortuné du Président et un larbin de Jarvanka – et la croit très impliquée dans tout ce désastre en ayant participé à la réunion à bord d'Air Force One. Le lendemain, après d'autres questions de journalistes, il confronte Hicks dans la *cabinet room*[1], l'accusant de se charger des basses besognes de Jared et Ivanka. L'affrontement vire rapidement au conflit existentiel entre les deux camps de la Maison Blanche – tous deux prêts à la guerre.

« *Tu ne sais pas ce que tu fais*, hurle Bannon, hors de lui, à Hicks, exigeant de savoir pour qui elle travaille, la Maison Blanche ou Jared et Ivanka. *Tu ne réalises pas à quel point tu es dans*

---

1. Salle de la Maison Blanche où se réunit le cabinet, qui se compose du Président, de ses secrétaires et de ses conseillers.

le pétrin, crie-t-il, lui disant qui si elle ne prend pas d'avocat, il appellera son père pour lui conseiller d'en choisir un pour elle. *Tu es conne comme tes pieds !* » Passant de la *cabinet room* à une pièce ouverte à portée d'oreille du Président, Bannon, « bruyant, effrayant, clairement menaçant » selon Jarvanka, hurle « *Je vais te défoncer, toi et ton petit groupe !* » tandis que le Président demande d'un ton plaintif : « Qu'est-ce qu'il se passe ? »

Selon le récit du camp de Jarvanka, Hicks est alors partie en courant, sanglotant et « visiblement terrifiée ». D'autres dans la West Wing voient cela comme le temps fort de l'hostilité entre les deux factions. Pour les pro-Jarvanka, la colère de Bannon est aussi un épisode qu'ils pensent pouvoir utiliser contre lui. Ils poussent Priebus à soumettre la question au conseiller juridique de la Maison Blanche, parlant du moment le plus vulgaire de l'histoire de la West Wing, ou certainement l'un des plus grossiers à ce jour.

Pour Bannon, ce n'est qu'une manifestation désespérée de plus de la part de Jarvanka – eux, et pas lui, ont l'affaire Comey-Mueller sur le dos. Et ce sont eux qui paniquent et perdent le contrôle.

Jusqu'à son départ de la Maison Blanche, Bannon ne parlera plus à Hicks.

20

McMaster et Scaramucci

Bien qu'impétueux, Trump n'aime pas prendre de décisions, du moins pas celles qui ne lui laissent d'autre choix que d'analyser un problème. Et il n'y a pas de décision qui le hante autant – depuis le début de sa présidence – que celle sur l'action à mener en Afghanistan. C'est un casse-tête qui prend la forme d'un combat impliquant sa propre résistance au raisonnement analytique, mais aussi l'antagonisme entre le cerveau gauche et le cerveau droit de sa Maison Blanche, entre ceux qui sont favorables au changement et les partisans du *statu quo*.

Dans ce contexte, Bannon devient la voix détonnante et improbable de la Maison Blanche en faveur de la paix – ou du moins, une forme de paix. À ses yeux, il est le seul, avec l'indéterminé Donald Trump, à s'opposer à l'envoi de 50 000 soldats américains supplémentaires dans cet Afghanistan désespéré.

Réprésentant le *statu quo* – et, idéalement, un renforcement des effectifs – H. R. McMaster devient, avec Jarvanka, la cible de choix des insultes de Bannon. Sur ce front, Bannon forme aisément un lien avec le Président qui ne cache pas son mépris pour ce général adepte des présentations PowerPoint. Bannon et Trump ont plaisir, ensemble, à dire du mal de McMaster.

McMaster est un protégé de David Petraeus, ancien commandant du CENTCOM[1] et en Afghanistan, devenu le directeur de

---

1. Commandement cental des États-Unis, chargé des interventions militaires en Asie et au Moyen-Orient.

la CIA d'Obama avant d'être contraint à démissionner suite à un scandale impliquant une histoire amoureuse et la mauvaise gestion d'informations classées secrètes. Petraeus, et désormais McMaster, incarnent une approche traditionnelle en l'Afghanistan et au Moyen-Orient. McMaster s'entête à proposer au Président de nouvelles versions de l'escalade militaire et à chaque fois, Trump le fait sortir du Bureau ovale, les yeux levés au ciel, dépité et incrédule.

Le dégoût et la rancœur du Président pour McMaster vont croissant à l'approche d'une prise de décision au sujet de l'Afghanistan, décision qu'il continue à repousser. Sa position sur la question – un bourbier militaire dont il ne sait pas grand-chose si ce n'est que c'est un bourbier – a toujours été le rejet railleur et caustique de cette guerre de seize ans. Le fait d'en avoir hérité ne le pousse pas aux bons sentiments ni à vouloir s'y attarder. Pour lui, cette guerre est maudite et il estime inutile d'en savoir plus. Il en rejette la responsabilité sur ses deux boucs émissaires favoris : Bush et Obama.

Pour Bannon, l'Afghanistan représente un échec supplémentaire de la pensée de l'establishment. Plus précisément, elle symbolise l'incapacité de l'establishment à affronter l'échec.

Curieusement, McMaster a justement écrit un livre sur le sujet, une critique cinglante des postulats incontestés des chefs militaires lors de la guerre du Vietnam. L'ouvrage a été apprécié par les progressistes et l'establishment, et, pour Bannon, McMaster s'est dès lors aligné sur eux. Aujourd'hui – par peur de l'inconnu, voulant garder toutes les options ouvertes, prônant la stabilité, et protégeant sa crédibilité vis-à-vis de l'establishment – McMaster recommande un déferlement de troupes en Afghanistan.

Début juillet, la pression, en vue d'une décision, grimpe jusqu'à un stade critique. Trump a déjà donné au Pentagone son feu vert pour déployer les ressources en hommes jugées nécessaires, mais Mattis, le secrétaire à la Défense, refuse d'agir sans autorisation spéciale du Président. Trump doit se prononcer – sauf s'il trouve un moyen de reculer encore l'échéance.

Bannon pense qu'on peut prendre la décision pour le président – de la manière dont le Président apprécie que les décisions soient prises – s'il arrive à se débarrasser de McMaster. D'un même coup, il neutralise le plus grand partisan des renforts en Afganistan et prend sa revanche vis-à-vis de celui qui l'avait évincé du NSC.

Tandis que le président promet de statuer en août et que McMaster, Mattis et Tillerson réclament une résolution rapide, des médias pro-Bannon se lancent dans une campagne de stigmatisation de McMaster, dépeint comme un mondialiste, un interventionniste, en prime, coupable d'indulgence avec Israël.

C'est une attaque calomnieuse, bien qu'en partie vraie. En fait, McMaster parle beaucoup avec Petraeus. Selon une rumeur, McMaster donne des informations à Petraeus, mis à l'écart pour avoir plaidé coupable dans sa mauvaise gestion de documents secrets. Mais surtout, McMaster n'est pas apprécié par le Président et se trouve à la veille d'une destitution.

C'est du pur Bannon, qui, ayant à nouveau le vent en poupe, savoure un excès de confiance.

Aussi, pour prouver qu'il existe d'autres options qu'un envoi de troupes supplémentaires ou une défaite humiliante – alors qu'en toute logique il n'y en a sans doute pas d'autres – Bannon se range du côté d'Erik Prince, fondateur de Blackwater[1], qui propose de remplacer l'armée américaine par des sociétés privées, du personnel de la CIA, et des Forces spéciales. L'idée est brièvement adoptée par le président avant d'être tournée en ridicule par l'armée.

Désormais, Bannon croit que McMaster sera mis sur la touche en août. Il est convaincu d'avoir la parole du président à ce sujet. Affaire réglée. « McMaster veut envoyer plus d'hommes en Afghanistan, donc nous allons l'envoyer *lui-même* », dit Bannon, triomphaliste. Dans son scénario, Trump octroie une quatrième étoile à McMaster et le promeut au grade suprême de commandant en chef en Afghanistan.

Comme pour l'attaque chimique en Syrie, c'est Dina Powell – alors qu'elle fait tout pour quitter la Maison Blanche et marcher dans les pas de Sheryl Sandberg ou, à un saut de puce de là,

---

1. Société militaire privée américaine intervenant entre autres en Irak et en Afghanistan.

devenir ambassadrice aux Nations unies – qui lutte pour soutenir l'approche la moins dérangeante et la plus ouverte. Puisque cette approche semble à la fois la plus sûre et la plus en opposition de celle de Bannon, elle recrute sans hésiter Jared et Ivanka.

La solution soutenue par Powell, destinée à repousser le problème et son règlement d'un, deux ou trois ans, rend la position des États-Unis en Afghanistan encore plus désespérée. Au lieu d'envoyer 50 000 ou 60 000 hommes – ce qui représente un coût insupportable et risque de déclencher la colère nationale, mais pourrait faire gagner la guerre – le Pentagone en déploierait un nombre bien moindre, passant quasi inaperçu et qui empêcherait tout juste au pays de connaître une défaite. Dans l'esprit de Powell et Jarvanka, c'est une solution modérée et facile à vendre, et le parfait équilibre entre les scénarios inacceptables de l'armée : la retraite et le déshonneur ou bien des troupes plus nombreuses.

Très vite, le projet d'envoyer 4 000 à 7 000 hommes (au maximum) devient la stratégie intermédiaire approuvée par l'establishment de la sécurité nationale et à peu près tout le monde, à l'exception de Bannon et du président. Powell participe même à l'élaboration d'une présentation PowerPoint que McMaster montre à Trump : des photos de Kaboul dans les années 1970 qui ressemble encore à une ville moderne. Elle pourrait le redevenir, dit-on au Président, si nous sommes déterminés !

Pourtant, même seul contre tous, Bannon est sûr de gagner. Il a une presse de droite unie derrière lui, et, croit-il, la base électorale de Trump, cette classe ouvrière lasse – dont les enfants servent de chair à canon en Afghanistan. Et, surtout, il a le président de son côté. Agacé de se trouver face au même problème qu'Obama avec les mêmes options, Trump continue à déverser sa bile et ses moqueries sur McMaster.

Kushner et Powell organisent une campagne de défense de McMaster. Leur propos n'est pas de penser à l'envoi de renforts, ils insistent plutôt sur les fuites de Bannon et la manipulation qu'il fait des médias de droite pour salir McMaster, « l'un des généraux les plus décorés et respectés de sa génération ». Le problème n'est pas l'Afghanistan, mais Bannon. Dans cette histoire, McMaster, figure de stabilité, s'oppose à Bannon le perturbateur. Le *New York Times* et le *Washington Post* viennent prendre la défense de McMaster contre Breitbart, ses copains et ses satellites.

L'establishment et les plus farouches opposants à Trump se liguent contre les partisans d'*America First*. À bien des égards, Bannon est dépassé mais il pense encore triompher. Et quand il gagnera, non seulement un chapitre stupide de la guerre d'Afghanistan aura été évité, mais en prime, Jarvanka, Powell et leurs intendants seront catalogués comme insignifiants et dénués de tout pouvoir.

Alors que le débat approche de sa résolution, le NSC – dont le rôle est de présenter des options plutôt que de les promouvoir (même s'il le fait aussi) –, en soumet trois : le retrait ; l'armée privée d'Erik Prince ; un renfort conventionnel, mais limité.

Le retrait, quels que soient ses mérites – quand bien même la reprise de l'Afghanistan par les Talibans pourrait être retardée ou atténuée – laisse Donald Trump avec une guerre perdue sur les bras, situation insoutenable pour le président.

La CIA écarte d'emblée la deuxième option, celle de l'armée privée et de la CIA. L'agence a réussi à se tenir à l'écart de l'Afghanistan durant seize ans : tout le monde sait que là-bas, les carrières meurent au lieu d'avancer. Donc, merci de nous laisser loin de tout ça.

Ne reste donc que la position de McMaster, en faveur des renforts modestes, défendue par Tillerson, le secrétaire d'État : des troupes supplémentaires en Afghanistan sur une base légèrement nouvelle, avec une mission subtilement différente de celles qui les ont précédées.

L'armée s'attend à ce que le Président adopte la troisième solution. Mais le 19 juillet, lors d'une réunion de la Sécurité nationale dans la salle de crise de la Maison Blanche, Trump explose.

Pendant deux heures, il s'emporte contre le pétrin dont il a hérité et menace de destituer quasiment tous les généraux dans la chaîne de commandement. Il ne comprend pas, dit-il, pourquoi il a fallu des mois pour arriver à ce plan qui n'apporte rien de nouveau. Il décrie les conseils qui lui viennent des généraux et loue ceux des simples soldats. Si nous devons être en Afghanistan, demande-t-il, pourquoi n'en tirons-nous aucun profit ? La Chine, se plaint-il, possède là-bas des droits miniers, pas les États-Unis. (Il fait allusion à un accord vieux de dix ans soutenu par les États-Unis). C'est comme le 21 Club, dit-il, surprenant soudain son auditoire avec cette référence à l'un de ses restaurants favoris à New York. Dans les années 1980, le 21 Club a fermé pendant un an et embauché des consultants pour trouver le moyen de rendre le restaurant plus rentable. Au final, lesdits consultants conseillèrent d'agrandir la cuisine. *C'est ce qu'aurait dit n'importe quel serveur*, hurle Trump.

Pour Bannon, cette réunion est un moment fort de la présidence de Trump. Les généraux parlent dans le vide et tentent de sauver la face – selon Bannon, ils ne prononcent qu'un pur « charabia » dans la salle de crise. « Trump leur a tenu tête, raconte-t-il, ravi. Il les a éreintés. Il a chié sur leurs plans afghans. Il est revenu à plusieurs reprises sur le même point : nous sommes coincés, nous perdons et personne n'a de plan pour faire mieux que ça. »

Même s'il n'y a toujours pas la moindre trace d'une stratégie alternative viable en Afghanistan, Bannon, au sommet de sa frustration envers Jarvanka, est certain de gagner. McMaster est grillé.

Plus tard ce jour-là, Bannon entend parler d'un autre projet insensé de Jarvanka. Ils comptent recruter Anthony Scaramucci, alias « The Mooch[1] ».

Depuis que Trump est le candidat officiel des républicains, plus d'un an auparavant, Scaramucci – fondateur d'un fonds d'investissement et représentant de Trump sur les chaînes d'informations du câble (surtout Fox Business Channel) – est devenu incontournable à la Trump Tower. Mais, dans les derniers mois de campagne, face aux sondages annonçant la défaite humiliante de Trump, il disparaît. La question « Où est The Mooch ? » devient alors un énième indicateur de la fin certaine et sans pitié de la campagne.

Pourtant, au lendemain de l'élection, Steve Bannon – bientôt nommé conseiller stratégique du 45ᵉ président élu – est accueilli en milieu de la matinée à la Trump Tower par Anthony Scaramucci qui lui tend un café à emporter Starbucks.

---

1. Sangsue, parasite.

Au cours des trois mois qui suivent, Scaramucci, à présent inutile en tant que représentant et sans fonction particulière, devient une présence constante à la Trump Tower. Début janvier, il interrompt une réunion dans le bureau de Kellyanne Conway pour s'assurer qu'elle sait que le cabinet de son mari, Wachtell, Lipton, le représente. Ayant fait cette annonce, cité des noms importants et chanté les louanges des associés clé, il s'invite à la réunion et, devant Conway et son interlocuteur, se lance dans un exposé touchant sur le caractère unique et la sagacité de Donald Trump et des membres de la classe ouvrière qui l'ont élu – il en profite pour mentionner ses origines modestes à Long Island.

Scaramucci n'est pas le seul parasite en quête d'un emploi quelconque à la Trump Tower, mais sa méthode en fait l'un des plus tenaces. Il passe des jours à chercher des réunions auxquelles se faire inviter ou des visiteurs à aborder – tâche facile puisque les autres demandeurs d'emploi recherchent des interlocuteurs et il se transforme en une sorte d'agent d'accueil officiel-officieux. Dès qu'il peut, il passe quelques minutes avec un des membres de l'état-major qui ne le rabroue pas. Alors qu'il attend une offre de poste à responsabilité à la Maison Blanche, il semble sûr de lui, réaffirmant sa loyauté, son esprit d'équipe et son exceptionnelle énergie. Il est si confiant en son avenir qu'il conclut un accord pour céder son fonds d'investissement, Skybridge Capital, au HNA Group, un méga-conglomérat chinois.

Les campagnes politiques, basées en grande partie sur le volontariat, attirent toutes sortes d'opportunistes des plus bêtes aux plus encombrants. Celle de Trump place la barre plus bas que la plupart des précédentes. The Mooch, par exemple, n'est pas le volontaire le plus singulier dans la course à la présidence de Trump, mais beaucoup le jugent particulièrement sans vergogne.

Car, ce n'est pas seulement parce qu'il a été un opposant systématique de Donald Trump avant de devenir son soutien zélé, ou parce qu'il a soutenu Barack Obama ou Hillary Clinton, le problème avec Scaramucci, c'est que vraiment personne ne l'aime. Même pour quelqu'un dans la politique, il est impudent et incorrigible, adepte de déclarations intéressées et souvent contradictoires faites à celui-ci au sujet de celui-là, qui reviennent invariablement aux oreilles de la personne la plus calomniée.

Il ne fait pas seulement son auto-promotion d'une façon éhontée ; il est *fier* de la faire. Il se décrit comme un fantastique réseauteur. (Vantardise sûrement vraie puisque Skybridge Capital était un « fond de fonds » ce qui ne fait pas tant appel à une expertise en matière d'investissement qu'à une connivence avec les plus importants gestionnaires de fonds, et à la capacité à investir avec eux.) Il a payé un demi-million de dollars pour que le logo de sa société apparaisse dans le film *Wall Street : l'argent ne dort jamais*, et y fait une rapide apparition. Il organise pour des patrons de fonds de placement une conférence annuelle dont il est la star. Il passe sur Fox Business Channel. C'est un fêtard notoire chaque année à Davos, qui a un jour dansé sans complexe aux côtés du fils de Mouammar Kadhafi.

Une fois rallié à Donald Trump lors de la campagne présidentielle – après avoir parié gros contre lui – il se présente comme une version de Trump. Pour lui, ils représentent un nouveau genre d'hommes de spectacle et de communicants destinés à transformer la politique.

Même si son obstination et son incessant lobbying personnel le rendent déplaisant, la question se pose : « Que faire de Scaramucci ? », question à laquelle il faut répondre d'une manière ou d'une autre. Pour régler le problème et se débarrasser du Mooch, Priebus lui propose de lever des fonds en qualité de directeur financier du RNC – offre que Scaramucci rejette dans un accès de colère à la Trump Tower, débinant Priebus en termes crus, offrant comme un avant-goût de ce qui viendra par la suite.

S'il convoite un poste au sein de l'administration Trump le Mooch en veut un qui puisse lui conférer un avantage fiscal sur la vente de son affaire. Une disposition fédérale permet un paiement différé des plus-values dans le cas de ventes de biens effectuées afin de respecter des exigences éthiques. Scaramucci a besoin d'un poste qui lui fournisse cet avantage, dont Gary Cohn, sait-il, a bénéficié pour la vente de ses parts dans Goldman.

Un semaine avant l'investiture, on lui propose enfin un tel poste, celui de directeur du Bureau des engagements publics et affaires intergouvernementales. Il sera le représentant du Président devant les groupes d'intérêt pro-Trump.

Mais le Bureau de l'éthique de la Maison Blanche rechigne – il va falloir des mois pour boucler la vente de son entreprise et il va négocier directement avec une entité contrôlée (au moins) en partie par le gouvernement chinois. Et comme il ne dispose pas d'appuis, Scaramucci se retrouve bloqué. Cela constitue, note-t-il avec ressentiment, l'un des rares cas dans le gouvernement de Trump où les conflits d'intérêts interférèrent avec une nomination à la Maison Blanche.

Et pourtant, avec la ténacité d'un commercial, le Mooch n'abandonne pas. Il s'auto-désigne ambassadeur de Trump sans portefeuille et déclare être son homme à Wall Street, même si en pratique, il n'en est pas un et s'emploie à quitter sa société financière à Wall Street. Il reste aussi en contact permanent avec quiconque, dans le cercle de Trump, se montre disposé à lui parler.

La question « Que faire de Scaramucci ? » demeure. Kushner, envers qui Scaramucci a fait preuve d'une rare retenue durant la campagne, a souvent entendu des gens, à New York, louer sa loyauté. Il remet la question sur le tapis.

Priebus et d'autres tiennent Scaramucci à distance jusqu'en juin, puis on presse soudain celui-ci d'accepter le poste de vice-président et chef de la stratégie de l'Eximbank, une agence de la branche exécutive que Trump a, depuis longtemps, juré d'éliminer. Mais The Mooch n'est pas prêt à baisser les bras : après encore plus de lobbying, il est, à l'instigation de Bannon, nommé ambassadeur de l'Organisation de coopération et de développement économique (OCDE). Le poste est assorti d'un appartement de vingt pièces au bord de la Seine, d'une équipe de collaborateurs, mais – et Bannon trouve cela particulièrement amusant – sans la moindre influence ni responsabilité.

Une autre question persistante, « Que faire de Spicer ? », est venue s'ajouter au désastre concernant l'ébruitement de la rencontre de juin 2016 entre Don Jr., Jared et les Russes. Puisque le Président, à bord d'Air Force One, a dicté la réponse de Don Jr.

aux révélations du *Times*, Trump et Hope Hicks sont tous deux mis en cause : le premier l'a dictée, la seconde l'a transcrite. Mais comme le Président ne peut pas être responsable d'un fiasco, Hicks est épargnée. Et bien qu'écarté de la crise à la Trump Tower, Spicer se retrouve accusé de tout l'épisode, précisément parce que, sa loyauté mise en doute, lui et son équipe de communicants *doivent* être exclus.

Dans le cas présent, l'équipe de communication est jugé opposée, voire hostile, aux intérêts de Jared et Ivanka ; Spicer et ses hommes ont échoué à les défendre tout comme ils n'ont pas su protéger la Maison Blanche de façon adéquate. Ce qui souligne le point essentiel : bien que Jared et Ivanka soient de simples collaborateurs sans position institutionnelle à la Maison Blanche, ils pensent et agissent comme s'ils faisaient partie de l'entité présidentielle. Leur colère et leur amertume croissantes viennent de l'aversion – en fait, d'une profonde et massive résistance – d'une partie du personnel à les traiter comme faisant partie intégrante de la présidence. (Un jour, Priebus doit prendre Ivanka à part pour s'assurer qu'elle comprend bien que, dans son rôle officiel, elle n'est qu'une collaboratrice. Ce à quoi Ivanka répond qu'elle est une collaboratrice – slash – « Première fille ».)

Bannon représente leur ennemi public, ils n'attendent rien de lui. Mais ils considèrent Priebus et Spicer comme des fonctionnaires, chargés de poursuivre les objectifs de la Maison Blanche, mais aussi leurs buts et leurs intérêts.

Spicer, toujours moqué par les médias pour sa défense farfelue de la Maison Blanche et sa loyauté en apparence stupide, a, dès l'investiture, été jugé par le Président comme ni suffisamment loyal ni suffisamment agressif quand il prend sa défense. Ou, dans l'esprit de Jared et Ivanka, quand il protège la famille. « Que *font* vraiment les quarante membres de l'équipe de Spicer ? » est une question récurrente dans la famille du Président.

Presque dès le début, le Président a mené des entretiens avec de potentiels nouveaux porte-parole. Il a proposé le poste à plusieurs personnes, dont Kimberly Guilfoyle, animatrice de Fox News et coprésentatrice du talk-show *The Five*. Une rumeur prétend que l'ex-épouse du démocrate californien Gavin Newsom est la petite amie d'Anthony Scaramucci. À l'insu de la Maison Blanche, la vie personnelle de Scaramucci est en chute libre. Le 9 juillet, sa femme, enceinte de neuf mois de leur deuxième enfant, demande le divorce.

Guilfoyle, sachant Spicer sur le départ mais ayant refusé le poste – ou selon certains à la Maison Blanche, n'ayant pas été pressentie –, suggère Scaramucci, lequel tente de convaincre Jared et Ivanka qu'ils souffrent d'un problème de communication et sont maltraités par l'équipe actuelle.

Scaramucci appelle un journaliste qu'il connaît afin de lui faire supprimer un article à venir sur les connexions russes de Kushner. Il le fait ensuite rappeler par un contact commun pour lui dire que si le papier est bel et bien supprimé, The Mooch pourrait obtenir un poste à la Maison Blanche et, à ce titre, lui accorder un accès privilégié. The Mooch assure alors Jared et Ivanka qu'il a habilement mis un terme à cette histoire.

À présent, Scaramucci bénéficie de toute leur attention. *Il nous faut une nouvelle approche*, se dit le couple, *il nous faut quelqu'un qui soit vraiment de notre côté*. Scaramucci – riche, venant de Wall Street et de New York – les rassure : il comprend les enjeux et saura jouer un jeu très offensif si nécessaire.

D'un autre côté, le couple ne veut pas être perçu comme trop dur. Après avoir accusé Spicer de ne pas les défendre correctement, ils rétro-pédalent et prétendent qu'ils ne cherchent qu'à ajouter une nouvelle voix au chœur. Le poste de directeur de la communication, sans domaine précis, est vacant depuis mai, lorsque Mike Dubke, dont la présence a été à peine remarquée à la Maison Blanche, a démissionné. Scaramucci pourrait occuper ce poste et devenir son allié, se dit le couple.

« Il est bon à la télévision », glisse Ivanka à Spicer quand elle doit justifier le recrutement de l'ancien gestionnaire de fonds d'investissement comme directeur de la communication de la Maison Blanche. « Il peut peut-être nous aider. »

Rencontrant Scaramucci, le Président se retrouve conquis par les flatteries grimaçantes et incitatives du Mooch de Wall Street. (« Je ne peux qu'espérer avoir une infime partie de votre génie en tant que communicant, mais vous êtes mon exemple et mon modèle » a, selon un témoin, lancé Scaramucci dans sa supplique.) Et c'est Trump qui insiste ensuite pour que Scaramucci devienne le vrai chef de la communication, travaillant directement sous son autorité.

Le 19 juillet, par le biais d'intermédiaires, Jared et Ivanka tâtent le terrain auprès de Bannon : que penserait-il si Scaramucci se voyait octroyer un poste de communicant ?

Cette idée paraît si ridicule à Bannon – elle s'apparente à un cri de désespoir et montre bien que le couple est vraiment prêt à tout – qu'il refuse d'envisager la question ou même de se donner la peine d'y répondre. Il en est désormais sûr : Jarvanka déraille.

21

Bannon et Scaramucci

L'appartement de Bannon à Arlington, en Virginie, situé à 15 minutes de route du centre de Washington, est appelé le « lieu sûr » – ce qui sonne comme un aveu du caractère éphémère de Bannon et ressemble à un clin d'œil, quelque peu ironique, à la nature underground, voire romantique, de sa politique – le côté voyou et va-t-en-guerre de l'extrême droite. Bannon a quitté l'ambassade Breitbart dans A Street, à Capitol Hill, pour venir ici. Il s'agit d'un studio digne d'un étudiant, dans un immeuble à usage résidentiel et commercial, au-dessus d'un énorme McDonald's – ce qui dément les rumeurs de fortune de Bannon – avec cinq ou six cents livres (surtout de vulgarisation) empilés contre les murs sans étagère. Son lieutenant, Alexandra Preate, vit dans le même immeuble, ainsi que l'avocat américain de Nigel Farage, leader anglais de droite pro-Brexit qui appartient au cercle élargi de Breitbart.

Le soir du jeudi 20 juillet, au lendemain de la réunion litigieuse sur l'Afghanistan, Bannon accueille quelques invités – le dîner est organisé par Preate avec des plats chinois à emporter. Il est d'une humeur joyeuse, presque festive. Pourtant, il sait que, dans l'administration Trump, quand on a l'impression d'être au sommet, on peut s'attendre à se faire abattre. C'est le style et le prix de la gouvernance d'un homme seul – et manquant d'assurance. S'il est puissant, l'homme qui se tient à ses côtés doit être absolument rabaissé.

Beaucoup, dans l'entourage de Bannon, pensent qu'il entre de nouveau dans un mauvais cycle. Lors de son premier tour de piste, il a été puni par le président pour sa couverture du magazine *Time* et le portrait dans le *Saturday Night Live*[1] du « président Bannon » – la plus cruelle des piques envers Trump. Un nouveau livre, *The Devil's Bargain*, affirme notamment, au travers de citations de Bannon, que Trump n'aurait pas réussi sans lui. Le président est, une fois encore, très irrité.

Pourtant, Bannon a l'impression d'avoir fait une percée. Quoi qu'il arrive, il a l'esprit clair. Un tel manque d'organisation règne à la Maison Blanche que cette clarté, à défaut de mieux, lui donne un avantage. Son ordre du jour figure au devant de la scène et ses ennemis se retrouvent sur la touche. Attaqués jour après jour, Jared et Ivanka ne se préoccupent plus que de leur seule protection. Dina Powell cherche un autre emploi. McMaster s'est sabordé avec l'Afghanistan. Gary Cohn, jadis ennemi mortel, est prêt à tout pour être nommé directeur de la Réserve fédérale et cherche à s'attirer les bonnes grâces de Bannon – « il me lèche le cul », dit ce dernier en ricanant. En échange de son soutien, Bannon soutire à Cohn son allégeance au programme de la droite.

Les génies sont foutus. Même le Président est peut-être foutu. Mais Bannon a une vision et de la discipline – il en est sûr. « Je suis mort de rire tous les jours. Le programme nationaliste, on le domine complètement. Je suis là pour une éternité. »

Avant le dîner, Bannon fait circuler un article du *Guardian* – même classé à gauche, le principal journal anglais reste son préféré – sur les répercussions de la mondialisation. Le journaliste de gauche Nikil Saval y accepte le principe populiste central de Bannon – « La concurrence entre les ouvriers des pays développés et ceux des pays en voie de développement… a permis d'abaisser les salaires et la sécurité de l'emploi des travailleurs des pays riches » – et l'élève au rang de combat de notre époque. Davos est mort, et Bannon, lui, est bien vivant. « Les économistes, autrefois ardents défenseurs de la mondialisation, sont devenus ses critiques les plus éminents, écrit Saval. Les partisans d'hier concèdent à présent, du moins en partie, qu'elle a produit de l'inégalité, du

---

1. Émission de sketchs parodiques de la chaîne NBC.

chômage et une pression sur les salaires en le tirant vers le bas. Les nuances et les critiques que les économistes soulevaient uniquement lors de colloques privés éclatent enfin au grand jour. »

« Je commence à me lasser de gagner », c'est tout ce que dit Bannon dans l'e-mail contenant le lien vers l'article.

À présent, agité et faisant les cent pas, Bannon raconte comment Trump s'est défoulé sur McMaster et savoure l'absurdité abyssale du stratagème des génies avec Scaramucci. Mais surtout, il s'est passé quelque chose la veille qui le laisse perplexe.

À l'insu de l'état-major, ou de l'équipe de communication – si ce n'est par le biais d'une note – le Président a accordé une longue interview au *New York Times*, organisée par Jared, Ivanka et Hope Hicks. Maggie Haberman, du *Times*, la bête noire de Trump (« Très méchante et pas intelligente ») et pourtant sa journaliste de confiance en cas de besoin d'approbation, a été conviée devant le Président avec ses collègues Peter Baker et Michael Schmidt. L'entretien qui en résulte est l'un des plus étranges et malavisés de l'histoire présidentielle, de la part d'un homme qui a déjà franchi ce seuil à de nombreuses reprises.

Dans cette interview, Trump a suivi l'injonction de plus en plus pressante de sa fille et son gendre. Sans but ni stratégie clairs, il menace le Procureur général qui s'est récusé, ouvrant ainsi la porte à un procureur spécial. Il pousse ouvertement Sessions à démissionner – se moquant de lui, l'insultant et le mettant au défi d'essayer de rester. Si cela ne fait avancer la cause de personne, sauf, peut-être celle du procureur spécial, l'incrédulité de Bannon – « Jefferson Beauregard Sessions ne s'en ira pas » – se concentre sur un autre passage de l'entretien : le Président a mis en garde le procureur de ne pas franchir la ligne rouge et s'intéresser aux finances de la famille.

« Ehhh... *Ehhh... Ehhh !* s'écrie Bannon, imitant le son d'une alarme. Ne regardez pas par là ! Disons à un procureur où *ne* pas fouiller ! »

Bannon décrit alors sa conversation avec le Président plus tôt dans la journée : « J'ai foncé sur lui en disant : "Pourquoi avez-vous raconté cela ?" Il me demande : "Le truc sur Sessions ?" et je réponds : "Non, ça, c'est mal, mais ce sont les affaires courantes ici."

J'ai demandé : "Pourquoi avoir dit qu'il est interdit de fouiller dans les finances de votre famille ?" Et il me répond : "Eh bien, c'est... C'est fait." Et je lui dis : "Eh, ce sont eux qui déterminent ce pour quoi ils sont mandatés... Ça peut ne pas vous plaire, mais vous venez de garantir que si vous remplacez le procureur spécial, tous les sénateurs lui feront jurer qu'il aura pour première tâche d'assigner à comparaître toutes vos putains de déclarations de revenus." »

Bannon, toujours plus perplexe, rapporte les détails d'un article récent du *Financial Times* sur Felix Sater, l'un des personnages les plus véreux associés à Trump, qui est étroitement en lien avec l'avocat personnel du président, Michael Cohen (une cible, apparemment, de l'enquête de Mueller) et un un élément clé pour suivre les mouvements d'argent vers la Russie. Sater – « Tenez-vous bien, je sais que ça peut choquer, mais écoutez ça ! » – avait eu de gros problèmes avec la justice auparavant, « chopé avec deux types à Boca en train d'écouler en douce de l'argent russe ». Et il s'avère que « Frère Sater » est poursuivi par – « écoutez ça » – *Andrew Weissmann* (Mueller venait de recruter Weissmann, puissant avocat de Washington à la tête de la section des Fraudes de la Division criminelle du département de la Justice). « Tu as sur le dos les enquêtes sur le blanchiment d'argent de LeBron James, Jarvanka. Moi, mon trou du cul vient de se contracter ! »

Bannon se tient littéralement les côtes puis en revient à son échange avec le Président. « Et là, il me sort : "Ils ne sont pas mandatés pour ça." Sérieusement, mec ? »

Preate, disposant les plats chinois sur une table, lance : « Ils n'étaient pas mandatés pour éjecter Arthur Andersen pendant l'affaire Enron, mais ça n'a pas arrêté Andrew Weissmann » – l'un des enquêteurs dans l'affaire.

« On voit où ça va aller, poursuivit Bannon. C'est une histoire de blanchiment d'argent. Mueller a choisi Weissmann en premier, le spécialiste de la question. Leur route pour baiser Trump passe par Paul Manafort, Don Jr. et Jared Kushner... C'est gros comme le nez au milieu de la figure... Ça passe par la Deutsche Bank et toutes les conneries de Kushner, des conneries bien poisseuses. Ils vont fouiller direct là-dedans. Ils vont choper ces deux mecs et leur dire de se mettre à table. Mais... *"Privilège de l'exécutif,* imite Bannon. On a le privilège de l'exécutif !" Ça n'existe pas ce truc-là ! Nous l'avons prouvé avec le Watergate. »

Toujours expressif, Bannon semble soudain épuisé. Après une pause, il ajoute d'un air las : « Ils sont assis sur une plage et tentent d'arrêter un ouragan de catégorie 5. »

Les mains tendues devant lui, il mime un champ de force qui l'isolerait du danger. « Ce ne sont pas mes affaires. Il a les cinq génies autour de lui : Jarvanka, Hope Hicks, Dina Powell et Josh Raffel. » Il lève les mains de nouveau, comme pour dire : *bas les pattes.* « Je ne connais aucun Russe, je ne sais rien là-dessus. Je ne suis pas un témoin. Je ne prends pas d'avocat. Ce n'est pas moi qui vais me retrouver devant un micro à la télévision nationale à répondre à des questions. Hope Hicks est tellement foutue qu'elle ne s'en rend même pas compte. Ils vont la mettre KO. Ils vont faire avouer Don Junior à la télé nationale. C'est déjà fait pour Michael Cohen. Il [le Président] m'a dit que tout le monde aurait pu se retrouver comme Don Junior à une réunion avec les Russes. J'ai répondu : *"Pas* tout le monde. Je suis officier de marine. Je ne vais pas à une réunion avec des Russes et, de surcroît, au quartier général, vous êtes malade ?" Et il me fait : "Mais c'est un bon garçon." Il n'y a plus eu de réunion de ce genre quand j'ai repris la campagne. »

Le ton de Bannon passe du désespoir à la résignation.

« S'il vire Mueller, ça ne fera qu'accélérer sa destitution. Pourquoi pas, allons-y. Droit devant. Pourquoi pas ? Qu'est-ce que je vais faire ? Aller le sauver ? C'est Donald Trump. Il ne s'arrêtera jamais. Il veut un Procureur général non récusé. Je lui ai dit que si Jeff Sessions s'en va, Rod Rosenstein le suit et Rachel Brand aussi – Procureur général adjointe, derrière Rosenstein dans la hiérarchie – et on va descendre comme ça jusqu'aux hommes d'Obama. Et un fidèle d'Obama va se retrouver Procureur général. Je vous ai dit que vous n'auriez pas Rudy » – Trump avait exprimé de nouveau son désir de voir ce poste occupé par ses loyalistes Rudy Giuliani ou Chris Christie – « parce qu'il a participé à la campagne et devra se récuser, comme Chris Christie. Ce sont des fantasmes masturbatoires, chassez-les de votre esprit. Et à présent, pour qu'une nomination soit confirmée, ils devront prêter serment, s'assurer que les choses vont de l'avant et ne renvoyer personne parce que vous avez dit hier – *Ehhh... Ehhh... Ehhh !* – "Pas touche aux finances de ma famille." Et ils vont exiger la promesse d'intégrer les finances familiales à l'enquête. Je lui ai dit que c'est une conséquence évidente, donc autant espérer que Sessions reste en place. »

« Hier soir, il a appelé des gens à New York pour leur demander ce qu'il devait faire, ajouta Preate. (Tout le monde à la Maison Blanche suivait le fil de la pensée de Trump en cherchant à qui il avait parlé la veille au soir.)

Bannon s'adosse à son siège et, avec une frustration grandissante, trace les grandes lignes de son plan judiciaire à la Clinton. « Ils ont attaqué avec une discipline incroyable. Ils ont foncé. » Mais, souligne-t-il, c'est une question de *discipline* et Trump est l'homme politique le moins discipliné qui soit.

La direction empruntée par Mueller et son équipe est claire, dit Bannon : ils vont suivre l'argent via Paul Manafort, Michael Flynn, Michael Cohen et Jared Kushner, et remonter petit à petit jusqu'au Président.

C'est shakespearien, dit-il, énumérant les mauvais conseils de son cercle familial : « Ce sont les génies, les mêmes qui l'ont persuadé de virer Comey, les mêmes qui, à bord d'Air Force One, ont écarté son équipe judiciaire extérieure, sachant que l'e-mail était là, qu'il existait, les mêmes ont sorti la déclaration sur Don Junior, sur le fait que cette réunion portait sur les adoptions... les mêmes génies qui essayent de faire virer Sessions.

« Regardez. Kasowitz le connaît depuis vingt-cinq ans. Il l'a tiré de toutes sortes de pétrins. Pendant la campagne, il y avait combien ? Une centaine de femmes ? Kasowitz s'est occupé de chacune d'elles. Et à présent il reste en poste quoi, quatre semaines ? Il est *stone*, maintenant, mutique. C'est l'avocat le plus coriace de New York, il est brisé. Mark Corallo, le salaud le plus dur que je connaisse, pareil. »

Jared et Ivanka pensent, poursuit Bannon, que s'ils préconisent une réforme pénitentiaire et sauvent le DACA – le programme qui protège les enfants d'immigrés illégaux – la gauche les défendra.

Il fait une brève digression pour définir le flair législatif d'Ivanka Trump et sa difficulté – devenue une vraie préoccupation à la Maison Blanche – à trouver des soutiens pour sa proposition de congé familial. « Voilà pourquoi je lui répète qu'il n'y a pas d'électeurs pour ça. Tu sais à quel point c'est facile de trouver quelqu'un pour parrainer une proposition de loi, n'importe quel abruti peut le faire. Tu sais pourquoi ta proposition n'est pas parrainée ? Parce que les gens voient à quel point elle est *idiote*. » En fait, dit Bannon, bouche bée, yeux levés au ciel, c'est l'idée de Jarvanka de tenter de troquer l'amnistie contre le mur à la frontière. « Si ce n'est pas l'idée la plus stupide de la civilisation occidentale, elle figure dans le top 3. Ces génies ont-ils la moindre idée de qui nous sommes ? »

Bannon décroche alors son téléphone et son interlocuteur lui dit que Scaramucci risque d'avoir le poste de directeur de la communication. « Ne te fous pas de moi, dit-il en riant. Ne me raconte pas de telles conneries ! »

Il raccroche en s'étonnant de nouveau devant le monde imaginaire dans lequel vivent les génies – et, pour faire bonne mesure, repasse une couche de mépris à leur égard. « Je ne leur parle littéralement pas. Vous savez pourquoi ? Je fais mon boulot et ils n'ont rien à voir avec ça, je me fous de ce qu'ils font… Je m'en tape… Je ne reste pas seul avec eux, je ne reste pas dans la même pièce qu'eux. Aujourd'hui, Ivanka est entrée dans le Bureau ovale… [et] dès qu'elle est entrée, je l'ai regardée et je suis sorti… Je ne reste pas dans la même pièce… je ne veux pas… Hope Hicks est entrée, je suis sorti. »

« Le FBI a mis le père de Jared en prison, dit Preate. Ils n'ont pas compris qu'on ne fait pas n'importe… »

« Charlie Kushner, coupe Bannon en se tapant le front, incrédule. Il devient fou parce qu'ils vont fouiner dans ses affaires pour savoir comment il finance tout… Les rabbins avec les diamants et tous ces trucs venant d'Israël… et les mecs d'Europe de l'Est… Tous ces Russes… ces types du Kazakhstan… Et il ne peut rien pour le 666 [Fifth Avenue] quand il va faire faillite l'an prochain, tout ça c'est des foutues garanties collattérales… Il est en miettes, fini, foutu, c'est terminé… Cuit. »

Il se prend la tête entre les mains un moment puis se redresse.

« Je suis assez bon pour trouver des solutions, j'en ai trouvé une pour sa campagne pourrie en une journée environ, mais là, je ne vois pas. Je ne vois pas comment il peut s'en sortir. Je lui ai donné un plan, je lui ai dit : isolez le Bureau ovale, renvoyez les deux gamins chez eux, virez Hope, tous ces parasites et écoutez l'équipe judiciaire – Kasowitz, Mark Dowd, Jay Sekulow et Mark Corallo, ce sont des professionnels qui ont déjà fait ça dans le passé. Écoutez-les et ne dites plus un mot là-dessus, contentez-vous de vous conduire comme le commandant en chef et vous pourrez être président pendant huit ans. Sinon, vous ne le pourrez pas, c'est simple. Mais il est le Président, il a le choix et va clairement choisir de suivre une autre voie... et on ne peut pas l'arrêter. Le mec veut tirer les ficelles. C'est Trump... »

Il reçoit un autre coup de fil, cette fois de Sam Nunberg. Lui aussi appelle au sujet de Scaramucci et ses paroles provoquent une sorte de stupéfaction chez Bannon : « Putain, non. Putain de merde. »

Bannon raccroche et dit : « Mon Dieu. Scaramucci. Je ne peux même pas réagir. C'est kafkaïen. Jared et Ivanka ont besoin de quelqu'un pour incarner leurs conneries. C'est de la folie. Il va rester deux jours sur le podium avant d'être abattu et de pisser le sang. Il va littéralement sauter dans une semaine. C'est pour ça que je ne prends pas ça au sérieux. Embaucher Scaramucci ? Il n'est pas qualifié pour faire quoi que ce soit. Il dirige un fonds de fonds. Vous savez ce que c'est ? Ce n'est pas un fond. Mec, c'est fou. On passe pour des bouffons. »

Dès le premier jour d'Anthony Scaramucci, le 21 juillet, Sean Spicer démissionne, ce qui, étrangement, semble prendre tout le monde au dépourvu. Lors d'une réunion avec Scaramucci, Spicer et Priebus, le Président – qui, en annonçant l'arrivée de Scaramucci au poste de directeur de la communication l'a promu devant Spicer, mais aussi devant Priebus, son chef de cabinet – suggère que les trois hommes devraient pouvoir s'entendre.

Spicer retourne dans son bureau, imprime sa lettre de démission et l'apporte au Président dérouté qui répète qu'il voulait vraiment travailler avec lui. Mais Spicer, sans doute l'homme le plus ridiculisé d'Amérique, comprend qu'on vient de lui faire un cadeau. Ses jours à la Maison Blanche sont finis.

Pour Scaramucci, l'heure de la revanche est venue. Pour lui, ses six mois d'humiliation étaient en grande partie la faute de Reince Priebus – après avoir annoncé son avenir à la Maison Blanche, vendu sa société, il s'était retrouvé sans rien, ou du moins sans rien de valeur. À présent, dans un revirement digne d'un vrai maître de l'univers – digne de Trump en personne –, Scaramucci se retrouve à la Maison Blanche, plus grand, puissant et prestigieux qu'il n'a osé l'imaginer. Et Priebus est un homme mort.

C'est le signal envoyé par le Président à Scaramucci : mettez de l'ordre ici. Aux yeux de Trump, les problèmes de son mandat ne concernaient jusque là que son équipe. Sans son équipe, plus de problèmes. Scaramucci avait donc sa feuille de route. Le fait que le Président ait traité son équipe d'incapable dès le premier jour, que cette rengaine ait été la même depuis le début de la campagne, qu'il répète qu'il veut virer tout le monde avant de se raviser et de dire *qu'il ne veut pas* virer tout le monde : tout cela passe au-dessus de la tête de Scaramucci.

Scaramucci se met à narguer Priebus en public et, au sein de la Maison Blanche, adopte une attitude de dur avec Bannon – « Je ne vais pas supporter ses conneries. » Trump semble adorer cette conduite et Scaramucci a l'impression d'être encouragé. Jared et Ivanka sont également ravis. Ils pensent avoir marqué des points avec Scaramucci et sont sûrs qu'il pourra les défendre contre Bannon et les autres.

Bannon et Priebus ont du mal à y croire, ils ont du mal aussi à ne pas éclater de rire. Pour eux, Scaramucci est soit une hallucination passagère – ils se demandent s'ils doivent juste fermer les yeux le temps que ça passe –, soit une descente de plus dans la folie.

Même comparée à d'autres semaines difficiles à la Maison Blanche de Trump, celle du 24 juillet est particulièrement éprouvante. Elle s'ouvre par une nouvelle tentative de faire abroger l'Obamacare par le Sénat, une opération qui s'apparente de plus en plus à un opéra comique. Comme toujours au Sénat, il s'agit moins d'une question de système de santé que d'une lutte entre les républicains du Congrès et entre les républicains de la Maison Blanche. La position du Parti républicain est devenue le symbole de sa guerre civile.

Ce lundi, le gendre du Président apparaît au micro devant la West Wing pour donner un aperçu de sa déclaration aux enquêteurs du Sénat sur les liens avec la Russie pendant la campagne de Trump. N'ayant que rarement parlé en public, il nie à présent toute culpabilité dans l'affaire, arguant une totale naïveté. Parlant d'une voix aiguë et sur un ton d'auto-apitoiement, il se dépeint comme un personnage à la Candide déçu par un monde cruel.

Ce soir-là, le Président se rend en Virginie-Occidentale pour s'adresser aux Boy Scouts of America. Une fois encore, son discours est en rupture avec le moment, le lieu, et le bon sens. Très vite, les Boy Scouts doivent s'en excuser auprès de leurs membres, leurs parents, et le pays tout entier. Ce bref voyage ne fait rien pour améliorer l'humeur de Trump : le lendemain matin, fulminant, il attaque encore en public son Procureur général et – pour faire bonne mesure et sans raison – poste un tweet sur son interdiction aux personnes transgenres d'intégrer l'armée. (Quatre choix en lien avec la politique de l'armée pour les personnes transgenres avaient été soumis au Président. La présentation devait donner un cadre à la discussion en cours, mais dix minutes après avoir reçu ces propositions et sans autre consultation, Trump annonça son interdiction sur Twitter.)

Le lendemain, mercredi, Scaramucci apprend qu'une de ses déclarations de situation financière a fuité. Supposant qu'il s'agit d'une attaque de ses ennemis, Scaramucci accuse directement Priebus, ce qui, de façon implicite, constitue une accusation de crime. En réalité, la déclaration de Scaramucci était un document public, accessible à tous.

Dans l'après-midi, Priebus annonce au Président qu'il comprend qu'il doit démissionner et qu'il faut parler de son remplaçant.

Puis, le soir, un petit dîner est organisé à la Maison Blanche avec différents employés anciens ou actuels de Fox News, dont

Kimberly Guilfoyle – une information qui est ébruitée. Buvant plus que d'habitude, tentant de cacher le chaos de sa vie personnelle (avoir un lien avec Guilfoyle n'allait pas aider les négociations avec sa femme) et tendu par des événements dépassant ses capacités, Scaramucci appelle un journaliste du *New Yorker* et vide son sac.

L'article qui en résulte est surréaliste – douleur et colère y sont si flagrantes que, pendant près de vingt-quatre heures, personne n'ose d'admettre qu'il a commis un suicide public. L'article cite Scaramucci parlant sans ménagement du chef de cabinet : « Reince Priebus – si vous voulez une info – va devoir démissionner très bientôt. » Déclarant qu'il avait accepté son nouveau job pour « servir le pays » et qu'il ne « tentait pas de se faire de la publicité », Scaramucci s'attaque aussi à Steve Bannon : « Je ne suis pas Steve Bannon. Je n'essaie pas de sucer ma propre bite. » (Bannon prendra connaissance de l'article quand les journalistes chargés de vérifier les faits l'appelleront pour savoir, si comme l'affirme Scaramucci, il suce sa propre bite.)

Ayant renvoyé Priebus en public, Scaramucci se conduit si bizarrement qu'on n'est plus très sûrs de savoir lequel des deux réussira à se maintenir. Sur le point d'être congédié depuis longtemps, Priebus réalise qu'il a peut-être accepté de démissionner trop tôt. Il aurait pu avoir l'occasion de virer Scaramucci !

Le vendredi, alors que l'abrogation de la loi santé échoue au Sénat, Priebus monte à bord d'Air Force One avec le Président qui doit faire un discours à New York. Scaramucci doit être du voyage. Mais pour éviter les retombées de l'article du *New Yorker*, il prétend aller rendre visite à sa mère à New York, alors qu'en fait, il se cache au Trump Hotel, à Washington. Et le voilà avec ses bagages (de fait, il allait bel et bien rester à New York et rendre visite à sa mère), agissant comme si de rien n'était.

Pendant le vol du retour, Priebus et le Président discutent du moment de son départ et ce dernier l'encourage à faire les choses correctement et à prendre son temps. « Dites-moi ce qui est le mieux pour vous, dit Trump. Faisons bien les choses. »

Quelques minutes plus tard, Priebus descend de l'avion et une alerte de son téléphone l'informe que le Président vient d'annoncer

sur Twitter avoir un nouveau chef de cabinet, John Kelly, le secrétaire à la Sécurité intérieure des États-Unis, et que lui, Priebus,
prend la porte.

La présidence de Trump n'a que six mois, mais la question
d'un remplaçant pour Priebus a, dès le départ, constitué un sujet
de discussion. Parmi les candidats se trouvaient Powell et Cohn,
les favoris de Jarvanka ; le directeur du Bureau de la gestion et
du budget, Mick Mulvaney, un des choix de Bannon ; et Kelly.

En fait, Kelly – qui s'excusa platement auprès de Priebus pour
le manque de courtoisie avec lequel avait été traitée sa démission –
n'a pas été consulté à propos de sa nomination. Il l'apprend par
le tweet du Président.

Mais il n'y a pas de temps à perdre. Désormais, le problème
principal du gouvernement Trump est de trouver quelqu'un pour
virer Scaramucci. Puisque Scaramucci s'est débarrassé de Priebus
– qui logiquement aurait dû le renvoyer – le nouveau chef de
cabinet doit s'en charger au plus vite.

Et six jours plus tard, quelques heures après avoir prêté serment,
Kelly renvoie Scaramucci.

Calmé, le jeune Premier couple, ces génies qui avaient recruté
Scaramucci, paniquent à l'idée d'être accusés, à juste titre, de l'une
des embauches les plus ridicules, voire catastrophiques dans l'histoire contemporaine de la Maison Blanche. Et ils s'empressent
de dire à quel point ils soutiennent la décision de congédier Scaramucci.

« Donc, je te colle mon poing dans la figure, remarque un Sean
Spicer sur la touche, et je dis ensuite : "Oh, mon dieu, il faut te
conduire à l'hôpital !". »

22

Général Kelly

Le 4 août, le Président et des membres clés de la West Wing partent pour le golf de Trump, à Bedminster. Le nouveau chef de cabinet, le général Kelly, est présent, mais pas le conseiller stratégique du président, Steve Bannon. Trump se montre grincheux au sujet du voyage de dix-sept jours qui l'attend, et agacé que ses parties de golf soient moquées par les médias. Désormais, il part donc en « déplacement professionnel » – autre exemple de sa vanité qui suscite haussements d'épaules et hochements de tête de l'équipe chargée de son agenda : ils doivent faire passer pour du travail les immenses plages de temps libérées pour le golf.

En l'absence du président, la West Wing doit être rénovée – Trump, à la fois hôtelier et décorateur, se dit « dégoûté » par son état. Il refuse de s'installer dans le bâtiment tout proche du Bureau exécutif où seraient temporairement gérées les affaires de la West Wing – et où Steve Bannon est assis, attendant son appel pour se rendre à Bedminster.

Bannon répète qu'il est sur le point de partir à Bedminster, mais l'invitation tarde. S'attribuant le mérite d'avoir fait venir Kelly au gouvernement, il n'est pas sûr de ce que pense de lui le nouveau chef de cabinet. Il demande à d'autres si Kelly l'apprécie. Plus généralement, il ne sait pas trop ce que fait Kelly, hormis son devoir. Où est la place du nouveau chef de cabinet dans l'univers de Trump ?

Si Kelly se situe quelque part au centre droit du spectre politique et s'est révélé un homme de main coriace sur la politique de l'immigration à la Sécurité intérieure, il n'est certainement pas aussi extrémiste que Bannon ou Trump. « Ce n'est pas un pur et dur », dit Bannon avec regrets. Cependant, Kelly n'est, en aucune façon, proche des progressistes new-yorkais de la Maison Blanche. Mais la politique n'était pas de son ressort. À la tête de la Sécurité intérieure, il a regardé avec dégoût le chaos à la Maison Blanche et songé à démissionner. À présent, il a accepté d'essayer de le mater. À 67 ans, il est déterminé, sévère, sérieux. « Ça lui arrive de sourire ? » demande Trump, pensant déjà avoir été roulé en le nommant.

Certains pro-Trump, en particulier les plus proches, pensent qu'il s'est fait manipuler pour s'être soumis d'une façon si peu trumpienne. Roger Stone, l'un de ceux dont les appels au président sont à présent filtrés par le chef de cabinet, propage la rumeur sinistre selon laquelle Mattis, McMaster et Kelly se sont entendus pour qu'aucune intervention militaire n'ait lieu sans leur accord – et qu'au moins l'un d'eux soit toujours présent à Washington en l'absence des autres.

Après le renvoi de Scaramucci, la famille de Trump et Steve Bannon constituent les deux problèmes urgents de Kelly, à l'ordre du jour de Bedminster. Les uns ou l'autre doivent clairement partir. Voire les deux.

Pour un chef de cabinet dont la fonction est d'établir un processus de commandement et de faire respecter la hiérarchie – orienter un canal décisionnel vers le Président – il n'est pas évident qu'il puisse travailler efficacement ou même exister dans une Maison Blanche où les enfants du président bénéficient d'un accès particulier et d'une influence déterminante.

Si la fille et le gendre de Trump affichent désormais un respect servile devant les responsables du nouveau commandement, ils vont sûrement, par habitude et caractère, fouler aux pieds son contrôle de la West Wing. Ils ont non seulement une influence particulière sur le Président, mais ses collaborateurs importants les considèrent puissants – ils sont les personnages clés de l'avancement et du pouvoir dans la West Wing.

Curieusement, malgré leur inexpérience, Jared et Ivanka sont devenus une présence redoutable, craints par les autres comme eux-mêmes craignent Bannon. Qui plus est, ils sont doués pour les luttes intestines et les fuites – ayant accès au président *et à* des canaux secrets – même si, offusqués, ils osent affirmer qu'ils n'ont jamais rien divulgué. « Comme ils ont fabriqué et protégé leur image, dès qu'ils entendent quelqu'un parler d'eux ou tenter de percer cette façade, ils sont contrariés et cherchent à se venger », dit un membre de l'état-major.

D'un autre côté, si « les enfants » peuvent rendre le travail de Kelly impossible, garder Bannon n'a pas non plus beaucoup de sens. Quels que soient ses talents, c'est un comploteur invétéré et mécontent, qui agit de façon insidieuse dans n'importe quelle organisation. Et, alors que débute la pause à Bedminster – de travail ou non –, Bannon figure une fois de plus sur la liste noire du président.

Trump fulmine toujours à cause de *The Devil's Bargain*, le livre de Joshua Green attribuant à Bannon tout le mérite de son élection. Et si le Président tend à se ranger du côté de Bannon contre McMaster, la campagne de défense de celui-ci, soutenue par Jared et Ivanka, fait son effet. Murdoch, recruté par Jared pour défendre McMaster, fait pression sur le président pour qu'il renvoie Bannon. Les pro-Bannon sentent qu'ils doivent le protéger d'une décision impulsive du président : pour l'instant, ils calomnient McMaster au sujet d'Israël et persuadent Sheldon Adelson de faire pression sur Trump – ce dernier dit au président que Bannon est la seule personne en qui il a confiance à propos d'Israël à la Maison Blanche. Les milliards d'Adelson et sa cruauté impressionnent toujours Trump, et son appui, estime Bannon, consolide sa position.

Mais au-delà de sa gestion du dysfonctionnement de la West Wing, le succès de Kelly – ou sa pertinence, comme lui glisse à l'oreille toute personne en position de lui donner un avis – dépend de sa capacité à relever le défi crucial de son poste : contrôler Trump. Ou plutôt, réussir à vivre sans le gérer. Ses désirs, besoins et pulsions doivent exister – *nécessairement* exister – hors de la structure hiérarchique. Trump constitue la seule variable qui ne peut, en termes de management, être contrôlée. C'est un enfant de 2 ans récalcitrant. Si vous tentez de lui dire quoi faire, vous obtiendrez l'effet inverse. En cela, le chef doit donc fermement gérer ses propres attentes.

Lors d'une réunion matinale avec le Président, le général Kelly parle de Jared et Ivanka : comment le Président voit leur rôle et son évolution et ce qui, selon lui, fonctionne ou ne fonctionne pas à leur sujet – une façon d'aborder leur départ. Et Kelly apprend vite que le Président est ravi de tout ce qu'ils font dans la West Wing. Jared deviendra peut-être secrétaire d'État – c'est le seul changement qu'il envisage. Ainsi, Kelly ne peut que lui faire admettre que le couple doit mieux respecter la discipline et ne pas passer devant les autres.

C'est au moins quelque chose que le général pourrait tenter de faire respecter. Lors d'un dîner à Bedminster entre le Président, sa fille et son gendre, ils sont surpris de voir Kelly les rejoindre à table. Ils comprennent vite qu'il ne tente pas de faire plus ample connaissance, ou qu'il se montre trop familier. Il met en application les règles : Jared et Ivanka doivent passer par lui pour parler au président.

Mais Trump a bien souligné que le rôle de ses enfants dans son administration n'a besoin que d'un ajustement mineur, ce qui pose un problème majeur à Bannon. Ce dernier a vraiment cru que Kelly allait trouver un moyen de renvoyer Jarvanka au bercail. C'était obligé. Bannon s'est alors convaincu qu'ils représentent le plus gros danger pour Trump. Ils le mènent à sa perte. Ainsi Bannon pense-t-il que *le président* ne peut pas rester à la Maison Blanche s'ils y restent.

Au-delà de l'irritation de Trump envers Bannon, vue par beaucoup comme son ressentiment habituel, les pro-Bannon sentent que leur chef prend le dessus, au moins sur le principe. Jarvanka est marginalisé ; après la réforme de la santé, le Parti républicain se retrouve discrédité ; la réforme fiscale de Cohn et Mnuchin est un gâchis. À côté, l'avenir de Bannon semble presque rose.

Sam Nunberg, l'ancien allié de Trump passé dans le camp de Bannon, pense que ce dernier va rester deux ans à la Maison Blanche avant de s'occuper de la campagne de réélection du pré-sident. « Si on peut faire élire cet idiot deux fois », s'émerveille Nunberg, on peut obtenir une sorte d'immortalité politique.

Par ailleurs, Bannon ne peut pas rester en poste. Ayant pris de la hauteur, il est maintenant capable de réaliser à quel point la Maison Blanche est devenue ridicule. Il a du mal à tenir sa langue – d'ailleurs, il ne la tient pas. Il n'arrive pas à envisager l'avenir de l'administration Trump. Et si de nombreux pro-Bannon soutiennent que Jarvanka est inutile et inefficace – un couple juste bon à ignorer, lui disent-ils –, Bannon, avec une férocité croissante, le supporte chaque jour un peu moins.

Toujours dans l'attente de l'appel du président l'invitant à Bedminster, il décide de forcer les choses et propose sa démission à Kelly – une tactique d'intimidation car il souhaite bien rester. D'un autre côté, il veut voir partir Jarvanka, c'est donc un ultimatum.

Lors du déjeuner, le 8 août, au club-house de Bedminster – au milieu des lustres, des trophées de golf et des souvenirs de tournois –, le Président est flanqué de Tom Price, secrétaire à la Santé et aux Services sociaux, et de sa femme, Melania. Kellyanne Conway est présente, ainsi que Kushner et plusieurs autres. C'est l'un des événements « de travail » : pendant le repas, une discussion s'engage sur l'épidémie des opioïdes, suivie d'une déclaration du président et d'une brève série de questions de la presse. Lisant sa déclaration d'un ton monotone, Trump, accoudé, garde la tête baissée.

Après des questions banales sur les opiacés, un journaliste en pose une sur la Corée du Nord. Soudain, après un arrêt sur image, Trump s'anime.

La Corée du Nord, pense-t-il, est un problème complexe sur lequel peu de réponses ont été apportées, créé par des esprits inférieurs et faibles – et il a du mal à y prêter attention. De plus, il a personnalisé son antagonisme avec le dirigeant nord-coréen, Kim Jong-un, qu'il insulte fréquemment.

Son entourage ne l'a pas préparé à cette question, mais soulagé de s'écarter de la discussion sur les opiacés, et satisfait d'aborder ce problème persistant, il s'aventure, par des propos qu'il a souvent répétés en privé – il se répète souvent pour tout – au bord du gouffre d'une crise internationale.

« La Corée du Nord ferait bien de cesser de menacer les États-Unis. Elle se heurtera au feu et à la fureur, à un degré que le monde n'a jamais vu. Elle a été très menaçante, au-delà de ce qui est normal et j'ai dit, la Corée affrontera le feu, la fureur et franchement à une puissance telle que le monde n'en a jamais vu auparavant. Merci. »

La Corée du Nord, problème que le Président aurait dû minimiser, comme on le lui a conseillé, devient un thème central pendant le reste de la semaine. L'état-major est moins préoccupé par le sujet lui-même que par la réaction de Trump qui menace « d'exploser » à nouveau.

Dans ce contexte, presque personne ne prête attention à Richard Spencer, soutien de Trump et le militant d'extrême droite qui annonce l'organisation d'une manifestation à l'université de Virginie, à Charlottesville, contre le déboulonnage de la statue de Robert E. Lee. « Unite the Right[1] », thème d'un rassemblement le samedi 12 août, est clairement conçu pour lier la politique de Trump au nationalisme blanc.

Le 11 août, alors qu'à Bedminster le Président menace encore la Corée du Nord – et évoque, de façon inexplicable, une intervention armée au Venezuela –, Spencer appelle à manifester le soir.

À 20 h 45, environ 250 jeunes hommes en polos et pantalons de toile, style vestimentaire très trumpien, organisent un défilé sur le campus universitaire en portant des torches de jardin. L'encadrement, équipé de casques à écouteurs, gère les manifestants. À son signal, ils commencent à scander les slogans officiels du mouvement : « Le sang et le sol ! » « Vous ne nous remplacerez pas ! » « Les juifs ne nous remplaceront pas ! » Bientôt, au centre du campus, près d'une statue du fondateur de l'université, Thomas Jefferson, le groupe de Spencer se retrouve face à une contre-manifestation. Sans véritable présence policière, c'est le premier affrontement du week-end, avec des blessés.

Le lendemain matin, à 8 heures, le parc près de la statue de Lee devient un champ de bataille avec déferlement de racistes blancs

---

1. « Unir la droite ».

armés de matraques, boucliers, gaz lacrymogène et fusils automatiques (la Virginie autorise le port d'armes en public) – un mouvement issu de la campagne et de l'élection de Trump, comme Richard Spencer veut en donner l'impression. Face à eux, une gauche militante et endurcie appelle à résister. Malgré le nombre limité de participants, la scène ressemble à la fin des temps. Une série de charges et de ripostes a lieu durant la matinée – un combat à coups de pierres et de bouteilles, à côté d'une police qui n'intervient pas.

Les événements qui ont lieu à Charlottesville font peu de bruit à Bedminster. Puis vers 13 heures, James Alex Fields Jr., nazi en puissance de 20 ans, fonce à bord de sa Dodge Charger dans un groupe de contre-manifestants, tuant Heather Heyer (32 ans) et blessant plusieurs personnes.

Dans un tweet rédigé à la hâte par son équipe, le Président déclare : « Nous devons TOUS être unis et condamner ce que cette haine représente. Il n'y a pas de place pour ce type de violence en Amérique. Unissons-nous ! »

Malgré tout, il s'agit d'une journée ordinaire pour le président : Charlottesville représente une simple distraction et l'état-major tente de détourner Trump de la Corée du Nord. Ce jour-là, l'événement principal à Bedminster est la signature d'une loi sur le financement d'un programme permettant aux anciens combattants d'être soignés en dehors d'hôpitaux spécifiques. La cérémonie a lieu dans une grande salle de réception du club-house, deux heures après l'attaque d'Alex Field.

Durant la signature, Trump prend un instant pour condamner la « haine, le sectarisme et la violence de tous les côtés » à Charlottesville. Aussitôt, il est attaqué pour son refus apparent de différencier les racistes confirmés et l'autre camp. Comme l'a bien compris Richard Spencer, les sympathies du président sont ambiguës.

Même s'il est simple et évident de condamner les racistes blancs – voire des néonazis autoproclamés –, il résiste instinctivement.

Il faut attendre le lendemain matin pour que la Maison Blanche tente enfin de clarifier la position de Trump par un communiqué officiel : « Le Président a dit très fermement hier dans sa déclaration qu'il condamne toutes formes de violence, de sectarisme et de haine. Bien sûr, cela inclut les suprémacistes blancs, le KKK, les néonazis et tous les groupes extrémistes. Il a appelé de ses vœux à l'unité nationale et au rassemblement de tous les Américains. »

Mais en fait, il n'a pas condamné les suprémacistes blancs, le Ku Klux Klan et les néonazis, et s'entête à ne pas le faire.

Lors d'un coup de fil à Bannon, Trump cherche de l'aide pour étayer ses arguments : « Où cela va finir ? Vont-ils abattre le Washington Monument, le Mont Rushmore et Mount Vernon ? » Bannon – attendant toujours son invitation pour Bedminster – lui conseille de condamner la violence et les asociaux, tout en défendant l'histoire (malgré le peu de culture de Trump). Souligner le problème précis des monuments agacerait la gauche et réconforterait la droite.

Mais Jared et Ivanka, épaulés par Kelly, lui recommandent une conduite présidentielle. Trump doit rentrer à la Maison Blanche et critiquer vivement les groupes haineux et les racistes – le genre de position sans ambiguïté que Trump ne prendra pas de son plein gré, selon le raisonnement de Richard Spencer.

Comprenant ces tendances chez Trump, Bannon fait pression sur Kelly, lui disant que l'approche de Jarvanka aura l'effet inverse : *son manque de sincérité serait évident*, dit-il.

Peu avant 11 heures, lundi matin, le Président arrive à la Maison Blanche en travaux, sous une avalanche de questions à propos de Charlottesville : « Condamnez-vous les actions des néonazis ? Condamnez-vous les actions des suprémacistes blancs ? » Une heure et demie plus tard, il se tient dans le salon de réception des diplomates, les yeux rivés sur le prompteur, et fait une déclaration de six minutes.

Mais il ne vient pas tout de suite à l'essentiel : « Notre économie est forte à présent. La Bourse continue de battre des records, le chômage est au plus bas depuis seize ans, et les entreprises sont plus optimistes que jamais. Elles regagnent les États-Unis et amènent des milliers d'emplois avec elles. Nous avons déjà créé plus d'un million d'emplois depuis ma prise de fonctions. »

Puis, seulement : « Nous devons nous aimer les uns les autres, nous montrer de l'affection et nous unir pour condamner la haine, le sectarisme et la violence... Nous devons redécouvrir les liens de l'amour et de la loyauté qui nous unissent en tant qu'Américains... Le racisme, c'est le mal. Et ceux qui causent la violence en son nom sont des criminels et des voyous, y compris le KKK, les néonazis, les suprémacistes blancs et tout autre groupe haineux qui sont répugnants face à tout ce qui nous est cher en tant qu'Américains. »

Il s'incline, avec réticence, en une sorte de nouveau rétropédalage après celui qui concernait le lieu de naissance d'Obama durant la campagne : beaucoup de faux-fuyants, puis une admission marmonnée. En tentant de s'aligner sur la ligne du parti à Charlottesville, il donne l'image d'un gamin convoqué dans le bureau du directeur. Amer et irascible, il lit clairement un texte qui n'est pas le sien.

D'ailleurs, peu de gens accordent foi à ces remarques au style présidentiel et les journalistes hurlent : pourquoi lui a-t-il fallu tant de temps pour aborder ce problème ? En montant à bord de Marine One pour retourner à l'Andrews Air Force Base, puis à JFK, Manhattan et la Trump Tower, le Président est d'humeur sombre et résignée. En privé, il tente de trouver une explication logique au fait d'être membre du KKK – on peut ne pas vraiment croire aux idées du KKK qui n'a sans doute plus les mêmes convictions que dans le passé, mais d'ailleurs qui sait ce que pense le KKK aujourd'hui ? En fait, dit-il, son père a été accusé d'être impliqué dans le KKK – faux. (En réalité, oui, c'est vrai.)

Le lendemain, mardi 15 août, la Maison Blanche a prévu une conférence de presse à la Trump Tower. Bannon demande à Kelly de l'annuler. Elle est inutile de toute façon puisqu'elle doit traiter d'infrastructure – de l'annulation d'un arrêté sur l'environnement, ce qui pouvait permettre d'accélérer certains projets. Mais c'est surtout un moyen de montrer que Trump travaille, qu'il n'est pas en vacances. Pourquoi s'en soucier alors ? De plus, Bannon dit à Kelly qu'il remarque certains signes : la pression de la cocotte-minute Trump augmente et elle va exploser sous peu.

La conférence de presse a finalement lieu. Derrière le pupitre, dans le hall de la Trump Tower, le Président reste quelques minutes dans les clous.

Sur la défensive, il se positionne de telle façon que la faute se trouve de tous côtés, et il s'enferre dans son explication. Il continue sans pouvoir accorder ses émotions à la situation politique du moment, et sans même faire un effort pour se sauver lui-même – un exemple de plus, dans une longue série, de l'homme politique personnage d'un film d'humour absurde qui dit tout ce qui lui passe par la tête. Sans filtre. Proche de la folie.

« Et l'extrême gauche qui a chargé l'extrême droite, comme vous dites ? N'a-t-elle pas une part de culpabilité ? Et que dire du fait qu'elle a chargé matraques à la main ? En ce qui me concerne, ça a été une journée horrible, horrible… Je pense qu'il y a des torts des deux côtés. Je n'ai pas de doute là-dessus, vous n'en avez pas non plus. Si vous rapportiez les faits correctement, vous le verriez. »

Attendant toujours dans son bureau temporaire, Steve Bannon se dit, *oh, mon Dieu, il y va. Je l'avais bien dit.*

En dehors de la partie de l'électorat qui, comme l'a affirmé Trump, le laisserait tirer sur quelqu'un dans la 5ᵉ Avenue, le monde civilisé est assez universellement atterré. Toute personne ayant un poste à responsabilité et un attachement à une idée de respectabilité de l'establishment se doit de le désavouer. Les directeurs généraux d'entreprises qui s'étaient associés à la Maison Blanche de Trump doivent désormais couper les liens. Le problème principal ne porte pas sur ses sentiments apparemment rétrogrades – Bannon affirme que Trump n'est pas antisémite ; pour le reste, il n'est pas sûr –, mais sur le fait qu'il ne peut pas se contrôler.

Après cette conférence de presse désastreuse, les regards se tournent soudain vers Kelly. C'est son baptême du feu avec Trump. Spicer, Priebus, Cohn, Powell, Bannon, Tillerson, Mattis, Mnuchin – l'état-major et le cabinet de la présidence Trump, passés et présents, ont traversé des moments d'incertitude, de défi, de frustration, de combat, d'autojustification et de doute, avant de réaliser que, vraisemblablement, l'homme pour lequel ils travaillent – et

qu'ils ont aidé à faire élire – ne possède pas les ressources nécessaires pour assurer ses fonctions de manière adéquate. Aujourd'hui,
après moins de deux semaines à son poste, c'est au tour de Kelly
d'être au bord du précipice.

Le débat, selon Bannon, n'est pas de déterminer à quel point
la situation du président est mauvaise, mais de savoir si elle est
suffisamment mauvaise pour relever du 25e amendement[1].

Pour Bannon, sinon pour Trump, le pivot du trumpisme c'est
la Chine. L'histoire de la prochaine génération, croit-il, est écrite
et elle devra faire face à une guerre avec la Chine. Une guerre
commerciale, culturelle, diplomatique – un conflit global doit être
mené alors que presque personne en Amérique n'est prêt à se
battre.

Bannon avait compilé une liste de « faucons de la Chine » qui
franchissent les lignes politiques, allant du gang de Breitbart à
l'ancien rédacteur en chef du *New Republic* Peter Beinart – qui
n'avait que mépris pour Bannon – et au progressiste et loyal Robert
Kuttner, à la tête du petit magazine *American Prospect*. Mercredi
16 août, au lendemain de la conférence de presse du président à
la Trump Tower, Bannon, dans son bureau temporaire, appelle
Kuttner de façon inattendue pour parler de la Chine.

Bannon est alors convaincu qu'il va quitter la Maison Blanche.
Il n'a pas reçu d'invitation à rejoindre le Président à Bedminster,
signe que sa cote est en déclin. Ce jour-là, il apprend la nomination d'Hope Hicks au poste de directrice de la communication
temporaire – une victoire de Jarvanka. Les murmures du camp de
Jarvanka continuent à annoncer sa mort certaine, et ces murmures
deviennent un bruit de fond constant.

Bannon n'est toujours pas sûr d'être renvoyé. Pourtant, il appelle
Kuttner pour accorder sa deuxième interview depuis la victoire
de Trump et, de fait, il scelle son propre sort. S'il affirme ensuite
que la conversation n'était pas « on the record », c'est sa méthode
– Bannon tente simplement le sort.

---

1. Amendement définissant le processus de destitution du président.

Trump a désespérément fait du Trump lors de sa dernière conférence de presse, et Bannon fait du Bannon en discutant avec Kuttner. Il tente de venir au secours d'un Trump qu'il fait passer pour faible face à la Chine. Il corrige, sur le ton de la moquerie, l'esbroufe du Président sur la Corée du Nord – « dix millions de personnes à Séoul » vont mourir, déclare-t-il. Et il insulte ses ennemis internes – « Ils se pissent dessus. »

Si Trump est incapable d'avoir l'air d'un président, Bannon lui ressemble : il est incapable d'avoir l'air d'un conseiller présidentiel.

Ce soir-là, un groupe pro-Bannon se rassemble près de la Maison Blanche pour dîner au bar de l'hôtel Hay-Adams. Mais Arthur Schwartz, un chargé de relations publiques, a une altercation avec un barman qui refuse de changer de chaîne pour se brancher sur Fox où son client, Stephen Schwarzman de la banque Blackstone, directeur d'un des conseils économiques du président, doit parler. Le Conseil économique perd ses membres les uns après les autres depuis la conférence de presse sur Charlottesville, et Trump, dans un tweet, avait annoncé sa dissolution. (Voyant le Conseil se vider, Schwarzman avait proposé au président de prétendre, au moins, de décider d'y mettre fin.)

Offensé, Schwartz annonce qu'il quitte le Hay-Adams pour s'installer au Trump Hotel. Il insiste également pour que le dîner ait lieu chez Joe's, antenne du restaurant Joe's Stone Crab de Miami. Matthew Boyle, du service politique de Breitbart News, pris dans le tourbillon du départ acrimonieux de Schwartz, se voit houspiller pour avoir allumé une cigarette. « Je ne connais aucun fumeur », grimace-t-il. Bien que Schwartz soit bien dans le camp de Bannon, cette remarque sous-entend que les employés de Breitbart n'ont, selon lui, aucune classe.

Ces deux pro-Bannon débatent des conséquences de l'interview du conseiller stratégique, qui a pris tout le monde au dépourvu. Ni l'un ni l'autre ne comprend pourquoi il l'a accordée.

Bannon est-il fini ?

Non, non, non, argumente Schwartz. Il l'a peut-être été quelques semaines plus tôt, quand Murdoch s'est ligué avec McMaster, allant voir le Président pour l'inciter à renvoyer Bannon. Mais Sheldon a tout arrangé, dit Schwartz.

« Steve est resté chez lui quand Abbas est venu, poursuit-il. Il n'allait pas respirer le même air qu'un terroriste. » C'est précisément la phrase que Schwartz servira aux journalistes les jours suivants, soulignant ainsi les convictions de droite de Bannon.

Alexandra Preate, bras droit de Bannon, arrive essouflée chez Joe's. Quelques secondes plus tard, Jason Miller, autre chargé de relations publiques dans le camp de Bannon, les rejoint. Pendant la transition, Miller avait été envisagé comme directeur de la communication, mais il avait eu une liaison avec une personne de l'équipe, qui était enceinte de lui – au même moment que la femme de Miller. Ayant perdu son poste promis à la Maison Blanche mais continuant à agir en tant que voix de Trump et de Bannon à l'extérieur, Miller affronte aujourd'hui, depuis la naissance de ses enfants de deux femmes différentes, une nouvelle vague d'articles de presse négatifs. Pourtant, il est concentré, à la limite de l'obsession, sur la signification de l'interview de Bannon.

À présent, la table bourdonne de spéculations. Comment le président réagira-t-il ?

Comment Kelly réagira-t-il ?

Est-ce la fin ?

Pour les proches de Bannon, qui le côtoient en permanence, il semble incroyable que personne ne comprenne que, forcé ou non, il va sûrement quitter la Maison Blanche. Au contraire, l'interview préjudiciable s'est, de l'avis général, convertie en stratégie de génie. Bannon ne va pas partir – d'autant que sans lui, Trump n'existe pas.

Le dîner est très animé, une bonne occasion de réunir un groupe de gens passionnés attachés à un homme considéré comme le personnage le plus fascinant de Washington. Il est vu comme un irréductible : Bannon est Bannon, un point c'est tout.

Au cours de la soirée, Matt Boyle se bat par SMS interposés avec Jonathan Swan, journaliste accrédité à la Maison Blanche auteur d'un article annonçant que Bannon va perdre le duel contre McMaster. Très vite, tous les reporters de la ville ayant un bon réseau échangent des messages avec un des convives. Quand un SMS arrive, le destinataire brandit son téléphone si le nom qui s'affiche est celui d'un journaliste important. À un moment, Bannon envoie un SMS à Schwartz avec quelques points à débattre. Est-ce seulement un jour ordinaire dans un drame trumpien sans fin ?

Schwartz, qui a l'air de considérer la stupidité de Trump comme une donnée politique de base, offre une analyse vigoureuse sur la raison pour laquelle le Président ne peut pas se passer de Bannon. Puis, cherchant des preuves supplémentaires pour alimenter sa théorie, il envoie un SMS à Sam Nunberg, considéré comme l'homme comprenant le mieux les lubies et les impulsions de Trump, et qui avait sagement prédit la survie de Bannon à chaque moment de doute au cours des derniers mois.

« Nunberg sait toujours », dit Schwartz.

Quelques secondes plus tard, Schwartz relève la tête. Il écarquille les yeux, reste silencieux un instant. Puis, il lance : « Nunberg dit que Bannon est mort. »

Et en effet, à l'insu de ses partisans, même les plus proches, Bannon est en train de finaliser sa sortie avec Kelly. Le lendemain, il démenagera son petit bureau et, le lundi, quand Trump regagnera dans la West Wing renovée – peintures refaites, nouveaux meubles et tapis, décoration dans l'esprit du Trump Hotel – Steve Bannon sera de retour à l'ambassade Breitbart, à Capitol Hill, toujours sûr d'être le grand stratège de la révolution Trump.

Épilogue

Bannon et Trump

Par une matinée étouffante d'octobre 2017, l'homme qui a plus ou moins seul provoqué le retrait américain de l'accord de Paris sur le climat, se tient sur les marches de l'hôtel particulier de Breitbart et s'exclame, avec un rire franc : « Je suppose que le réchauffement climatique est bien réel. »

Steve Bannon a perdu dix kilos depuis son départ de la Maison Blanche, six semaines plus tôt – il fait un régime à base de sushis. « Ce bâtiment, dit son ami David Bossie, à propos de la Maison Blanche et en particulier celle de Trump, prend des gens en parfaite santé et les renvoie vieux et malades. » Mais Bannon, décrit par Bossie comme à bout de forces durant ses derniers jours dans la West Wing, est à nouveau, « en pleine forme ». Il a quitté son studio d'Arlington pour revenir à l'ambassade Breitbart transformée en quartier général pour la prochaine étape du mouvement Trump, qui pourrait bien ne pas inclure Trump lui-même.

Interrogé sur la mainmise de Trump sur le mouvement national-populiste, Bannon annonce un changement significatif dans le paysage politique américain : « *Je* suis le leader du mouvement national-populiste. »

La fanfaronnade et la nouvelle détermination de Bannon viennent du fait que Trump, sans raison évidente, soutient Mitch McConnell, le candidat de l'establishment plutôt que le populiste, aux primaires républicaines en Alabama, pour le siège au Sénat laissé vacant par le Procureur général Jeff Sessions. Après tout, McConnell et le Président se parlent à peine. Durant les « vacances studieuses » du Président à Bedminster, en août, ses collaborateurs ont tenté d'organiser une réunion de réconcialition avec McConnell, celui-ci a fait répondre que c'était impossible : il avait rendez-vous chez le coiffeur.

Le Président – blessé et troublé par son incapacité à s'entendre avec les dirigeants du Congrès et réciproquement – se déclare en faveur de Luther Strange, soutenu par McConnell, qui se présente contre le candidat de Bannon, le fauteur de troubles Roy Moore. (Même pour l'Alabama, Moore se situe à l'extrême droite : il a perdu son poste de président de la Cour suprême de l'État en refusant de retirer un monument dédié aux Dix Commandements situé devant le tribunal, malgré une décision de cette même Cour.)

Pour Bannon, le raisonnement politique de Trump est, au mieux, obtus. Il n'obtiendra sans doute rien de McConnell – et n'a rien demandé en échange de son soutien à Luther Strange, annoncé dans un tweet en août. Si les espoirs de Strange sont faibles, il risque en outre une défaite humiliante. Roy Moore est le candidat évident de la base de Trump – et c'est celui de Bannon. Il s'agit donc d'une compétition : Trump contre Bannon. En fait, le Président n'a pas à exprimer de soutien. Personne ne se serait plaint s'il était resté neutre dans une primaire. Ou s'il avait tacitement soutenu Strange, sans en rajouter à longueur de tweets.

Pour Bannon, cet épisode souligne moins la confusion étrange et constante du président à propos de ce qu'il représente, que ses motivations versatiles, excessives et souvent farfelues. Contre toute logique politique, il soutient Luther Strange, parce que, confie-t-il à Bannon, « Luther est mon ami ».

« Il a dit ça comme un enfant de 9 ans », raconte Bannon avec répugnance, soulignant qu'il n'y a aucun domaine dans lequel Trump et Strange se montrent amis.

Pour les membres de l'état-major de la Maison Blanche, ce sera une énigme sans fin dans leur gestion du président : le « pourquoi » de sa conduite souvent déroutante.

« Fondamentalement, le président veut être aimé, analyse Katie Walsh. Il a fondamentalement tant besoin d'être aimé que c'est toujours... tout est une lutte pour lui. »

Ce qui se traduit par un besoin permanent de gagner quelque chose – n'importe quoi. Tout aussi essentiel : il doit *avoir l'air* d'un gagnant. Bien sûr, tenter de gagner sans considération, plan ou objectifs clairs, n'a entraîné que des pertes au cours des neuf premiers mois de l'administration. En même temps, confondant toute logique politique, ce manque de stratégie, cette impulsivité, ce plaisir apparent de l'affrontement, ont contribué à créer cette turbulence qui semble, pour beaucoup, joyeusement pulvériser le *statu quo*.

Mais à présent, Bannon pense que l'attrait pour la nouveauté s'émousse enfin.

Selon lui, la course entre Strange et Moore a mis le culte de la personnalité de Trump à l'épreuve. Le Président continue à croire que les gens *le* suivent, qu'il incarne le mouvement – et que son soutien vaut 8 à 10 points dans n'importe quelle élection. Bannon a décidé de mettre cette thèse à l'épreuve, et de le faire le plus spectaculairement possible. Globalement, les leaders de la majorité républicaine au Sénat et d'autres ont dépensé 32 millions de dollars pour la campagne de Strange, tandis que celle de Moore a coûté 2 millions.

Bien que conscient du retard de Strange dans les sondages, Trump accepte d'intensifier son soutien et de se déplacer. Mais son apparition à Huntsville, en Alabama, le 22 septembre, devant une foule énorme, est un coup de grâce politique. Il prononce un vrai discours à la mode Trump : quatre-vingt-dix minutes de digressions et d'improvisation – le mur sera construit (et sera transparent), l'interférence des Russes dans l'élection américaine est un mensonge, il renverra tous ceux qui soutiennent Moore dans son cabinet. Mais si sa base se déplace en masse, toujours attirée par la nouveauté que représente Trump, son soutien à Luther Strange suscite, au mieux, un silence gêné. Alors que la foule commence à s'agiter, le rassemblement menace de se transformer en un effroyable embarras.

Comprenant son public et cherchant désespérément une issue, Trump évoque soudain Colin Kaepernick qui s'est agenouillé pendant l'hymne américain lors d'un match de la National Football

League – phrase qui lui vaut une *standing ovation*. Le Président abandonne donc Luther Strange pour le reste du discours. De la même manière, la semaine suivante, il continue d'attaquer la NFL. Et n'accorde pas la moindre attention à la défaite retentissante de Strange, cinq jours après Huntsville. Peu importe la taille et l'échelle du rejet de Trump, le triomphe de Moore et de Bannon et son lot de nouvelles perturbations à venir, Trump a trouvé un nouveau sujet, et un bon : le footballeur à genoux.

Tous ceux qui ont intégré la Maison Blanche de Trump ont cru à ce principe fondamental : *ça peut marcher. Nous pouvons faire en sorte que ça marche.* Neuf mois après le début du mandat de Trump, il n'y a plus un membre de l'état-major qui y adhère encore. La plupart des hauts responsables pensent que la seule utilité à faire partie de l'administration Trump, c'est d'empêcher le pire de se produire.

Début octobre, le sort du secrétaire d'État Rex Tillerson est réglé – si son ambivalence envers le Président ne l'avait pas déjà fait – après la révélation qu'il a qualifié Trump de « putain d'idiot ».

Insulter l'intelligence de Trump est à la fois la chose à ne pas faire, et celle dont tout le monde est coupable – ce qui suscite des éclats de rire au sein de l'état-major. Chacun, à sa façon, lutte pour exprimer cette cruelle évidence que le Président n'en sait pas assez, n'est pas conscient de son ignorance, ne s'en soucie pas particulièrement et, en prime, manifeste confiance et sérénité à l'égard de ses certitudes indiscutées. À présent, tout le monde rit à propos de qui a traité Trump de quoi. Pour Steve Mnuchin et Reince Priebus, c'est un « idiot ». Pour Gary Cohn, il est une « pauvre merde ». Herbert R. McMaster le traite de « crétin. » Et la liste est longue.

Tillerson ne deviendra qu'un subalterne de plus à penser que ses propres capacités intellectuelles peuvent, d'une certaine façon, compenser les défaillances de Trump.

Les trois généraux, Mattis, McMasters et Kelly, s'alignent sur Tillerson, estimant représenter la maturité, la stabilité, la maîtrise. Et chacun, bien sûr, agace Trump pour cette raison. L'idée que l'un de ces hommes soit plus concentré et placide que lui provoque chez le Président bouderies et colères.

Chaque jour, les membres de l'état-major, encore présents ou déjà partis – qui ne croient plus en l'avenir de Tillerson dans l'administration Trump – se demandent combien de temps le général Kelly se maintiendra en poste. On assiste à une sorte de concours dans les bureaux, c'est à qui lancera les paris, et une blague court selon laquelle Reince Priebus battra sans doute un record de durée en tant que chef de cabinet. L'aversion de Kelly pour le Président est connue – il se montre condescendant envers lui dans tous ses gestes et ses paroles – et celle de Trump pour le général l'est plus encore. Le Président aime défier Kelly devenu ce qu'il n'a jamais supporté : une figure paternelle désapprobatrice et sévère.

Personne n'a plus d'illusions à la Maison Blanche. L'antipathie stoïque de Kelly pour le président ne rivalise qu'avec son dédain pour sa famille – « Kushner, dit-il, est insubordonné ». La façon dont Cohn tourne en dérision Kushner et le président est encore plus forte. En retour, Trump insulte Cohn : l'ancien président de Goldman Sachs est désormais « un parfait idiot, complètement con ». En fait, Trump a aussi cessé de défendre sa famille, se demandant quand ils « allaient piger et rentrer chez eux ».

Mais bien sûr, il s'agit toujours de politique : ceux qui sont capables de surmonter la honte et l'incrédulité – et, malgré la grossièreté et l'absurdité de Trump, lui lécher les bottes et lui faire plaisir – peuvent obtenir un avantage. Mais c'est le cas pour peu d'entre eux.

Cependant, en octobre, l'équipe du président remarque l'une des rares opportunistes restantes, Nikki Haley, ambassadrice à l'Onu. Haley – « aussi ambitieuse que Lucifer », d'après un membre de l'état-major – a conclu que Trump allait durer, au mieux, un mandat, et qu'elle, avec la soumission requise, pourrait être son héritière. Haley s'est liée d'amitié avec Ivanka qui l'a introduite dans le cercle familial où elle attire l'attention de Trump, et réciproquement.

Il est de plus en plus évident pour l'équipe chargée de la politique extérieure et de la Sécurité nationale que Haley est la préférée de la famille pour le poste de secrétaire d'État après l'inévitable démission de Rex Tillerson. (Dans cette réorganisation, Dina Powell la remplacerait à l'Onu.)

Le Président a passé beaucoup de temps avec Haley à bord d'Air Force One et il semble la préparer pour un avenir politique national. Haley, républicaine traditionnelle, avec un côté modéré prononcé – espèce qualifiée de *républicain à la Jarvanka* – est, c'est évident, formée à la méthode Trump. Le danger, ici, avance un trumpien confirmé, c'est qu'« elle est bien plus intelligente que lui ».

Ce que l'on peut voir, avant même la fin de la première année du président, c'est qu'il existe à la Maison Blanche une réelle vacance du pouvoir. Trump, dans son échec à dépasser le chaos quotidien, vit à peine dans l'instant. Mais, comme toujours en politique, la relève se prépare.

En ce sens, l'avenir de Trump et des Républicains dépasse déjà cette Maison Blanche. On observe Bannon, travaillant de l'extérieur et tentant de récupérer le mouvement trumpien ; la majorité républicaine au Congrès, essayant de barrer la route au trumpisme – voire de le tuer ; John McCain faisant de son mieux pour le mettre dans l'embarras ; et le bureau du procureur spécial poursuivant le Président et son entourage.

Les enjeux sont clairs pour Bannon. Haley, figure peu trumpienne, mais de loin la plus proche de lui parmi les membres de son cabinet, peut avec quelques ruses et de l'intelligence inciter Trump à lui confier sa révolution. Redoutant l'emprise de Haley sur le président, le camp de Bannon – ce même matin d'octobre trop clément où il s'est tenu sur les marches du siège de Breitbart – a mis les bouchées doubles pour pousser Mike Pompeo de la CIA au poste de Tillerson.

Tout cela fait partie de l'étape suivante du trumpisme : le protéger de Trump.

Le général Kelly tente consciencieusement d'éliminer le chaos de la West Wing. Il a commencé par compartimenter les sources et la nature de ce désordre. La principale source, bien sûr, ce sont les éruptions du président, que Kelly ne peut pas maîtriser et qu'il s'est résigné à accepter. Et la secondaire s'est en grande partie apaisée avec les éliminations de Bannon, Priebus, Scaramucci et Spicer, laissant la West Wing contrôlée par Jarvanka.

Au bout de neuf mois, l'administration affronte un autre problème : il s'avère très difficile d'embaucher des hauts responsables ayant l'envergure de ceux qui sont partis. Et la stature de ceux qui restent semble diminuer chaque semaine.

Hope Hicks (28 ans) et Stephen Miller (32 ans), qui ont débuté en travaillant sur la campagne, sont à présent les collaborateurs les plus confirmés à la Maison Blanche. Hicks est aux commandes des opérations de communication, Miller remplace Bannon en tant que conseiller stratégique.

Après le fiasco Scaramucci et le fait que le poste de directeur de la communication est difficile à pourvoir, Hicks devient directrice « par interim ». Elle reçoit ce titre d'interim parce qu'il semble invraisemblable qu'elle soit qualifiée pour diriger un service déjà maltraité. Par ailleurs, si elle obtenait un poste permanent, tout le monde penserait que le Président en assure lui-même la gestion. Cependant, mi-septembre, le temporaire se voit discrètement converti en permanent.

Dans le monde des médias et de la politique, Miller – que Bannon appelle « ma dactylo » – devient un sujet croissant d'incrédulité. Dès qu'il est en public, il se lance dans des accès déments, voire hystériques, de dénonciations et de griefs. Il conçoit, *de facto*, politiques et discours, alors que, jusqu'à présent, il a surtout écrit sous la dictée.

Mais le plus problématique c'est que Hicks et Miller, et tout le camp de Jarvanka avec eux, sont maintenant liés aux actions concernées par l'enquête russe et aux efforts pour la manipuler, la détourner ou l'étouffer. Miller et Hicks ont rédigé – ou du moins tapé –, à Bedminster, la version de la lettre de Kushner limogeant Comey. Hicks a rejoint Kushner et sa femme à bord d'Air Force One pour écrire, sous la direction de Trump, le communiqué de presse au sujet de la rencontre de Don Jr. et Kushner avec les Russes à la Trump Tower.

Ce problème est devenu déterminant pour l'équipe de la Maison Blanche : qui s'est trouvé au mauvais moment au mauvais endroit ? Et au-delà du chaos général, la menace juridique permanente décourage les gens de venir travailler à la West Wing.

Kushner et sa femme – à présent considérés comme une bombe à retardement à la Maison Blanche – passent un temps considérable à se défendre et à combattre un comportement paranoïaque croissant, notamment à propos de ce que les membres de l'état-major déjà partis pourraient dire sur eux. Mi-octobre, Kushner étoffe son équipe juridique avec Charles Harder, l'avocat progressiste qui a défendu Hulk Hogan lors de son procès en diffamation contre le site Gawker, et Melania Trump contre le *Daily Mail*. La menace voilée à l'égard des médias et des critiques est claire. Parlez de Jared Kushner à vos risques et périls. Cela signifie sans doute aussi que Donald Trump s'occupe encore de la défense juridique de la Maison Blanche, appelant ses avocats « durs à cuire » préférés.

Au-delà des singeries quotidiennes de Donald Trump, le problème brûlant de la Maison Blanche est l'enquête dirigée par Robert Mueller. Le père, la fille, le gendre, son père, l'exposition prolongée de la famille, le procureur, les larbins cherchant à sauver leur peau, le personnel que Trump a remercié : dans l'esprit de Bannon, tout cela risque de faire passer Shakespeare pour Dr. Seuss[1].

Chacun attend la chute des dominos, pour voir comment le président, dans sa fureur, réagira et changera à nouveau la donne.

Selon Steve Bannon, il y aurait 33,3 % de chances que l'enquête de Mueller mène à la destitution du président, 33,3 % de chances que Trump démissionne, peut-être à la suite d'une menace du cabinet de recourir au 25e amendement (lui permettant de le destituer pour incapacité), et 33,3 % de chances qu'il se traîne jusqu'à la fin de son mandat. Dans tous les cas, il n'y aurait certainement pas de réélection, ni de tentative de décrocher un second mandat.

« Il ne va pas s'en sortir, dit Bannon à l'ambassade Breitbart. Il a perdu le truc. »

---

1. Auteur et illustrateur de livres loufoques pour enfants.

Avec moins de volubilité, Bannon annonce autre chose : que lui, Steve Bannon, sera candidat à la présidence en 2020. La phrase « Si j'étais président... » se mue en « Quand je serai président... ».

Les plus gros donateurs de la campagne de Trump sont dans son camp, affirme-t-il : Sheldon Adelson, les Mercer, Bernie Marcus et Peter Thiel. Comme s'il s'y était préparé depuis longtemps, il a, en peu de temps, quitté la Maison Blanche et organisé juste après le début d'une campagne. Jusqu'ici homme de l'ombre, Bannon rencontre méthodiquement tous les leaders conservateurs du pays – faisant de son mieux, dit-il, pour « lécher le cul et rendre hommage à toutes les barbes grises ». Et il dresse une liste d'événements conservateurs à ne pas rater.

« Pourquoi Steve parle ? Je ne savais pas qu'il parlait », remarque le Président avec perplexité et inquiétude, devant ses conseillers.

Trump se voit aussi voler la vedette par d'autres moyens. L'interview importante qu'il devait donner à *60 Minutes*[1] est brutalement annulée après l'entretien de Bannon avec Charlie Rose dans la même émission, le 11 septembre. Les conseillers du président sentent qu'il ne doit pas se mettre en position d'être comparé à Bannon. Ses collaborateurs, inquiets que ses répétitions alarmantes (les mêmes phrases prononcées avec les mêmes expressions à quelques minutes d'intervalle) aient grandement augmenté, et que sa capacité à rester concentré, déjà faible, ait diminué, pensent qu'il n'y serait pas à son avantage. L'interview avec Trump a finalement été proposée à Sean Hannity – à condition que les questions soient communiquées en avance.

Bannon reprend le groupe de recherches de Breitbart – l'équipe qui a compilé les révélations incriminantes de *Clinton Cash*[2] – et le recentre sur ce qu'il appelle « les élites politiques ». C'est une liste fourre-tout d'ennemis comprenant de nombreux républicains et démocrates.

---

1. Magazine d'informations de la chaîne CBS.
2. Best-seller de Peter Schweizer qui enquête sur les finances du couple Clinton. Les recherches ont été menées par une organisation à but non lucratif fondée par Steve Bannon et Peter Schweizer et financée par les milliardaires Robert Mercer, Charles G. Koch et David H. Koch.

Bannon se focalise surtout sur la présentation de candidats pour 2018. Si le Président a souvent menacé de soutenir des candidats aux primaires contre ses ennemis, c'est au final Bannon, qui a pris de l'avance, qui le fera. C'est Bannon qui inspire la peur dans le Parti républicain, pas Trump. En effet, il est prêt à choisir des candidats outranciers, voire loufoques – dont l'ancien élu de Staten Island, Michael Grimm, qui a fait de la prison – pour montrer, comme il l'a fait avec Trump, la dimension, la ruse et la menace de la politique à la Bannon. Même si les Républicains risquent, selon Bannon, de perdre quinze points aux élections de 2018, il pense que plus les positions de la droite seront extrêmes, plus les démocrates présenteront des candidats de gauche cinglés, encore moins éligibles. La rupture est en marche.

Dans l'esprit de Bannon, Trump représente un chapitre, voire un détour, dans la révolution Trump qui a toujours reposé sur les faiblesses des deux grands partis. Sa présidence – quelle que soit sa durée – a créé une ouverture qui donnera une chance aux vrais outsiders. Trump n'est qu'un début.

Debout sur les marches de l'ambassade Breitbart, ce matin d'octobre, Bannon sourit : « Ça va être un vrai bordel. »

Note de l'auteur

J'ai écrit ce livre pour une raison des plus évidentes. Le jour de l'investiture de Donald Trump, le 20 janvier 2017, les États-Unis sont entrés dans l'œil du plus formidable cyclone politique depuis le Watergate. J'ai décidé de raconter, dans la mesure du possible, cette histoire au jour le jour, et d'essayer de décrire la vie à la Maison Blanche sous l'ère Trump à travers le regard de ses proches.

À l'origine, ce livre devait traiter des cent premiers jours de l'administration Trump, ce traditionnel premier bilan d'une présidence. Mais les événements se sont succédé sans répit pendant plus de deux cents jours et le rideau de ce premier acte n'est finalement tombé que fin juillet, avec la nomination du général en retraite John Kelly comme chef de cabinet de la Maison Blanche, et le départ, trois semaines plus tard, du conseiller stratégique du Président, Stephen K. Bannon.

Le récit des événements décrits dans ce livre est basé sur les conversations que j'ai eues, sur une période de dix-huit mois, avec le Président, la plupart des hauts responsables de son équipe – certains d'entre eux m'ont parlé des dizaines de fois – et de nombreuses autres personnes qui s'étaient entretenues avec eux. À la fin du mois de mai 2016, bien avant que je puisse imaginer qu'un jour Trump serait à la Maison Blanche, et plus encore avant de penser en faire un livre, je l'avais interviewé dans sa maison de Beverly Hills. Le candidat qu'il était alors terminait un pot de glace à la vanille Häagen-Dazs tout en me donnant sur un ton dégagé son avis à propos d'un tas de sujets alors que les membres de son équipe de campagne, Hope Hicks, Corey Lewandowski et Jared Kushner, entraient et sortaient de la pièce. Mes conversations avec ces derniers se sont poursuivies jusqu'à la convention républicaine de Cleveland, alors qu'une élection de Trump était encore difficilement concevable. Après cela, tout le monde s'est installé dans la Trump Tower en compagnie du volubile Steve Bannon. Avant l'élection, Bannon semblait original et amusant. Après, il était devenu un faiseur de miracles.

Dans les jours qui ont suivi le 20 janvier 2017, j'ai pris mes habitudes sur un canapé de la West Wing. Depuis lors, j'ai réalisé plus de deux cents interviews.

Bien que l'aversion de l'administration Trump à l'égard de la presse soit une réalité politique, la Maison Blanche s'est révélée plus ouverte aux médias que durant les précédentes présidences. Au début, j'ai cherché à obtenir une sorte de statut me donnant un accès officiel à la Maison Blanche, celui d'un observateur discret, telle une mouche sur un mur, et le Président lui-même m'a encouragé dans cette voie. Très vite, les nombreux clans de l'administration sont entrés en conflit les uns avec les autres, et personne n'a pu me procurer ce statut. Mais personne non plus n'est venu me dire de m'en aller. Plus qu'invité bienvenu, j'étais désormais un intrus permanent. Et je suis resté cet observateur discret, cette mouche sur le mur, sans avoir jamais dû me soumettre à une quelconque règle ni promettre de taire ou de révéler quoi que ce soit.

La plupart des récits sur la Maison Blanche de Trump sont contradictoires et beaucoup d'entre eux, fidèles à la tradition trumpienne, totalement faux. Ces contradictions, cette légèreté à l'égard de la vérité, voire de la réalité elle-même, forment la trame de ce livre. Parfois, j'ai laissé mes interlocuteurs présenter leurs propres versions des faits, et le soin au lecteur de les évaluer lui-même. D'autres fois, grâce à la solidité des sources en qui j'avais confiance, j'ai opté pour une version des événements qui me semble relater la vérité.

Certaines de mes sources m'ont parlé dans le cadre de ce qu'on appelle le *deep background*, qui, dans les livres politiques, consiste à rapporter les propos des personnes interviewées en faisant en sorte qu'aucun élément ne permette de les identifier. J'ai eu droit aussi aux interviews dites *off the record* offrant une phrase à citer à condition qu'elle ne soit attribuée à personne. D'autres sources m'ont demandé que leurs propos ne soient pas publiés avant la sortie du livre. Certaines, enfin, se sont adressées à moi *on the record*, me permettant ainsi de les citer.

Il faut noter qu'il m'a fallu souvent deviner la règle à suivre en raison de l'absence de procédure officielle ou de l'inexpérience de mes interlocuteurs. Certaines conversations *off the record* ou en *deep background* sont devenues *on the record*. Des sources m'ont parlé en toute confiance et, comme libérées par ce premier échange, ont partagé ensuite leurs propos avec un grand nombre de gens. J'ai dû tenir compte de la négligence de plusieurs de mes interlocuteurs qui ont omis de définir le niveau de confidentialité de leur récit, et considérer parfois qu'il serait risible de ne pas citer quelqu'un dont les opinions sont bien connues et largement relayées par les médias. J'ai découvert, enfin, ce style *samizdat*[1] de la diffusion d'une phrase, sa répétition alors même qu'elle provenait d'un entretien privé et confidentiel. Et partout, dans cette histoire, de façon constante, inlassable et incontrôlée, dans un cadre public ou privé, circule la voix du Président, retransmise par d'autres, tous les jours, parfois presque dans l'instant.

Quelles que soient leurs raisons, presque toutes les personnes que j'ai rencontrées – hauts responsables de l'équipe de la Maison Blanche ou observateurs passionnés – ont passé beaucoup de temps avec moi et ont cherché à m'aider à comprendre la nature

---

1. Le samizdat était un système clandestin de diffusion d'écrits dissidents en URSS.

singulière de la vie à la Maison Blanche avec Trump. Finalement, ce dont je fus le témoin, et qui constitue le sujet même de ce livre, c'est la manière dont des individus ont lutté pour trouver un sens au fait de travailler pour Donald Trump.

Je leur en suis énormément reconnaissant.

Remerciements

Je remercie Janice Min et Matthew Belloni du *Hollywood Reporter*, qui, il y a dix-huit mois, m'ont tiré du lit un matin pour que je saute dans un avion à New York et que le soir, je puisse interviewer ce candidat invraisemblable à Los Angeles. Mes éditeurs, Stephen Rubin et John Sterling, chez Henry Holt, ont soutenu ce livre avec générosité et m'ont guidé avec enthousiasme et attention au quotidien. Mon agent, Andrew Wylie, a, comme toujours, fait en sorte que ce livre existe presque du jour au lendemain.

Michael Jackson de Two Cities TV, Peter Benedek chez UTA, et mes avocats, Kevin Morris et Alex Kohner, ont fait patiemment avancer ce projet.

Une relecture par un avocat, c'est comme une visite chez le dentiste. Mais dans ma longue expérience, aucun avocat spécialisé en diffamation n'est plus nuancé, sensible et stratège qu'Eric Rayman. Une fois de plus, c'est presque un plaisir.

De nombreux amis, confrères et personnes généreuses dans le monde des médias et de la politique ont rendu ce livre plus intelligent, dont Mike Allen, Jonathan Swan, John Homans, Franklin Foer, Jack Shafer, Tammy Haddad, Leela de Kretser, Stevan Keane, Matt Stone, Edward Jay Epstein, Simon Dumenco, Tucker Carlson, Joe Scarborough, Piers Morgan, Juleanna Glover, Niki Christoff, Dylan Jones, Michael Ledeen, Mike Murphy, Tim Miller, Larry McCarthy, Benjamin Ginsberg, Al From, Kathy Ruemmler, Matthew Hiltzik, Lisa Dallos, Mike Rogers, Joanna

Coles, Steve Hilton, Michael Schrage, Matt Cooper, Jim Impoco, Michael Feldman, Scott McConnell, and Mehreen Maluk.

Je sais gré aussi aux personnes qui ont vérifié les faits, Danit Lidor, Christina Goulding et Joanne Gerber.

Et mes plus chaleureux remerciements à Victoria Floethe pour son soutien, sa patience et ses idées, et pour avoir, de bonne grâce, laissé ce livre prendre une si grande place dans nos vies.

Index

TABLE

Composition et mise en pages
Nord Compo à Villeneuve-d'Ascq

MARQUIS

Québec, Canada

Imprimé au Canada